Sweetie

Dello stesso autore da Alacrán Edizioni:

Collana I Misteri
Le ore del male
Prima del buio
James Bond 007-Conto alla rovescia
James Bond 007-Obiettivo Decada
James Bond 007-Tempo di uccidere
James Bond 007-Doppio gioco
*James Bond 007-Mai sognare di morire**

*di prossima pubblicazione

FOR JOHN —

SALUTE

Sweetie

Raymond Benson

Traduzione di Andrea Carlo Cappi

Raymond Benson

alacrán edizioni

Titolo originale: *Sweetie's Diamonds*

© Raymond Benson 2006

© Alacrán Edizioni 2007

Prima edizione: novembre 2007

In copertina: illustrazione di Sara Gioda

Alacrán Edizioni s.r.l.
Via Fra Luca Pacioli, 9 - 20144 Milano
www.alacranedizioni.it
info@alacranedizioni.it

Promozione librerie: Pea Italia

Distribuzione: messaggerie libri

Videoimpaginazione: Raffaella Arnaldi

Stampa: GECA S.p.A. Cesano Boscone (MI)

Per la mia famiglia

Diario di David

Salve.

La mamma mi ha regalato questo diario per il mio tredicesimo compleanno e forse è ora che ci scriva sopra qualcosa. Ce l'ho da sette mesi e non l'ho ancora toccato. In autunno compio quattordici anni: se non ci scrivo niente e la mamma se ne accorge, poi ci resta male. Non voglio. Allora lo riempirò di tutti i miei pensieri e desideri segreti. Non so bene perché la gente scrive i propri fatti personali: il punto è che un diario lo leggono solo loro e nessun altro, giusto? Ma i loro segreti non li conoscono già? La mamma dice che scrivere i propri pensieri privati è una "buona terapia". Non so se tenga un diario anche lei, ma mi piacerebbe che lo facesse.

Mi chiamo David Boston e faccio la terza media. In realtà dovrei fare la seconda, ma quando ero piccolo mi hanno mandato avanti di un anno. Pensavano che fossi più sveglio degli altri ragazzi, ho idea. Ho fatto metà anno in prima elementare, poi mi hanno passato in seconda. Dicevano che ero bravo a leggere ed eccezionale a scrivere. Me la cavo bene anche in matematica. Dev'essere perché compenso i miei problemi di salute dandomi da fare a scuola. Gli altri ragazzi mi trovano strano perché mi interesso allo studio e preferisco affrontare un problema difficile di matematica piuttosto che una partita di football. E poi tanto il dottore dice che non posso giocare al pallone.

Non posso fare nessuno sport. Sono esentato da ginnastica fin dal primo giorno di scuola.

Ho quella che chiamano sindrome di Marfan. Non ne so molto, ma dicono che è "ereditaria". È una parola che ho imparato a sei anni: vuol dire che si trasmette in famiglia. La mamma dice che l'aveva anche suo padre e che è stata la causa della sua morte. Io sono nato con la sindrome di Marfan. Mi manca una certa proteina e per questo il mio corpo cresce in modo strano e ci vedo male. Il peggio è che sono nato con il cuore debole: il dottore lo chiama "rigurgito aortico". Da piccolo avevo spesso dolori al petto, specie quando correvo o facevo esercizio. Mi vengono ancora, se non ci sto attento. Il dottore mi dice che il problema si potrà risolvere con un'operazione, quando sarò più grande e il mio cuore avrà smesso di crescere. Per ora devo solo fare attenzione agli sforzi fisici e prendere una pastiglia chiamata Tenormin al giorno. Sarebbe davvero imbarazzante avere un attacco di cuore a tredici anni! In ogni caso sono molto alto e magro per la mia età, un bel po' più alto dei miei compagni di scuola, che si divertono a chiamarmi Fagiolino. E porto occhiali spessi da miope che mi fanno sembrare uno sfigato. Metti insieme tutto — alto, magro, occhialuto e un disastro come atleta — ed ecco un socio fondatore del Nerds of America Club.

Si potrebbe pensare che non abbia amici, e invece sì. Il mio migliore amico è Billy Davis. A scuola siamo compagni in tre corsi. In effetti, probabilmente lui è il mio unico amico. Dev'essere un po' sfigato pure lui, ho idea. A scuola se la cava, ma non è granché in ginnastica. Se non altro lui ci va, a ginnastica.

Non mi viene in mente nessun altro che si possa considerare un amico. Però ho un sacco di nemici, questo è sicuro. Specie quel deficiente di Matt Shamrock. Uno stronzo. Non merita nemmeno di essere citato nel mio diario.

Mia mamma e io viviamo a Lincoln Grove, Illinois, una cittadina nell'hinterland nordovest di Chicago. La mamma dice che è "un posto sicuro per crescere i figli". Forse ha

ragione. Qui non succede praticamente niente. Nella mia scuola non abbiamo metal detector e cose del genere. Ho sentito che nelle scuole pubbliche di Chicago ci sono. I ragazzi nella mia scuola vengono da buone famiglie della classe media, ho idea. E qualcuna anche della classe alta. Noi siamo al livello più basso della classe media. Mamma e papà hanno divorziato l'anno scorso. All'inizio ero sconvolto, ma poi mi ci sono abituato, ho idea. (Ho idea che dico spesso "Ho idea.") Ogni tanto però mi sento triste. Per il divorzio. Mio papà lo vedo ancora, ma non di frequente. Ha una concessionaria di auto in città ed è uno degli assessori al Comune. Non so bene che cosa voglia dire e non credo che lo saprò mai. Va alle riunioni in municipio una volta al mese, ma non so che cosa ci faccia. Però vende un bel po' di macchine. C'è persino una pubblicità della Boston Ford che si sente sempre alla radio. La trasmettono su molte stazioni. Papà discende da una lunga dinastia di Boston. Il nonno di papà ha fondato la Boston Ford negli anni Quaranta. Papà si chiama Greg Boston. Credo che abbia quarantasei o quarantasette anni, non me lo ricordo mai. Mia mamma si chiama Diane Boston. Ha quarant'anni e qualcosa. Insegna storia e scienze sociali al liceo in cui andrò anch'io, prima o poi: la Lincoln High. Anzi, è la direttrice del dipartimento di Scienze sociali. Anche se è più famosa per i corsi di autodifesa femminile della Lincoln High. È una sua attività extra-curriculare. Insegna judo e karate alle ragazze. È una cintura nera. È tutta diversa da me, è molto atletica. Billy la trova anche carina, anche se è una cosa che uno non può dire della propria mamma. Lui dice che è una MADAMIC, una "Mamma da metterci il c..." (Ho idea che posso dire la parola con la c, ma è meglio che non la scriva. Non mi chiedete perché.) Billy dice che anche secondo suo papà mia mamma è "gnocca". Anche il papà di Billy è divorziato e insegna alla Lincoln High. Mia mamma e il papà di Billy sono usciti insieme una sera, ma non credo che sia andata tanto bene.
La mamma è una grande. È molto simpatica ed è anche

parecchio intelligente. Io voglio bene al mio papà, ma a volte si comporta da deficiente. Non ha una mente aperta. La mamma è molto progressista e sembra capire ogni cosa della gente. Piace a tutti i ragazzi della scuola. Due anni fa è stata eletta "insegnante dell'anno". Ogni tanto mi dispiace che abbia divorziato. Papà se n'è andato di casa e noi ci siamo rimasti per un anno circa, ma adesso dobbiamo traslocare in un appartamento. Mia mamma non si può permettere una casa così grande solo per noi due. Papà le deve passare dei soldi, ma non bastano. Io preferirei non traslocare, ma ho idea che non si può fare diverso.

La mamma è sempre ottimista su tutto: la mia salute, il suo divorzio, i problemi a scuola, qualsiasi cosa. Anche se ogni tanto se ne sta zitta e sembra molto distante. Non dico che sia depressa. La sera beve un sacco di vino e ogni tanto secondo me ne beve troppo. Mi piacerebbe proprio sapere se tiene un diario. Vorrei sbirciarlo e vedere che cosa ci scrive. Credo che la mamma abbia dei segreti che non ha raccontato a nessuno. Non so spiegarlo, è solo una sensazione. Qualcosa che le è capitato tanto tempo fa e che a volte la fa diventare un po' strana. Non che sia pazza o roba del genere, solo che se ne sta seduta a guardare il muro per un bel po', come se fosse in trance. Poi è come se si risvegliasse. E poi non dice mai niente di sé prima di conoscere il papà. È una delle ragioni per cui lui l'ha lasciata. L'accusava di "non aprirsi con lui", cose così. Se volete saperlo, non credo che abbia fatto bene ad andarsene, ma io che cosa ne so? Non riesco a capirlo.

Qualsiasi cosa sia successa a mia mamma in passato, so che la tormenta un sacco. È un grosso segreto, oscuro e profondo, e non credo che lo racconterà mai a nessuno. Ma io ho intenzione di scoprirlo.

1

Quando il cliente uscì dal negozio, Moses Rabinowitz sospirò profondamente. Non aveva venduto niente in tutta la giornata e ormai era ora di chiudere. Era venerdì, e Shabbat, l'unico giorno in cui l'A-1 Fine Jewelry chiudeva presto. Restavano chiusi tutto sabato e domenica, quindi i cinque giorni effettivi di apertura alla settimana erano preziosi.

Tuttavia Moses non aveva di che lamentarsi, il negozio faceva buoni affari. Lui e suo fratello Hiram stavano bene, grazie al cielo. Hiram gestiva la sede centrale di New York City, nel bel mezzo del quartiere dei diamanti, Moses si era spostato a ovest trent'anni prima per aprire la filiale di Chicago, una mossa che si era rivelata proficua. Si era fatto parecchi contatti in città, alcuni, per così dire, sottobanco. Era pur vero che facevano affari legittimi con clienti onesti, ma buona parte del successo dei Rabinowitz veniva da commerci di cui Moses non avrebbe parlato in presenza di un poliziotto. Dopotutto, chi era lui per giudicare quello che gli altri facevano per vivere? Fintanto che non lo disturbavano, era pronto a trattare con tutti: ebrei praticanti e non, cristiani, musulmani, neri, bianchi, perfino gangster. A lui non importava. Purché i soldi fossero buoni e le transazioni discrete.

Il negozio si trovava fuori dal *Loop*, in bella vista sulla Lincoln Avenue, una zona che attirava molti pedoni. Molti clienti erano semplici passanti. Dalla strada, l'A-1 Fine

Jewelry dava l'impressione di un negozio consolidato, senza essere pretenzioso o appariscente. A Moses andava bene così. Teneva alla larga il fisco.

Rabinowitz andò a una delle vetrine sul fronte del negozio e l'aprì dall'interno. La routine prevedeva di svuotarle tutte ogni sera. Aveva subito un solo furto in negozio, ma era stata una lezione che non avrebbe mai dimenticato: qualche tossico aveva sfondato una vetrata e arraffato tutto quanto era in esposizione. Alla matura età di sessantanove anni. Moses sapeva di non essere abbastanza in salute per avere a che fare con tipi violenti, né con poliziotti o avvocati. C'era una certa ironia in tutto questo, dato che in segreto Moses Rabinowitz era uno dei ricettatori di maggior riguardo della città.

Asportò dalla vetrina un vassoio di velluto ricoperto di orecchini e tornò al banco, vicino al registratore di cassa. Non avrebbe aperto la cassaforte finché non avesse svuotato tutte e quattro le vetrine e la merce non fosse stata pronta per essere trasferita nella camera blindata. Poi andò a prendere un altro *plateau*.

Fu in quel momento che Moses la vide arrivare.

La bionda.

Non sapeva come si chiamasse. Non sapeva dove vivesse. Sapeva solo che veniva da lui una volta al mese e gli vendeva merce da non credere.

Moses ripassò subito le cifre mentalmente, per stabilire se quel giorno avesse sottomano contanti a sufficienza. Ce la poteva fare.

La porta si aprì, facendo tintinnare il campanello.

"Buonasera, mia cara."

"Buonasera, signor Rabinowitz", disse lei. Si tolse gli occhiali, rivelando i suoi magnifici occhi verdi, felini.

Moses non era mai bravo a indovinare l'età delle donne, ma presumeva che la bionda fosse tra i trentasette e i quarantadue. Era alta, magra, in forma e, di sicuro, abbastanza intelligente da cogliere vantaggi e svantaggi della ricettazione. Non doveva essere ebrea, ma di questo a

Moses non importava. "Non l'aspettavo fino alla prossima settimana", disse, chiudendo gli sportelli della vetrina.

"Lo so, ma non ero sicura che sarei riuscita a passare." La bionda si avvicinò a uno degli espositori. "Uh, che bello", fece, indicando una spilla di diamanti a forma di rosa.

"Sì, è un pezzo nuovo. Ci è arrivato un paio di settimane fa. Ottima lavorazione."

La bionda guardò altri gioielli in esposizione, muovendo la testa in segno di approvazione. Una collana attirò il suo sguardo. Sorrise. "Questa mi piace."

"Vuole provarla?"

La donna rivolse il suo sorriso verso di lui. "Oggi no, sono un po' di fretta. Magari la prossima volta. Ma un giorno o l'altro me li dovrei regalare uno o due gioielli, no?"

"Ma certamente!" Rabinowitz andò all'ingresso e girò il cartello con il lato CHIUSO verso l'esterno. Poi fece scattare la serratura e andò dietro il bancone. "Allora, che cosa abbiamo oggi?"

La bionda aprì la borsetta e ne tirò fuori un fazzoletto di seta. *Come sempre*, pensò lui. Fosse stato uno scommettitore, avrebbe detto che ce n'erano un paio, in quel fagottino. Lei disfece con cura il fazzoletto, aprendolo sul banco. All'interno c'erano proprio due diamanti squisiti, di pregevoli dimensioni. Nonostante avesse già fatto più volte affari con lei, l'alta qualità e lo splendore assoluto delle pietre lasciavano Moses sempre stupefatto.

"*Oy*", fu tutto quello che riuscì a mormorare.

Lei rise. "Sono uguali alle altre, signor Rabinowitz. Non un carato di meno."

"Non lo metto in dubbio, signorina... ehm..."

Lei sollevò l'indice. "No-o-o... Conosce le regole. Niente nomi. Solo contanti."

Lui fece un cenno di assenso e arrossì. "Lo so, lo so. Non si deve preoccupare."

La bionda si mise ad ammirare le collane in un altro espositore, mentre Moses procedeva al consueto rituale: estrasse un oculare da un cassetto ed esaminò le pietre. Le studiò, parlando tra sé a bassa voce. I diamanti erano genuini e valevano tre volte la cifra che lui le avrebbe offerto. "Posso darle cinquemila dollari al pezzo", dichiarò Moses.

La donna si voltò verso di lui e chinò la testa. "Signor Rabinowitz! Lo sa che può venderle al triplo!"

Lui rispose con la sua abituale risatina imbarazzata e annuì.

"Davvero, signor Rabinowitz, facciamo lo stesso discorso tutte le volte che ci vediamo!" disse la bionda. Dal tono della voce sembrava quasi che stesse flirtando con lui.

"Lo so, lo so. È che mi diverto a contrattare con lei." Alzò le spalle e fece un'altra risatina. "Vediamo, quanto le ho dato per quelle del mese scorso?"

"Ottomila ciascuna", gli rammentò lei.

"Oh, sì, uhm, ottomila."

"A meno che lei non voglia darmi di più, naturalmente."

"Mi spiace, ma proprio non posso. Ottomila al pezzo è tutto quello che le posso offrire."

Lei smise di sorridere e lo guardò severa. Per un attimo, Moses Rabinowitz ebbe l'impressione di avere davanti una pazza. Intuì che gli sarebbe potuto capitare qualcosa di spiacevole, se non fosse stato attento.

Poi la minaccia sfumò e, come se si fosse spezzato un incantesimo, lei tornò a sorridere. "Molto bene."

Moses espirò, annuì e indicò il retrobottega. "Ho i soldi in cassaforte. Torno subito."

"Non ci metta troppo", fece lei. "Potrei svaligiarle il negozio."

Lui ridacchiò nervosamente e andò nel retro. Di solito non si sentiva così a disagio quando trattava merce che senza dubbio era rubata. Perché, dopotutto, si trattava di refurtiva, no? Perché altrimenti quella bella donna si sarebbe presentata nel suo negozio con regolarità per più di vent'anni, a vendere lo stesso tipo di pietre? Moses l'aveva vista trasformarsi da ragazza a donna matura. Una donna straordinariamente sicura di sé.

Per chi lavorava? Dove aveva preso quei diamanti? Qual era la sua storia?

Ma tra i doveri di un ricettatore c'era quello di non fare domande.

Moses compose rapido la combinazione e aprì la cassaforte. Sedicimila dollari, tutto quello che aveva. Doveva sperare che Hiram riuscisse a vendere in fretta le pietre.

Tornò in negozio e trovò la bionda vicino alla vetrina, intenta a contemplare le fedi nuziali. "Ha intenzione di sposarsi?" domandò lui.

"Oh, no", rispose lei, alzando la testa. "È un'esperienza che ho già fatto." Tornò al banco, mentre Moses contava i biglietti da cento dollari. Quando lui ebbe finito, la bionda raccolse le mazzette e le infilò in una busta bianca che entrava giusta giusta nella sua borsetta.

Moses si affrettò a deporre le pietre sul fondo di velluto di una scatola. La bionda recuperò il fazzoletto.

"Potrebbero interessarle dei braccialetti? Abbiamo avuto nuovi arrivi proprio ieri", disse lui.

"No, grazie", rispose la bionda, con un luccichio negli occhi. "Ma ci vedremo presto." Detto questo, si voltò e andò alla porta. Moses la raggiunse e gliela aprì.

"Arrivederci", si congedò lei.

"*Shabbat shalom.*"

La bionda si allontanò.

Moses Rabinowitz guardò l'orologio sulla parete. Adesso era proprio ora di andarsene. Si strinse nelle spalle, chiuse a chiave la porta e tornò a svuotare le vetrine. Una volta finito, avrebbe chiamato suo fratello a New York, prima che tornasse a casa per lo Shabbat.

C'era nuovo ghiaccio da vendere.

La suora alla reception della Saint Mary's Convalescent Home alzò lo sguardo dal computer e si accorse della bella donna bionda in piedi di fronte a lei. "Oh, mi scusi. Non l'ho sentita entrare. Come sta?"

"Bene, grazie", rispose la donna bionda. "Ho bisogno di vedere la vostra amministratrice, per un pagamento."

"Posso occuparmene io, se vuole."

"No, preferisco consegnare la somma di persona. In contanti. Il mio nome è Diane Boston."

"Solo un momento." La suora sollevò il ricevitore e compose il numero di un interno. "Julie? C'è qui la signora Diane Boston che desidera fare un pagamento... A te personalmente... Sì, va bene... Okay." Riagganciò. "Sorella Fletcher la riceve subito. Sa dov'è l'ufficio?"

"Sì, ci sono già stata", rispose Diane. "Lei è nuova?"

"Ah-hah. Ho cominciato da due settimane."

"Sa dirmi se c'è sorella Jarrett?"

"Credo di sì."

"Pensa che potrei parlarle per cinque minuti?"

"Gliela cerco. Vada pure da sorella Fletcher, poi le faccio sapere."

"Grazie." Diane si allontanò dalla scrivania e oltrepassò le porte che conducevano al complesso. Non era un ospedale. Era una struttura privata che ospitava pazienti gravemente handicappati e invalidi e comprendeva anche una clinica di riabilitazione per vittime di gravi incidenti alla spina dorsale, ustioni e altri problemi di una certa entità. Non c'era personale medico, anche se la Saint Mary's poteva contare sull'aiuto volontario da parte dei dottori della zona. La cura dei pazienti era affidata interamente alle suore.

Diane non era cattolica, ma il modo in cui era gestita la Saint Mary's le trasmetteva un senso di calma e serenità. Si sentiva in colpa per non venire più spesso in quella località dell'Illinois centrale, ma se non altro, quando ci andava, per lei era un'esperienza gradevole. Non sarebbe stato lo stesso in un ospedale.

Entrò nell'ufficio di sorella Fletcher, sulla cui porta si leggeva la scritta AMMINISTRAZIONE, e salutò la suora alla scrivania.

"Buon pomeriggio, signora Boston. Lieta di rivederla."

Sorella Fletcher era una donna sulla cinquantina. Sulle sue mani cominciavano a comparire macchie scure.

Diane le si sedette di fronte. "Devo fare un pagamento. Per i prossimi quattro mesi."

"Sì." Sorella Fletcher scosse lievemente il capo. Non le piaceva tenere troppi contanti in ufficio. Avrebbe dovuto correre in banca a depositarli prima della chiusura.

Diane sfilò la busta bianca dalla borsetta e la fece scivolare sul piano della scrivania.

Sorella Fletcher la prese, l'aprì ed estrasse le grosse mazzette di biglietti da cento dollari. Si mise a contare.

Diane rimase seduta in silenzio, con gli occhi bassi.

"Sedicimila", annunciò la suora. "Firmi qui e le do la ricevuta." Le porse un registro che la donna bionda firmò con uno svolazzo.

Il telefonò trillò. Sorella Fletcher prese il ricevitore. "Sì? Oh, d'accordo, glielo dico." Riappese. "Sorella Jarrett l'aspetta nel suo ufficio."

"Grazie. È tutto?"

"Siamo a posto."

Diane si alzò in piedi e uscì dalla stanza. Sorella Fletcher scosse nuovamente la testa. Quella signora era una delle persone più misteriose con cui avesse mai avuto a che fare.

Sorella Jarrett, direttrice della Saint Mary's, accolse Diane con molto calore. "Come sta oggi, signora Boston?"

"Bene. E lei?"

"Molto bene, grazie. Si accomodi."

Diane si sedette nel piccolo ufficio. La suora chiuse la porta e tornò alla scrivania. "Che cosa posso fare per lei?"

"Ci sono novità?"

Sorella Jarrett si strinse nelle spalle. "Nessuna. Nessun cambiamento. Il dottor Patterson l'ha visitata ieri."

Diane se lo aspettava, ma sospirò ugualmente, delusa.

"Ha riflettuto su ciò che ci siamo dette l'ultima volta?" domandò la suora.

"Sì, a lungo."

"E...?"

"Non so che cosa fare. Non potrei mai staccare la spina... a mia sorella."

"La capisco. Le faccio una domanda: da quanto tempo è qui, sua sorella?"

"Ventiquattro anni."

"Precisamente. *Ventiquattro anni* in permanente stato di incoscienza. È raro che i pazienti escano dal coma dopo un periodo così lungo."

"Ma è successo."

"Di rado. Un caso su un milione."

"Allora c'è speranza."

La suora si appoggiò allo schienale. "Sì, certo. La fede e la preghiera possono fare molto. Noi ci prenderemo cura di sua sorella finché lei lo vorrà. Sia ben chiaro: la Chiesa non approva l'eutanasia. Ma questo è un caso speciale e il Signore fa eccezioni quando si tratta di porre fine a un tormento interminabile. Come le ho spiegato quando è arrivata la prima volta, qui alla Saint Mary's vogliamo considerarci al passo con i tempi. Per questo abbiamo finanziamenti privati e ci troviamo qui in mezzo al niente."

Per quanto cercasse di sorridere ai tentativi di umorismo della suora, Diane si rendeva conto che Sorella Jarrett aveva ragione. La Saint Mary's si trovava in un luogo isolato, a tre ore di macchina da Chicago. E il motivo della scelta era che si trattava di suore dalla mentalità particolarmente aperta e, soprattutto, discrete.

Sorella Jarrett guardò le proprie carte. "Vedo che ha firmato per l'Health Surrogate Act tre anni fa."

"Sì, per avere il diritto di prendere decisioni legali sulle sue cure."

"Da quando la legge è passata nell'Illinois, ha reso tutto più semplice." La suora guardò Diane. "Lo sa, potrebbe decidere di non mantenere più in vita artificialmente sua sorella e porre fine a questa prova difficile per entrambe. Perché è un dolore per lei, non è così? Il nostro Salvatore ha già sofferto a sufficienza per noi. Non occorre che lei faccia lo stesso."

"È mia sorella. E non è un dolore per me."

"Molto bene. Volevo solo ricordarle che esiste questa possibilità. Se è questo che desidera, saremo liete di continuare a prenderci cura di sua sorella fintanto che il suo corpo sarà in vita. Sono sicura che il Signore ammira la sua forza. Poche persone avrebbero mantenuto salda la speranza per tanto tempo."

Diane assentì, ma si voltò, perché la suora non si accorgesse delle lacrime che le riempivano gli occhi. "Posso vederla?" chiese.

"Certo."

Sorella Jarrett l'accompagnò fuori dall'ufficio e lungo il corridoio, fino alla camera della paziente. Si fermò sulla soglia. "Vi lascio sole."

"Grazie", disse Diane.

La paziente distesa sul letto era una donna della stessa età di Diane. Sembrava addormentata. Dozzine di cavi e tubicini erano collegati al suo corpo. Da un monitor proveniva il *bip* ritmico della frequenza cardiaca. La paziente respirava piano, profondamente. I capelli biondi le erano ricresciuti sul lato della testa a cui era stata operata molto tempo prima.

Diane si avvicinò al letto e le appoggiò una mano su un braccio. Glielo strinse delicatamente e disse: "Te lo prometto, Sweetie, non ti lascio morire. D'accordo?"

La paziente non ebbe alcuna reazione.

Diane rimase accanto al letto ancora per qualche minuto, senza dire altro. Poi si voltò e se ne andò.

2

Al suono dell'ultima campanella gli studenti della terza scattarono dai banchi come molle. "Non dimenticate di leggere il capitolo diciassette e prepararvi al compito in classe", rammentò loro Diane ad alta voce, sopra il rumore delle sedie.

I ragazzi si precipitarono fuori dall'aula e sparirono nel giro di pochi secondi. Ne rimase solo uno e Diane sapeva che cosa aspettarsi da lui. Carl Dunaway era timido, anche se carino, e la sua cotta per l'insegnante era terribilmente evidente. Non le erano sfuggiti i suoi sguardi sognanti durante le lezioni e una volta aveva visto il proprio nome scritto sui suoi appunti.

"Sì, Carl?"

"Uhm, volevo solo chiederle come posso alzare il mio voto dell'ultimo compito", fece lui, deglutendo vistosamente.

"Lo sai come, Carl. Cos'hai intenzione di fare?"

"Be', potrei tagliarle l'erba in giardino o aiutarla a pulire il garage, cose così. Non ha delle erbacce da strappare?"

A Diane veniva quasi da ridere. "Carl, apprezzo l'offerta, ma non intendevo questo. Gli studenti possono alzare i voti lavorando sulla *storia americana*, con una ricerca su uno dei temi che abbiamo trattato o uno studio su un libro che riguarda i nostri argomenti. Quel genere di cose."

"Sì, lo so. Era solo un'idea."

"Be', pensaci su e fammi sapere lunedì, okay?"

"Okay." Carl fece un sorrisone e andò alla porta. La sua missione era compiuta: aveva parlato a tu per tu con l'amore della sua vita. Diane non voleva pensare a cosa il ragazzo avrebbe fatto delle sue fantasie personali, una volta a casa.

L'insegnante raccolse le sue cose e si preparò ad andarsene. Era stata una lunga settimana ed era felice che fosse venerdì. Anche se sapeva che cosa l'aspettava nel weekend.

Nell'ufficio dietro l'aula vide che la sua segreteria telefonica lampeggiava. Sollevò il ricevitore, compose il codice e ascoltò.

"Mamma, sono io", disse la voce di suo figlio David. "Papà vuole sapere se domenica posso andare con lui a vedere la partita dei Cubs. Fammi sapere appena puoi. Ciao."

Lei si accigliò e riappese. *Accidenti a Greg.* Lo sapeva che nel finesettimana David e lei dovevano fare il trasloco. Che cosa pensava, che potesse trasportare tutto da sola? Rialzò il ricevitore e chiamò il numero della casa che lei e suo figlio avrebbero lasciato di lì a un paio di giorni.

"Pronto?"

"David, ho sentito il tuo messaggio."

"Ciao mamma. Allora? Posso andare?"

"Senti, David, abbiamo un sacco di cose da fare questo finesettimana. Lo sai che domani dobbiamo trasferirci nell'appartamento. Mi serve il tuo aiuto. Non posso farcela da sola."

"Oh, per favore... Domani posso lavorare il doppio, così facciamo tutto."

"Be', di' a tuo padre che puoi andare, a patto che finiamo quello che c'è da fare. Vuol dire che domani mi devi aiutare sul serio, niente perdite di tempo."

"Sicuro, mamma. Grazie."

Diane tolse la comunicazione, poi compose un numero che conosceva a memoria.

"Ufficio di Greg Boston." Era Tina, la segretaria di Greg. Diane sospettava che ci fosse una storia tra loro, ma non ne aveva le prove.

"C'è Greg?"

"Oh, salve, signora Boston", disse Tina, un po' troppo melliflua. "Un attimino."

Diane imprecò tra sé, mentre la chiamata veniva trasferita.

"Greg Boston."

"Greg, perché vuoi portare David alla partita, domenica? Lo sai che c'è in ballo il trasloco."

"Oh, ciao, Diane. Ecco, mi è capitato un biglietto extra ed è un bel po' che David mi chiede di portarlo a vedere i Cubs. Dai, non puoi finire tutto domani?"

"Hai intenzione di venire a darci una mano?"

"Non posso. Questo sabato devo stare qui. Abbiamo un'offerta speciale sui pickup e..."

"Non m'importa delle offerte, Greg. Senti, gli ho detto che può andare alla partita, ma solo se abbiamo finito tutto per domani."

"Perché non ti fai aiutare da qualcuno dei tuoi studenti? Scommetto che ci sono dozzine di adolescenti che ti vedrebbero volentieri con indosso un paio di short."

"Molto divertente", disse Diane. Ma pensò anche: *Molto vero.*

"Sono sicuro che in due ve la cavate. Quelli dei traslochi faranno tutto il resto."

"Che cosa ne sai? È un anno che non stai in quella casa. Non hai idea di quello che dobbiamo buttare via e quello che dobbiamo tenere. L'appartamento è grande meno della metà, Greg. Sai, Scotty voleva chiedere un aumento degli alimenti perché potessimo tenere la casa. Gli ho detto di lasciar perdere."

"Diane..."

"E David non può fare troppi sforzi, lo sai."

"Diane, secondo me sei troppo protettiva."

"Sì? Be', *tuo* padre non è morto per un attacco di cuore a trentun anni!"

"Cristo, Diane, ci risiamo. Non puoi prendere le cose *con calma?*"

Lei si trattenne dal rispondere. Di quando in quando si lasciava prendere da un'inspiegabile aggressività. Era una delle ragioni per cui Greg l'aveva lasciata. "Senti, mi spiace", disse Diane. "Devo andare. Ti faccio chiamare da David domenica mattina, per confermarti che può venire."

"Va bene. In bocca al lupo con il trasloco."

"Grazie." Diane riappese e mormorò: "Bastardo." Dopo quattordici anni di matrimonio, era lui che se n'era andato sostenendo che aveva bisogno di *cambiare vita*, cosa che lei aveva interpretato come una relazione con la sua segretaria. Tipica stronzata da crisi di mezz'età. E l'accusava pure di avere segreti e di non essere del tutto sincera con lui. E non solo. *Sei distante a letto*. Altra stronzata.

Diane prese la borsetta, uscì dall'aula e percorse il corridoio brulicante di teenager. La Lincoln High School aveva quattromiladuecento studenti ed era così grande da avere un proprio codice di avviamento postale. A volte le sembrava di trovarsi in un vasto campus universitario, anziché in un liceo dell'hinterland. In ogni caso era un luogo prestigioso in cui lavorare. Ed essere a capo del dipartimento di Scienze sociali portava certi vantaggi. Diane aveva un corso di meno rispetto ai colleghi, per poter assolvere ai suoi doveri amministrativi, peraltro irrilevanti. Di fatto, aveva un'ora libera in più al giorno. Inoltre considerava un privilegio essere generalmente apprezzata dagli studenti ed era orgogliosa del titolo di insegnante dell'anno che le era stato assegnato. Anche se si era sorpresa della gelosia che quell'episodio aveva provocato tra i colleghi. Le sembrava che fossero molto superficiali: dopotutto quel premio non comportava un aumento di stipendio o altro, era solo una gratificazione da parte degli studenti. Diane non si era certo montata la testa.

Una delle *cheerleaders* della scuola, Nancy Hawkins, le si avvicinò. "Signora Boston?"

"Ciao, Nancy."

"Terrà ancora il corso di autodifesa femminile, l'anno prossimo?"

"Ma certo. Ci sarai ancora?"

"Ci può scommettere. Posso far volare Brian sopra la spalla, sa? Così lo metto in riga."

"Santo cielo, Nancy, Brian peserà un quintale."

"Be', nel placcaggio è bello forte." Risero entrambe.

"Be', stai attenta."

"Grazie, signora B!" La vigorosa ragazza corse dagli amici.

Diane era orgogliosa dei corsi di autodifesa. Sotto molti aspetti, le davano più soddisfazione delle lezioni di Scienze sociali. Quelle potevano farle tutti. Ma ci voleva una cintura nera per insegnare a una ragazza come cavarsela di fronte a un aggressore. La maggior parte delle violenze sessuali avvenivano nei campus universitari e Diane forniva alle sue allieve nozioni e aggressività sufficienti a dare una lezione a qualsiasi malintenzionato e a salvarsi la vita.

Controllò la posta nella sua casella in sala professori. Non c'era niente. Non si fermò a chiacchierare con i colleghi e puntò dritta al parcheggio davanti al liceo. Per sua sfortuna, scorse Peter Davis in piedi sulla porta con un'allieva dell'ultimo anno: Heather Cook, una delle studentesse più popolari. Il modo in cui si protendeva verso di lei non evocava esattamente il tipico rapporto insegnante-allieva.

Davis alzò lo sguardo e la vide. "Oh, guarda. La signora Boston, la più pericolosa professoressa vivente."

Heather ridacchiò.

"Signor Davis, Heather." Diane rallentò appena, senza fermarsi.

"Che fretta c'è? Hai un appuntamento galante, stasera?"

Diane rabbrividì in silenzio. Peter Davis era uno dei colleghi che si erano mostrati gelosi quando lei era stata nominata insegnante dell'anno. Per un po' Davis aveva puntato alla direzione del dipartimento. Quando era stata assegnata a Diane, nel 1999, aveva manifestato il suo disappunto in modo piuttosto spiacevole. Senza contare che, appena si era sparsa la notizia della separazione, aveva avuto la sfrontatezza di chiederle di uscire. Non era stata una bella serata. Diane si era sentita in obbligo, dal momento che Peter Davis era il padre di Billy, il migliore amico di suo figlio. Dopotutto l'uomo era poco più giovane di lei, single, di bell'aspetto. Gli aveva dato una possibilità. Ma, se Davis si comportava da imbecille a scuola, fuori era anche peggio.

Cercando per quanto possibile di mostrarsi amichevole, Diane replicò: "Questo weekend David e io traslochiamo. Abbiamo un sacco di cose da fare."

"Oh? E dove traslocate?" chiese Davis.

Lei preferiva non dirglielo, anche se presto il suo nuovo indirizzo sarebbe stato accessibile a tutto il corpo docente. "Un appartamentino vicino al centro."

"Ma davvero? In uno di quei condomini che sono spuntati lo scorso inverno?"

"Esatto."

"Niente male. Probabilmente ti piacerà abitarci."

"Sì, ma siamo abituati ad avere più spazio." Si affrettò a cambiare argomento. "Come va, Heather?"

"Bene." Era una delle studentesse più sexy della Lincoln High School e probabilmente aveva fatto esperienze molto precoci. Era una ragazzina viziata di famiglia ricca. I maschi le ronzavano sempre intorno e lei li incoraggiava. Il modo in cui la guardava Peter Davis indicava che anche gli uomini maturi non erano immuni al suo fascino.

"In che college andrai, l'anno prossimo?" chiese Diane.

"Northwestern", fece la ragazza, con una certa superbia.

Naturale. Uno dei più costosi dello stato.

"Complimenti. Be', devo scappare. Fate i bravi." Diane guardò Davis. "Tutti e due."

Mentre usciva, sentì la voce di lui: "Dovresti uscire di più, Diane. Altrimenti perderai quella tua aria da ragazzina!"

Lei avrebbe voluto mostrargli il dito medio, ma non lo fece.

3

Finita la pizza, consegnata a domicilio da *Papa John*, Diane e David sparecchiarono e si rimisero ad aprire scatoloni. Avevano passato tutto il giorno andando avanti e indietro in macchina dalla casa al nuovo appartamento, portandovi gli oggetti più piccoli e i vestiti. Per risparmiare, avevano affidato all'impresa di traslochi solo i mobili e gli elettrodomestici che Diane aveva deciso di tenere: letti, armadi, televisione e simili. La pizza al salame piccante li aveva rinvigoriti, ma lei cominciava a sentire la stanchezza. Poiché David poteva sollevare solo le casse più leggere, il grosso del lavoro era toccato alla madre.

"Perché non finiamo di tirare fuori la roba della cucina e poi non ce ne andiamo a dormire?" suggerì lei, guardando il caos del trasloco.

"Ottima idea", disse David. "Possiamo collegare la tv?"

"Credo che l'abbiano già fatto. Accendi e guarda."

David scavalcò parecchie casse e trovò il telecomando. Provò ad accendere il televisore e lo schermo si illuminò.

"Non si prende MTV", notò, facendo il giro dei canali disponibili.

"Perché non abbiamo ancora il cavo. Lo faccio installare la prossima settimana, prometto."

David spense il televisore. "Allora domani posso andare alla partita?"

Diane sospirò. "Oh, David, vediamo come siamo messi domattina. A che ora dovresti andare?"

"La partita è nel pomeriggio. Andrò via all'ora di pranzo, ho idea."

"Be', diamoci ancora un po' da fare adesso e domani svegliamoci presto. Se per le dieci siamo a buon punto, ti lascio andare."

"Che bello!" David prese una scatola e strappò via il nastro adesivo. Dentro c'era un servizio di piatti.

"Stai attento con quelli", raccomandò la madre. Si alzò, andò in cucina e aprì un armadietto, per assicurarsi che fosse pulito. "Mettili qui, d'accordo?"

Mentre il ragazzo portava una pila di piatti in cucina, Diane si guardò intorno. Doveva ammettere che come appartamento era carino. Il palazzo era stato appena costruito, lo si sentiva anche dall'odore di nuovo. Era piacevole girare per una casa tirata a lustro, anche se decisamente più piccola di quella in cui abitavano prima. C'erano due camere, due bagni, un salotto con caminetto, una cucina abitabile e un box singolo. Sul retro c'era un angolo con una griglia da barbecue e un cortile in comune con gli altri inquilini. Diane calcolò che avrebbe risparmiato quasi mille dollari al mese: aveva ottenuto un affitto vantaggioso.

"Mamma, com'erano i miei nonni?" chiese David dalla cucina.

Lei si chinò ad aprire un altro scatolone. "Te ne ho già parlato, David. Che cosa vuoi sapere?"

"Non so. Mi piacerebbe averli conosciuti. I nonni Boston sono simpatici, ma sono curioso di sapere com'erano i nonni Wilson."

Wilson. Quel nome le sembrava così estraneo. Era molto tempo che non lo usava. "Be', sai già che tuo nonno è morto giovane. Io ero piccola e a dire il vero non l'ho conosciuto nemmeno io. Aveva trentun anni."

"Aveva anche lui la sindrome di Marfan?"

"È quello che pensiamo. Soffriva di cuore, era alto e magro come te e portava occhiali spessi. Ma allora non si capiva ancora la sua... uhm, condizione come succede oggi.

Probabilmente un giorno deve aver fatto uno sforzo eccessivo e per lui è stato troppo."

David aveva finito con i piatti. "Che scatolone apro adesso, mamma?"

Lei si guardò intorno. "Prendi quello. I bicchieri vanno nell'armadietto accanto ai piatti."

Il ragazzo si rimise all'opera. "E nonna Wilson?"

"Be', mia mamma era molto severa. Credo che abbia passato un brutto momento quando è rimasta vedova. È morta che avevo cinque anni. Non siamo riusciti a essere una famiglia, David."

"E dopo che cosa hai fatto? Dove sei andata?"

"Ad abitare con uno zio e una zia nel Texas, fino a quando... sono andata al college."

David si accorse che sua madre sembrava quasi assente. Le capitava tutte le volte che parlava del passato. Era come se non riuscisse a ricordare certi dettagli.

"Cosa stavo facendo?" si chiese lei, guardando due scatoloni aperti.

"Stavi prendendo la biancheria", rispose David.

"Giusto." Diane tirò fuori gli asciugamani e li portò in corridoio, dove si trovava l'armadio della biancheria.

"Credevo che fossi andata all'Harper's College poco prima di sposarti."

"Infatti. Ci sono andata per prendere la qualifica di docente. Prima mi ero laureata in storia."

"E dove?"

"Perché tutte queste domande, David? Non ho voglia di parlarne."

"Scusa."

Lavorarono in silenzio ancora per un po', fino a quando il ragazzo si accasciò sul divano, esausto.

"Ne hai avuto abbastanza?"

"Credo di sì. Mi farei una doccia."

"Bravo", approvò Diane. "Riprendiamo domani mattina."

Dopo un attimo di silenzio, David chiese: "Credi che tu e il papà tornerete mai insieme?"

Diane gli si sedette accanto e lo circondò con un braccio. "Non lo so, tesoro. Ma credo proprio di no."

David annuì rassegnato e sgusciò dal braccio della madre. Si avvicinò a un altro cumulo di scatoloni e domandò: "In una di queste c'è la mia Playstation?"

"Hmmm, può darsi."

Lui strappò il nastro adesivo da uno scatolone: conteneva una raccolta di vecchi, sbiaditi ritagli di giornale. Quello in cima veniva dal "Los Angeles Times" e titolava a grandi lettere:

REGOLAMENTO DI CONTI
AL PORNOMAGAZZINO

David sollevò il ritaglio e sotto lesse un altro titolo:

PORNODIVE SCOMPARSE.
SI RITENGONO MORTE

"Ehi, e questi che cosa sono?" chiese David.

Diane corrugò la fronte e si alzò in piedi. Lo raggiunse, guardò nella scatola e trasalì. Di scatto prese lo scatolone e lo richiuse. "Non è niente."

"In che senso?" David non era stupido. Non gli era sfuggita la reazione della madre. "Che roba è?"

"Solo dei ritagli che mi ero persino scordata di avere. Cose personali. Avrei dovuto buttarli via tempo fa. Sono cartaccia."

David la guardò, curioso.

"Davvero", disse lei, in tono poco convincente.

Il ragazzo alzò le spalle. "Vado a fare la doccia", disse, dirigendosi verso la sua camera.

Diane si guardò la mano, che stava ancora tremando. Se li era proprio dimenticati, quei ritagli: dovevano essere finiti da qualche parte in cantina, insieme a qualche altro scatolone.

Aveva portato tre bottiglie di vino dall'altra casa. In uno

scatolone su cui era stato scritto CUCINA trovò il cavatappi. Dopo avere stappato un cabernet da quattro soldi, prese uno dei bicchieri che David aveva messo nell'armadietto, lo sciacquò e si versò un sorso di vino. Le fece bene, ma ce ne sarebbe voluto parecchio per placare la sua angoscia. Diane sentiva il cuore che batteva forte e andò a sedersi sul divano. Chiuse gli occhi e cercò di allontanare gli spiacevoli ricordi che erano riemersi quando David aveva dissepolto i giornali.

"Sweetie? Cosa c'è? Mi sembri..."

"Ti prego..."

"Dove sei?"

"... Magazzino..."

"Mio Dio, che è successo? Sweetie?"

Diane sobbalzò quando suonò il telefono. Prese il ricevitore e rispose: "Pronto?"

"Vedo che il nuovo numero funziona." Era Greg.

"Ciao."

"Com'è andata oggi?"

"Bene. Abbiamo ancora un sacco da fare."

"C'è David, lì?"

"Sta per fare la doccia, poi va a dormire. Siamo esausti tutti e due."

"Posso immaginare."

"Senti, se chiami per domani, penso che non ci siano problemi. Anche se avresti fatto meglio a non portare David alla partita proprio il weekend del trasloco."

"Lo so, mi spiace, è capitata l'occasione. Non è dipeso da me."

"Be', tienilo presente per la prossima volta."

"Senti, ho chiamato per sapere come ve la stavate cavando, non per sentire una predica."

"Sono davvero stanca, Greg, e ho mal di testa. Non me la sento di fare da balia al tuo ego."

"Senti, vaffanculo anche tu, Diane."

"Ehi!"

"No, ehi lo dico io." Gli si sentiva l'alcol nella voce.

Diane guardò il bicchiere di vino che teneva in mano e pensò: *Senti chi parla di alcol.*

Lui insistette: "Ho chiamato per vedere se il numero funzionava e sapere come andava. Perché devi rompere le palle?"

"Non è vero, Greg. Ma se tu avessi fatto più attenzione ai bisogni di David e ai miei, vivremmo ancora nella stessa casa."

"Ricominciamo con questa storia, Diane? Andiamo, ormai è passato un anno. Adesso non possiamo essere amici?"

"Perché dovremmo?"

"Perché abbiamo *un figlio*, tanto per cominciare."

"Lo so. E prometto di comportarmi in maniera civile in sua presenza. Non sparlo di te con lui. Sei sempre suo padre ed è una cosa che rispetto."

"A sentirti non si direbbe."

"Greg, sei tu che ci hai lasciato! Ti è venuta la tua fottuta crisi di mezz'età e te ne sei andato di casa. Hai cominciato scopandoti la tua segretaria e poi..."

"Non mi sono scopato la mia segretaria."

"Be', chiunque fosse, so che era qualcuno alla Boston Ford!"

Greg se ne rimase zitto per un momento, il che confermò i sospetti di lei. Poi se ne uscì con: "Lo sai, Diane? Sei proprio fatta a modo tuo."

"E questo cosa vorrebbe dire?"

"Non ti sei mai concessa al cento per cento."

"Certo che sì."

"No, non è vero. Ti sei sempre tenuta sulle tue. L'altro giorno parlavo con Steve. Lo sai che lui e Ann stanno divorziando?"

"L'ho sentito. Mi spiace." Era una coppia con cui erano soliti uscire. Diane non li aveva più visti da dopo il divorzio. Greg era rimasto amico di Steve.

"Ecco, Steve è d'accordo con me. Ti ha sempre trovato distante, poco comunicativa."

"Non m'importa niente di cosa pensa Steve. Lui non mi conosce."

"È proprio questo il punto, Diane! *Lui non ti conosce*, eppure lo frequentiamo da sei anni. Lo stesso vale per me, Diane. Non credo di averti mai conosciuto."

"Devo riagganciare, Greg. Sono veramente stanca."

Greg tacque per un secondo, poi disse: "Va bene. Passo a prendere David verso mezzogiorno."

"Allora a domani."

"Riposati un po'. Buonanotte."

"Ciao." Diane riappese e finì il vino. Un po' le faceva effetto, ma la telefonata l'aveva innervosita.

Guardò lo scatolone di ritagli sul pavimento. Era troppo tardi per farne qualcosa. Decise che l'avrebbe buttato via l'indomani, mentre David era alla partita.

Diario di David

Questa è la prima serata nel nostro nuovo appartamento. Fa un effetto strano. Sono cresciuto nella vecchia casa. Mi mancherà. La mia camera non è ancora finita: devo mettere a posto le mie cose e appendere i miei poster. Non mi sentirò a posto finché non l'avrò fatto. Ho idea che è normale, quando uno trasloca.

Sto leggendo "Il giovane Holden" e mi identifico con il protagonista. Non penso di essere così arrabbiato come lui, ma mi sembra solo, e spesso lo sono anch'io. La mia insegnante di inglese pensava che il libro fosse troppo da adulto per me, ma io le ho detto di no. Ho letto molti libri "da adulti". Non vedo quale sia il problema.

A volte mi sento molto solo. Non ho fratelli o sorelle (ma questo forse è un vantaggio!) e praticamente nemmeno cugini: ci sono, ma sono molto più grandi di me: mia zia (la sorella maggiore del papà) e mio zio hanno due figli che vanno al college. Non li vedo mai. Credo di avere già scritto che il mio migliore amico è Billy Davis. Non c'è proprio nessun altro. Sono troppo secchione per averne altri. La mamma dice che le cose cambieranno quando sarò più grande. Se vivo abbastanza.

È strano pensare che mio nonno è morto per la sindrome di Marfan. Anche se oggi le cose sono diverse. Il mio dottore è sicuro che non morirò, se evito gli sforzi fino a quando potrò essere operato. Pensa che potrebbero farmi l'intervento quando finisco il liceo.

La mamma sembra molto distratta, ultimamente. Stasera le ho chiesto della sua vita prima di sposare papà, come mi succede ogni tanto, e lei ha fatto di nuovo la zombie, cioè si è messa a guardare davanti a sé con gli occhi spenti. Credo che i ricordi le facciano male e non ci voglia pensare. Mi chiedo che cosa le sia successo. Magari un giorno me lo dirà.

Stasera, mentre aprivamo gli scatoloni, ne ho trovato uno con dei ritagli di giornale e la mamma si è comportata in un modo strano. Sembrava che le facessero paura, o qualcosa del genere. Dice che li vuole buttar via. Mi piacerebbe davvero scoprire che cosa sono, prima che lo faccia.

Domani vado alla partita dei Cubs con il papà. Ci sarà da divertirsi.

Ora di dormire.

4

Il giudice aveva detto ai giurati che sarebbero dovuti restare in isolamento per tutto il fine settimana, poi aveva chiesto loro se pensavano di poter raggiungere un verdetto, se avessero continuato a deliberare fino a sabato. La giuria aveva votato all'unanimità di continuare a lavorare, nella speranza di riuscire a tornare a casa prima di mezzanotte e di avere ancora mezzo weekend per stare in famiglia. Era stato un lungo processo ed erano chiusi in camera di consiglio da tre giorni pieni.

Quando alle nove si diffuse la notizia che i giurati avevano raggiunto un verdetto, quasi tutti i giornalisti dei principali giornali e reti televisive di Los Angeles affollarono il tribunale. Il caso aveva ricevuto molta pubblicità, anche se prima del processo l'uomo accusato di vari reati era sconosciuto ai più. Ora Aaron Valentine era entrato nel novero degli individui più famigerati della città.

Darren Marshall pagò il caffè e si precipitò fuori da Starbucks, per unirsi alla torma di reporter che riempiva gli scalini e l'atrio del palazzo. Era passato attraverso i metal detector parecchie volte, nelle ultime settimane, e ormai conosceva i nomi delle guardie.

"Come butta, Sam?" chiese al sergente che controllava le persone all'ingresso.

Il poliziotto bofonchiò qualcosa e si asciugò il sudore dalle folte sopracciglia nere. "Spero che adesso sia finita, signor Marshall. Forse entro un'ora ce ne andiamo a casa."

"Sì, è bello andare a casa. Poi dovrò stare sveglio tutta la notte per scrivere il mio articolo."

"Si sbrighi. L'aula è quasi piena."

"Grazie, Sam."

Passato il controllo, Marshall affrettò il passo lungo il corridoio. Decise di lasciar perdere l'ascensore e prendere le scale. In tribunale non erano ammessi i posti in piedi: chi arrivava in ritardo restava fuori. Bella sfortuna. Marshall rifletté che il suo capo al "Weekly" non gliel'avrebbe fatta passare liscia: fosse dipeso da Brandon Mertz, caporedattore della cronaca cittadina, i giornalisti come lui avrebbero dovuto *dormire* fuori dall'aula, per essere sicuri di avere un posto a sedere.

Il fatto era che Marshall ci avrebbe anche dormito, se avesse dovuto. I suoi colleghi lo descrivevano come un tipo ambizioso e anche un po' stronzo, uno pronto a tutto pur di fare strada. A ventotto anni, Marshall era già un reporter di punta del suo settimanale, ma questo non gli bastava. Pensava che, una volta conquistato il "Weekly", avrebbe potuto facilmente passare al "Times". Purtroppo il "Times" non pubblicava il tipo di storie che lui sapeva scrivere meglio. Marshall puntava agli scandali, allo squallore: storie discutibili e bizzarre. Non per niente si era fatto le ossa al "National Enquirer".[1] Il giornalismo tabloid era radicato in lui, non poteva farci niente. E poi, lui ci si divertiva. Meglio scrivere di VIP drogati o pluriomicidi psicopatici che del mercato azionario o dell'ultimo ingorgo stradale. Non c'era confronto.

Per anni Marshall aveva pensato di voler diventare uno psichiatra. La mente umana lo affascinava, amava leggere dei casi di Freud e di altri pionieri nel settore. Prediligeva la mentalità criminale e gli piaceva scoprire che cosa innescava le reazioni di un folle. Provava gusto a punzecchiare gli amici, e a volte le sue ragazze, con la sua psicoanalisi da dilettante. In realtà aveva anche provato ad andare al college per studiare sul serio, ma dopo due anni aveva lasciato perdere: era troppo pigro per arrivare sino in fondo. Così si limitava a coltivarla come hobby innocuo. Entrare nel giornalismo tabloid gli era sembrato il passo più logico e lui ne era soddisfatto.

L'unica fregatura erano gli orari di lavoro, costante pomo della discordia tra lui e la sua ragazza da tre mesi, che lavorava come cameriera al *Mel's Diner* sul Sunset Boulevard. Ellie smontava a ore fisse e si lamentava che Marshall fosse sempre in giro a caccia di storie. "Tanto vale che vada in convento", gli aveva detto. A Marshall era venuto da ridere: tra i capelli rosa, i numerosi tatuaggi e il piercing al naso, Ellie avrebbe fatto un figurone in abito da suora.

Il giornalista arrivò in aula appena in tempo e riuscì a procurarsi un posto nelle ultime file. Valentine e il suo avvocato erano già seduti, così come il procuratore distrettuale e i suoi vari assistenti. Nel giro di pochi minuti le porte si chiusero e due agenti vi si misero davanti.

Un individuo corpulento che Marshall riconobbe come collega di un tabloid di Los Angeles gli si era seduto accanto. "Non capisco perché Valentine abbia attirato tutta questa attenzione", gli disse. "Non è poi un caso tanto sensazionale."

"Siamo noi che lo abbiamo reso tale", sussurrò Marshall. "Di' al pubblico che qualcosa è sensazionale... e lo diventa. E poi Valentine è pur sempre un magnate della pornografia."

"Sarà."

L'usciere richiamò all'ordine la corte e chiese ai presenti di alzarsi in piedi. Il giudice Goodner fece il suo ingresso e prese posto al banco. Verificò che ci fossero tutti, quindi disse all'usciere di far entrare la corte.

Dodici persone, tra uomini e donne, andarono a occupare i loro posti. Marshall cercava sempre di leggere le loro espressioni e indovinare quale sarebbe stato il verdetto. Non ci azzeccava mai. Ma stavolta aveva il presentimento che Aaron Valentine l'avrebbe fatta franca. La pubblica accusa non disponeva di elementi a sufficienza e Valentine godeva di appoggi nel crimine organizzato. Per quanto ne sapeva Marshall, era lui stesso un criminale.

L'imputato sedeva tranquillo, con gli occhi fissi sulla giuria. Non sembrava per niente nervoso, tanto che a un certo punto si protese verso il suo avvocato, mormorò qualcosa e fece una risatina. A sessantatré anni, Valentine aveva un aspetto imponente. I suoi folti capelli bianchi lo facevano sembrare il fan dei Beatles più vecchio del mondo e, benché fosse fuori moda, non rinunciava al suo consueto abbigliamento anni Settanta. Le catene d'oro e le camicie di seta che indossava erano esibizioni kitsch di potere sessuale. Valentine aveva denaro, dirigeva un'attività lucrosa per quanto controversa, organizzava stravaganti party hollywoodiani e trasudava carisma. Tutte cose che avevano il loro peso nel sistema giudiziario americano.

"La giuria ha raggiunto un verdetto?" domandò Goodner.

"Sì, vostro onore."

Gli fu consegnato il prezioso foglietto. Il giudice vi rivolse un'occhiata inespressiva e lo passò all'usciere, che lesse ad alta voce i capi d'accusa. Il portavoce della giuria pronunciò i verdetti corrispondenti. Marshall li annotò frettolosamente uno dopo l'altro sul suo taccuino.

Associazione a delinquere... non colpevole.

Sfruttamento della prostituzione... non colpevole.

Traffico di droga... non colpevole.

Corruzione di minorenne (che di fatto significava avere prodotto film porno con ragazze sotto i diciott'anni)... non colpevole.

Dopo l'ultima assoluzione, Valentine sollevò i pugni in segno di vittoria. Il suo avvocato espresse a gran voce la sua gioia, mentre dalla pubblica accusa giungevano sospiri e occhiate all'imputato.

"Vorrei fare un sondaggio presso la giuria, vostro onore", chiese il procuratore distrettuale.

Una procedura standard. Marshall rimase ad ascoltare mentre ciascuno dei giurati ripeteva i verdetti a beneficio dell'accusa. Non c'era alcun segno di intimidazione nei confronti della giuria da parte dell'organizzazione di Valentine, anche se il giornalista era pronto a scommettere che non fosse mancata. Per quanto l'accusa non avesse in mano un caso solido, di certo un uomo come Valentine non voleva correre il rischio di passare il resto della propria vita in galera. Aveva un impero da mandare avanti.

"Peccato che non siano riusciti a sostenere l'accusa di omicidio", disse l'individuo corpulento seduto accanto a Marshall.

"Non c'erano prove", ribatté questi. "Solo congetture."

"Secondo te è stato lui?"

"Secondo me è il *mandante*. Uno come Aaron Valentine non si sporca le mani di persona. Si considera al di sopra di tutto. Nella sua testa, è convinto di essere innocente perché non ha commesso i reati di persona."

"E tu che cosa sei, il suo strizzacervelli?"

Marshall scoppiò a ridere. Ecco che stava facendo di nuovo psicoanalisi spicciola. Il collega lo salutò e se ne andò. Marshall si alzò in piedi a sua volta e vide l'imputato assolto che si accendeva un grosso sigaro. Uno degli uscieri gli fece presente che in aula era vietato fumare e Valentine lo spense sul tavolo di mogano. Uscì insieme all'avvocato, continuando a ridere. Li raggiunse un uomo dall'aria inquietante, con capelli biondi lunghi fino alle spalle e una benda su un occhio. Marshall lo conosceva: quel tipo si chiamava Emo Tuff ed era il braccio destro di Valentine. Correva voce che fosse anche l'uomo forte dell'organizzazione, un individuo che non esitava a occuparsi del lavoro sporco. Marshall aveva sentito dire che Tuff poteva rompere una noce tra il pollice e il medio di una mano.

Il giornalista si insinuò tra la folla e inseguì il gruppo fino all'ascensore. "Signor Valentine! Signor Valentine!" gridò, sovrastando le voci degli altri reporter.

Valentine doveva averlo sentito, perché si voltò verso di lui.

"Come si sente dopo l'assoluzione?" chiese Marshall.

"Erano accuse ridicole." Nelle ultime settimane il mondo aveva imparato a conoscere quella sua voce calma e minacciosa al tempo stesso. "Ringrazio Dio per il sistema giudiziario americano. Sapevo che una giuria di miei pari non mi avrebbe condannato. Capisco che non a tutti può piacere quello che faccio, ma la popolarità dei miei prodotti è indiscutibile. Lo scorso anno la mia compagnia ha venduto merce per quattro miliardi e trecento milioni di dollari. Questo vuol dire che la maggior parte del pubblico americano apprezza quello che faccio per vivere."

"Con questo lei intende dire che ha venduto quattro miliardi e trecento milioni di materiale pornografico?" chiese Marshall.

"Lo chiami come vuole, giovanotto", fu la risposta di Valentine. "Questo è un paese libero e il verdetto di stasera lo ha dimostrato."

"Che cosa pensa di fare adesso?" domandò il giornalista, mentre si aprivano le porte dell'ascensore. "E posso chiederle un'intervista per il 'Weekly'?"

"Adesso vado a casa, dove stapperò una bella bottiglia di champagne che dividerò con le mie ragazze. Quanto all'intervista, chiami il mio ufficio. Buonasera." Detto questo, Valentine e i suoi accompagnatori entrarono in ascensore. Emo Tuff tenne i giornalisti fuori dalla cabina mentre le porte si richiudevano.

Marshall era soddisfatto. Aveva uno scoop. Ora doveva tornare a casa, scrivere l'articolo e metterlo sulla scrivania del caporedattore entro l'alba.

Poi, forse, avrebbe fatto colazione con Ellie.

Quando la limousine oltrepassò le porte di Paradise, Aaron Valentine provò un insolito slancio di emozione. Per troppo tempo era stato lontano dalla sua amata proprietà di Woodland Hill. I riflettori esterni illuminavano di bianco e oro la costruzione su tre piani in stile Tudor. Era il segnale di un evento importante. Valentine voleva che le luci riflettessero il suo stato d'animo. Certe sere la casa era azzurra e tranquilla, altre era di un rosso passionale. L'oro e il bianco erano riservati a serate speciali come quella: Valentine stava tornando a casa dopo sette mesi di detenzione. Ed era una bella sensazione. Molto bella.

"Continuo a non capire perché il tuo avvocato non ti ha fatto uscire su cauzione", disse Emo Tuff, seduto di fronte a Valentine nella parte posteriore della limousine.

"Baxter non ha fatto un cazzo per me", fu la risposta. "La prima cosa che faccio domattina è licenziarlo."

"Però sei uscito", fece notare Tuff.

"Non grazie a Baxter", disse Valentine.

Il suo braccio destro rise.

"Quale giurato hai scelto?"

"Di' pure *quali*. Ne abbiamo scelti tre, quelli che secondo noi potevano avere più influenza sugli altri. Cazzo, puntavamo a un annullamento del processo per disaccordo della giuria, invece ti sei beccato un'assoluzione piena."

"Non ero preoccupato", commentò Valentine. Guardò fuori dal finestrino e sorrise. "Ah, Paradise. Quanto tempo."

L'auto si fermò di fronte alla casa. Una delle guardie e Charlie, il cameriere nero che lavorava per Valentine dal 1967, vennero ad aprirgli la portiera.

"Bentornato, capo", disse Charlie.

Valentine uscì dalla limousine e annusò l'aria. "La lavanda è il miglior profumo del mondo", disse. Ne cresceva in abbondanza nella proprietà. "Grazie, Charlie. È bello essere di nuovo a casa."

Il personale lo attendeva nell'atrio e lo accolse con un applauso appena varcò la soglia. C'erano tutti: il cuoco, le cameriere, i giardinieri, le guardie, i suoi assistenti e le sue ragazze.

Valentine fece un inchino plateale e scoppiò in una chiassosa risata. "Salve, amici!" disse ad alta voce. "Charlie, tira fuori lo champagne migliore. Credo sia il momento di festeggiare."

Le tre donne – una bionda, una bruna e una rossa – gli si avvicinarono sinuose e si disposero intorno al suo ampio girovita. Lui le baciò sulla bocca una a una, palpeggiando loro il sedere.

Emo Tuff rimase in piedi sulla porta, sorridente.

Il capo era tornato a casa.

Valentine entrò nel suo studio. La rossa fece capolino dalla porta. "Aaron, che cosa fai?"

"Un minuto e arrivo, baby." Le diede un bacio sulla fronte e la spinse delicatamente via. "Devo parlare un momento con Emo. Vai a ballare con le altre ragazze, su." Chiuse a chiave la porta.

Tuff era seduto alla grande scrivania di Valentine, con gli occhi sul monitor del computer. "Ti stai divertendo, capo?"

"Emo, prima che io vada su a farmi scopare fino a non capire più niente, dammi qualche buona notizia."

Tuff fece ruotare la poltrona e intrecciò le mani dietro la testa. "La compagnia va che è un piacere, capo. La ESF ha fatto un casino di soldi in questo trimestre. Quarantasei milioni."

Gli occhi di Valentine corsero alla locandina incorniciata alla parete, dietro la scrivania: era quella della prima produzione cinematografica della Erotica Selecta Films, *Frutto bollente*, del 1975, con Jack Devlin e Terri Tremble. "Meglio del trimestre precedente."

"Ci puoi scommettere. Suzy Slick si è rivelata una grande star. Questo mese l'abbiamo in sette nuovi titoli. Nancy Melons vende ancora. Dirk Everwood è in cima alla top list del porno-gay. Stiamo andando bene."

"Che mi dici di Sheila?" chiese Valentine, sedendosi sul divano, sotto il costoso Jackson Pollock che adornava la parete.

"Sheila Rivers sta invecchiando."

"Ha trentadue anni."

"Lo sai cosa voglio dire. Ne dimostra quindici di più. Ormai è strafatta di roba."

"Ogni tanto capita, no?"

"Ha quasi fatto saltare la produzione di uno dei nostri

gang bang.[2] È uscita di testa sul set, era impossibile da gestire."

"Forse è ora che si ritiri."

"Già. Se non altro i suoi vecchi titoli vanno ancora bene."

I due rimasero in silenzio per un momento. Poi Valentine disse: "Mi sembra di capire che hai gestito bene la situazione, mentre non c'ero."

Tuff si strinse nelle spalle. "Ho fatto del mio meglio. Anche Rudy si è dato da fare." Rudy Alfredo, che aveva il ruolo ufficiale di vicepresidente dell'Erotica Selecta, era di fatto un uomo di paglia.

"Be', credo che tornerò dalle mie ragazze." Valentine fece per alzarsi.

Tuff alzò una mano. "Un attimo, capo. Ho una sorpresa per te."

Valentine tornò ad accomodarsi sul divano. "Sì?"

Tuff prese una scatoletta da gioielliere da un cassetto della scrivania e la porse al suo capo.

"Che c'è? Vuoi chiedermi di sposarti?"

"Aprila, capo."

Valentine sollevò il coperchio. Il luccichio della pietra era quasi soffocante. "È quello che penso?" sussurrò.

Tuff assentì.

Valentine prese un diamante e lo guardò controluce. "È proprio uno di loro, vero? Dove diavolo lo hai trovato?"

"È spuntato a New York, capo. Pensiamo che ne verranno fuori altri dalla stessa fonte, un ebreo che ha un negozio nel distretto dei diamanti. Qualcuno glieli procura."

Valentine guardò il suo braccio destro. "Allora è viva, la troia."

Tuff annuì.

"Trovala." Valentine ripose il diamante nella scatola e la richiuse. "Trovala e portamela."

5

Greg Boston non mancava mai l'appuntamento domenicale con il golf. Di solito giocava all'Ivanhoe Country Club, di cui era membro, come suo padre prima di lui. Dal momento che era uno dei concessionari di automobili di maggior successo della contea, era trattato come un re. Normalmente Sam, il professionista del Club, cercava di riunire un quartetto che includesse anche l'avvocato di Greg, Mark Spencer, ma certe volte non ci riusciva. In quei casi, Greg giocava da solo con Spencer. Come quella domenica.

Spencer spedì la sua pallina lungo il sentiero della settima buca, e si voltò verso l'amico. "Che cosa ti rode?"

Greg fece un cenno di diniego. "Oh, niente. Le solite cose."

"Diane?"

"Già."

"Che succede?"

Greg collocò la sua pallina sul *tee*.[3] Non disse nulla, mentre si preparava a tirarla più avanti e più dritta di quella di Spencer. Prese il suo *driver*[4] preferito dalla sacca, assunse la posizione e si concentrò. Sollevò la mazza ed eseguì il tiro.

La pallina volò sgraziatamente tra gli alberi sulla sinistra.

"Oh, merda", mormorò.

"Sul serio. Che succede?"

"Proprio niente. Ieri lei e David hanno traslocato. Adesso stanno in un appartamento."

"Sapevi che sarebbe successo."

"Sì, sì. Ma è deprimente. Era una bella casa."

I due si incamminarono lungo il sentiero, con le sacche in spalla.

"Non pensavi di tornare a vivere con loro, vero?" chiese Spencer.

"No."

"E allora qual è il problema?"

"È solo che... Be', non importa."

Fecero un centinaio di metri, poi Greg disse: "La mia è laggiù", indicando a sinistra. Si allontanò da Spencer. Guardò l'orologio e vide che aveva ancora un paio d'ore prima di andare a prendere David. Lui e l'avvocato si erano accordati per fare solo nove buche, quella mattina.

Il divorzio lo infastidiva ancora. Dopo avere vissuto nuovamente da solo per alcuni mesi, Greg aveva cominciato a rendersi conto di alcune cose che gli erano sfuggite durante il corteggiamento e dopo il matrimonio.

Diane era una donna misteriosa. Greg non conosceva nessuno della sua famiglia: a sentir lei erano tutti morti. Non sapeva nemmeno esattamente da dove venisse: aveva detto di essere nata e cresciuta in Illinois, ma che certi suoi parenti stavano nel Texas, dove lei aveva vissuto con gli zii dopo la morte della madre. C'erano lacune incomprensibili nella sua storia: del periodo tra la fine degli anni Settanta e i primi anni Ottanta non si avevano notizie. Diane era andata al college solo a metà degli Ottanta, quando era già trentenne. Che cosa aveva fatto prima? Dov'era quando aveva vent'anni?

Una volta Greg aveva cercato di indurla a parlarne, ma Diane, evasiva, aveva cambiato subito argomento. Alla fine, lui aveva lasciato perdere e aveva cercato di vivere il loro matrimonio così com'era. Ma altre cose avevano cominciato a tormentarlo. Di quando in quando, aveva notato che Diane scompariva, dopo la scuola: non la si vedeva più per parecchie ore e rientrava a Lincoln Grove di sera. Quando lui le chiedeva dove fosse stata, sua moglie rispondeva che era andata a fare shopping. Greg non ci aveva mai creduto. Un pomeriggio, un paio di anni prima del divorzio, l'aveva seguita. Diane si era diretta a Chicago, lasciando la Expressway prima di arrivare al *Loop*. Il traffico era intenso, in quel punto, e Greg aveva perso le sue tracce: non aveva mai scoperto dove fosse andata. Quella sera le aveva chiesto della sua giornata e lei non aveva detto di essere andata in città. Dopo qualche giorno, le aveva domandato apertamente dove fosse stata, ammettendo di averla seguita. Diane gli aveva fatto una scenata. "Ho diritto alla mia privacy" aveva protestato. A quel punto Greg aveva deciso di avergliene concessa fin troppa.

La goccia che aveva fatto traboccare il vaso era stata la mancanza di entusiasmo da parte di Diane nei confronti del sesso. A quel punto, lui aveva chiesto il divorzio.

Greg e Spencer si ritrovarono alla buca. L'avvocato stava tirando per il *par*[5] e mandò la pallina in buca con precisione. Greg preparò il *putter*,[6] prese la mira e diede un colpetto alla propria pallina, che girò intorno alla buca e si fermò sette centimetri più in là.

"Merda", ripeté.

"Non è la tua giornata", disse Spencer.

"A me lo dici?"

"Ti rode, vero?"

"Cosa?"

"Diane. La casa."

"Sì. Più che altro, vorrei riuscire a riprendere David. Non gli fa bene stare con lei."

"Perché?"

"Diane non è una persona molto affettuosa."

Stavolta Greg riuscì ad andare in buca. I due ripresero le palline e si diressero al *tee* successivo.

"Forse non lo è stata con te", osservò Spencer. "Ma da quello che vedo con David si comporta bene."

"Gesù, ma da che parte stai?"

"Andiamo, Greg. È una brava madre, ha un lavoro rispettabile ed è molto apprezzata a scuola."

"Io voglio la custodia di David."

Spencer scosse il capo. "Non vincerai mai. Ne abbiamo già parlato. In questi casi la corte prende sempre le parti della madre. Non c'è niente che indichi che sia inadatta, lo dovremmo provare. Non puoi ottenere la custodia, Greg."

"È sempre chiusa in se stessa. Ha dei segreti e ho la sensazione che non siano niente di buono."

"Non è un reato avere dei segreti."

"E se i segreti *fossero* reati?"

Spencer guardò l'amico con la coda dell'occhio. "Ma dai... Diane?"

"Non lo so. Non ne ha mai voluto parlare. Dev'essere qualcosa di brutto."

"O forse solo doloroso. Potrebbe riguardare qualche innamorato di un tempo, o un suo parente, o qualcosa del genere. Chi lo sa? Greg, non importa. Lascia perdere."

"Sì che importa. Io voglio David e mi farò venire un'idea. Promettimi che se trovo qualcosa di utile chiederemo la custodia."

"I soldi sono tuoi, Greg", disse Spencer, mentre raggiungevano il *tee*. "Ma mi riservo il diritto di rifiutare il caso, se vedo che non ci sono possibilità."

"Va bene."

"Tocca a te", disse Spencer, indicando il *tee*.

Greg collocò la pallina e ripeté il rituale di scegliere una mazza, mettersi comodo per il tiro e concentrarsi.

Stavolta la pallina partì dritta lungo la *fairway* e percorse trecento metri buoni.

6

Un brivido percorse la schiena di David quando suonò la campanella alle tre meno un quarto. Era il momento di affrontare ciò che qualche idiota aveva battezzato "la musica".

David lanciò un'occhiata a Billy che, dall'altra parte dell'aula, stava raccogliendo i suoi libri per infilarli nello zaino. L'amico ricambiò lo sguardo, con un'espressione che diceva: *Sono lieto di non essere nei tuoi panni.*

Al di sopra del clamore, l'insegnante, la signora Brownlove, gridò: "Non scordatevi di rispondere alle domande alla fine del capitolo diciassette!"

Gli studenti si riversarono fuori, ma David rimase seduto al suo banco. Billy raggiunse la porta e gli chiese: "Vieni?"

David sospirò. *Inutile cercare di nascondersi, ho idea.* Si alzò e raggiunse l'amico.

"Arrivederci, ragazzi", disse loro la signora Brownlove, ignara del dramma che si stava svolgendo sotto il suo naso.

"Arrivederla", risposero i ragazzi, all'unisono.

Billy sbirciò fuori, da una parte e dall'altra. "Via libera, per ora", annunciò. David lo seguì lungo il corridoio, fino al suo armadietto.

Sentirono la voce di Matt prima ancora che svoltasse l'angolo: "È tempo di botte!"[7]

"Oh, perfetto", fece David tra sé. Chiuse il suo armadietto e si incamminò nella direzione opposta a quella da cui veniva la voce.

"Se ci affrettiamo possiamo arrivare alla porta laterale prima che ci raggiunga", suggerì Billy.

"Ehi, Boston!"

Era troppo tardi, ma continuarono a camminare.

"Ehi, Boston, dico a te!"

David fece una smorfia e si fermò. Si voltò per guardare in faccia il suo nemico numero uno.

Matt Shamrock era il bullo più grosso e prepotente della scuola. Per qualche ragione, fin dall'inizio dell'anno scolastico aveva deciso di prendersela con David Boston. A quanto pareva, gli dava molto fastidio che David avesse bei voti e che fosse esonerato da ginnastica. Il secondo giorno di scuola, Matt gli aveva chiesto: "Ehi, frocetto, perché non fai ginnastica?"

"Giustificazione del medico", aveva risposto lui.

"Perché, hai paura di farti male?"

"No, è per via del cuore."

"Del cuore? Cioè?"

"Ho una malattia congenita."

"Hai una malattia genitale? Ehi, sentite tutti, questo qui ha lo scolo!" aveva gridato Matt.

"*Congenita*", lo aveva corretto David. "Vuol dire che ce l'ho dalla nascita, idiota."

Il sorriso ebete di Matt era svanito. "Che cos'hai detto?"

"Lascia perdere. Devo andare."

"Col cazzo, tu non vai da nessuna parte."

Fortunatamente per David, il vicepreside aveva girato l'angolo in quel momento e Matt Shamrock aveva cambiato tono.

"Ehi, ci vediamo in palestra, amico", aveva detto, dandogli una pacca sulle spalle con più forza del necessario.

Da quel primo fatale incontro, Matt Shamrock aveva colto ogni occasione per rendere la vita scolastica di David un inferno. Il suo momento preferito era quando il ragazzo usciva dall'edificio alla fine delle lezioni. Il nuovo appartamento era più vicino e lui poteva andare e tornare a piedi da scuola, cosa di cui era lieto: se non correva e non faceva sforzi, camminare gli faceva bene. Matt Shamrock non aveva ancora scoperto che strada faceva, ma era solo questione di tempo e ne avrebbe approfittato per tormentarlo.

A pranzo, David e Billy si erano messi in coda per prendere un dolce, quando Matt Shamrock e la sua squadraccia gli si erano messi davanti. David non era stato zitto. "Perché non fai la coda, Shamrock?"

Matt si era voltato e aveva guardato il ragazzo allampanato come se fosse una specie di insetto. In effetti, David era più alto, ma Shamrock era più robusto e di sicuro più forte. "Perché non chiudi quella cazzo di bocca?"

"Sei proprio un coglione, Shamrock", aveva detto David, calmo.

Matt aveva strabuzzato gli occhi e i suoi tre amici erano allibiti. "Non gliela farai passare liscia, Shamrock?" aveva detto uno di loro, di nome Carl.

"Che hai detto, faccia di culo?" aveva chiesto Matt.

"Senti, prendi il tuo dolce e lasciaci in pace", aveva replicato David.

Matt gli si era avvicinato, stringendo i pugni, ma prima che potesse fare qualcosa aveva visto la signora Tuttenberg, l'insegnante incaricata di sorvegliare gli studenti a pranzo per quel giorno. Era a un paio di metri da loro e stava rimproverando severamente un ragazzo perché aveva gettato il tovagliolo addosso al compagno che gli sedeva accanto.

"Sei fortunato, stronzetto", aveva detto Matt. "Se non c'era la signora Tutti Frutti, a quest'ora eri già a terra."

David non si era lasciato intimidire dal suo persecutore. "Oh, be', ho idea che ti sia andata male."

"Ma dopo la scuola, amico mio..." aveva minacciato l'altro. "Dopo la scuola, mentre torni a casa, sarà tempo di botte." Per qualche ragione, Matt citava sempre La Cosa de I Fantastici Quattro. Anche se David dubitava che il bullo avesse mai letto qualcosa in vita sua, né fumetti né altro.

E adesso era giunta l'ora delle streghe. David era di

fronte al suo nemico, ma aveva un vantaggio: erano ancora dentro la scuola.

"Perché non lo lasci stare?" osò dire Billy. Era la prima volta che prendeva apertamente le difese dell'amico.

Matt Shamrock lo ignorò. "Allora, Boston, stai tornando a casa? Vuoi che ti porti i libri? Ti va un po' di compagnia, vero?"

David alzò le spalle. "Certo, vieni pure. Quando siamo a casa possiamo giocare sulla mia PS2, se sei capace di usarla." Si voltò e riprese il cammino.

Matt Shamrock aggrottò la fronte. Non era questa la reazione che si aspettava. "Posso farti il culo dove e quando vuoi, Boston", gridò.

"Signor Shamrock?" tuonò la voce del vicepreside McDonald, dal fondo del corridoio. "Modera il linguaggio, giovanotto!"

David e Billy non si fermarono. Spinsero la porta e uscirono, mentre l'adulto più temuto della scuola prendeva Matt Shamrock per l'orecchio destro. L'ultima parola che sentirono fu "punizione".

"Ho idea che alla fine riuscirai a tornare a casa tutto intero", disse Billy.

"Già. Grazie per essermi rimasto accanto."

"Nessun problema. Ma non credo che sia servito molto."

Mentre attraversavano il parcheggio della scuola, David sentì il cuore accelerare. Ogni tanto gli venivano le palpitazioni, quando qualcosa gli procurava una scarica di adrenalina. Poteva capitargli quando era emozionato, nervoso, alla vigilia di una visita dal dottore o di un compito in classe o quando parlava con una delle ragazze carine. Il medico gli aveva raccomandato di fare attenzione. Quando gli venivano le palpitazioni, David doveva fermarsi e respirare a fondo, rilassarsi e allontanare le preoccupazioni dalla mente. Certe volte ci riusciva con facilità. Altre volte era più difficile, dipendeva dalla situazione.

Smise di camminare e si sedette sul marciapiede.

"Stai bene?" gli chiese Billy.

"Sì. Devo solo sedermi un minuto." David chiuse gli occhi e respirò a fondo.

"Sicuro?"

"Shh."

"Posso chiamare qualcuno, se vuoi."

"Zitto, Billy. Sto cercando di fare meditazione. Va tutto bene, davvero."

"Scusa."

"Tu vai avanti. Dopo ci vediamo a casa mia. L'indirizzo lo sai."

"Se vuoi rimango."

"No, davvero. Vai pure. Credo che sia meglio se sto solo."

"Be', va bene. Ci vediamo tra un'ora."

"Okay."

Billy se ne andò. David pensò all'unico vantaggio del nuovo appartamento: era più vicino alla casa dell'amico. Avevano deciso che sarebbero andati e tornati da scuola insieme, almeno fino al liceo.

David continuò i suoi esercizi di respirazione fino a quando riuscì a calmarsi. Lo spaventoso martello nel petto si placò e finalmente lui poté rimettersi in piedi e riprendere il viaggio verso casa.

Si augurò che non diventasse una cosa di tutti i giorni.

7

David aprì la porta e trovò l'amico in piedi sul gradino di pietra, dove la mamma aveva messo lo zerbino con la scritta BENVENUTI. L'appartamento era al pianterreno e da fuori sembrava quasi una casa monofamiliare, con la propria entrata indipendente.

"Come va?" chiese Billy.

"Bene. Entra."

L'amico entrò e David chiuse la porta.

"Ti senti meglio?"

"Sì."

Billy si guardò intorno a fece un cenno di assenso un po' artificioso. Poi lasciò cadere lo zaino sul pavimento ed entrò in salotto. C'erano ancora in giro molti scatoloni e segni del recente trasloco. "Così questa è la nuova casa. Carina."

"Non è male. Però non abbiamo molto spazio."

"Che cosa avete fatto della roba che non ci stava?"

"La mamma l'ha venduta, ho idea. Te lo ricordi che avevamo quell'acquario?"

"Sì."

"Se n'è liberata."

Billy andò alla porta a vetri che dava sul cortile. "Bello grande."

"Non è tutto nostro. È della casa. Noi abbiamo solo quell'angolino con il grill."

"Dov'è la tua camera?"

"Qui dietro." David portò l'amico in corridoio e lo fece

entrare nella prima stanza a destra. Era grande la metà di quella che aveva nella vecchia casa e il ragazzo aveva difficoltà a farci stare tutte le sue cose.

Billy vide il disordine e assentì di nuovo. "Carina."

"Non proprio. Ma forse, se troviamo delle mensole da mettere alle pareti e tolgo la roba dal pavimento, può migliorare."

Era chiaro che non avrebbero avuto spazio per giocare lì dentro. Tornarono in salotto ma non si fermarono davanti al televisore. Andarono dritti in cucina. David aprì il frigorifero e chiese: "Vuoi qualcosa da bere?"

"Cosa c'è?"

"Succo d'arancia, bibite, birra..."

"Io mi farei una birra."

"Sì, anch'io." David passò a Billy una Pepsi e ne prese una per sé."

"Cosa vuoi fare?" chiese l'amico.

"Non lo so. Potremmo uscire. O guardare la tv. Ma non c'è ancora il cavo."

"È già collegato il dvd?"

"Credo di sì. Anche il videoregistratore."

Billy fece un sorriso malizioso. "Grande. Non immagini che cosa ho qui."

"Cosa?"

"Vedrai." Billy prese lo zaino e aprì la cerniera. Tirò fuori una videocassetta in una custodia bianca, senza etichette.

"Che cos'è?"

"L'altro giorno in cantina ho trovato uno scatolone di film porno. Sono di mio papà. Ne ho visto uno mentre lui non c'era. Roba da non credere!"

"Mi prendi in giro?"

"No, sul serio. Sono roba vecchia. Si capisce perché la qualità non è granché."

"E ne hai portato uno?"

Billy ammiccò. "Ah-hah. Questo non l'ho ancora visto. Ne ho preso uno a caso. Ho pensato che ce lo potevamo vedere."

"Da sballo!" L'entusiasmo dell'amico era contagioso. David ignorò i campanelli d'allarme nella sua testa e accese il televisore. Inserì la cassetta nel videoregistratore e si sedette sul divano insieme a Billy.

Dopo le scritte iniziali, comparve il logo della casa di produzione:

EROTICA SELECTA FILMS

"Questa non è della stessa compagnia. Quello che ho visto era un film svedese."

David non disse una parola. I suoi occhi erano incollati allo schermo mentre passavano i titoli di testa. Il film si intitolava *Le bionde se la godono di più*. Gli interpreti erano Lucy Luv, Angel Babe, Karen Klinger, Pete Rod, Jerry Zork e Paul Stud. I ragazzi si misero a ridere leggendo i nomi.[8]

La produzione, evidentemente a basso budget, era stata girata su pellicola. Anche se era a colori, le immagini erano sgranate e sembrava un filmino fatto in casa. Malgrado ciò, si vedeva piuttosto bene. La storia si apriva su una casalinga che salutava il marito che andava al lavoro. Lei era bionda, naturalmente, e indossava un vecchio accappatoio sporco. David ebbe la sensazione che l'attrice avesse qualcosa di familiare, ma non riusciva a capire perché. Ma un certo effetto glielo faceva, perché il suo cuore accelerò.

La donna si sedette al tavolo della cucina e si mise a sfogliare una rivista di moda. Mentre i suoi occhi azzurri si soffermavano sulla pubblicità della biancheria intima femminile, aprì l'accappatoio e vi infilò la mano. Cominciò ad accarezzarsi il seno, a stringerselo tra le dita.

"Porca vacca!" proclamò Billy.

L'attrice non tardò a spalancare l'accappatoio, mostrandosi completamente nuda. Chiuse gli occhi e cominciò a toccarsi in mezzo alle gambe, fantasticando su qualcosa che conosceva solo lei.

"Whoa..." mormorò Billy.

Prima che la donna potesse avvicinarsi alla soddisfazione, suonarono alla porta. Lei alzò lo sguardo, sorpresa, e si affrettò a chiudere l'accappatoio. Si alzò. La macchina da presa la seguì fino alla porta d'ingresso. Dallo spioncino vide il postino con un pacchetto.

"Sì?" chiese.

"Un pacco, signora", disse l'uomo, attraverso la porta.

Lei aprì e constatò che il postino era un bel giovanotto, alto e muscoloso. Primo piano sulla donna, che sorrideva maliziosa e lo invitava a entrare. L'attore che faceva il postino si mostrò adeguatamente ingenuo e sorpreso, mentre entrava. Lei chiuse la porta a chiave. Gli disse di appoggiare il pacchetto sul tavolo nell'ingresso, poi condusse il giovanotto verso il divano in salotto. Prima che lui potesse protestare, lei lasciò cadere a terra l'accappatoio e gli apparve in tutto il suo splendore.

"Credo che da grande farò il postino", scherzò Billy.

David rise.

La donna si inginocchiò davanti al postino e gli aprì i pantaloni. Glielo liberò e si mise all'opera senza dire una parola.

"Guarda quello quanto ce l'ha grosso!" esclamò Billy.

"Incredibile", disse David.

"Cazzo, è *enorme!*"

"Già..."

Ma David non si stava divertendo. C'era qualcosa di decisamente fuori posto e non riusciva a capire che cosa fosse. Pensò che fosse il senso di colpa: stava guardando un film porno e, se sua madre lo avesse scoperto, si sarebbe trovato nei guai. Doveva essere per quello. "Forse è meglio spegnere."

"No! Andiamo avanti!"

"Mia mamma potrebbe tornare presto."

"Ma dai! Guarda, adesso se lo scopa."

Infatti la bionda si era messa a cavalcioni del postino. I ragazzi videro ogni dettaglio. La macchina da presa si era avvicinata in modo imbarazzante. I gemiti della donna e i grugniti dell'uomo riempivano la stanza. Gli attori cominciarono a muoversi su e giù, senza lasciare nulla all'immaginazione. Poi la macchina da presa si avvicinò per un primo piano della bionda.

"Cazzo, David", fece Billy.

"Che c'è?"

"La riconosci?"

"Chi?"

"La donna! Nel film!"

"No, perché dovrei?"

"David! Guarda da vicino!"

"Cosa diavolo stai dicendo?"

"È tua mamma!"

David sentì il cuore perdere un colpo. Una stretta lo prese allo stomaco. "No, non è lei", disse, con voce flebile.

"Sì che è lei! Guarda!"

"Non è lei, non essere stupido."

"David, è molto più giovane, ma è proprio lei. Non riconosci la voce? *Guardala!*"

David non poté fare a meno di guardare, rendendosi conto che cosa lo aveva disturbato. Doveva averlo percepito inconsciamente fin da quando era cominciato il film, senza capire. Ma ora era evidente. Per quanto non ci volesse credere, per quanto volesse negarlo a gran voce, Billy aveva ragione.

La donna che stava facendo sesso nella videocassetta era sua madre.

I ragazzi sentirono la portiera di una macchina che si chiudeva. Veniva dal box dell'appartamento, vicino alla cucina.

"Mia mamma è tornata!" gemette David. Scattò in piedi, fermò il videoregistratore ed espulse la videocassetta. Cercò di rimetterla nella custodia, ma sembrava quasi che non ci stesse.

"Dammi!" L'amico gliela prese di mano e riuscì a chiudere la custodia proprio mentre si apriva la porta della cucina e Diane Boston entrava in casa. Billy tenne la cassetta dietro la schiena.

"Salve, ragazzi. Cosa state facendo?"

"Oh, ehm, stavamo guardando la tv."

Lei guardò il televisore. Lo schermo era nero. "Cosa c'era?"

David si voltò verso l'apparecchio. "Niente. Dovremmo proprio far mettere la tv via cavo."

"Arrivano la prossima settimana" disse Diane, appoggiando le sue cose sul banco della cucina. "Come stai, Billy?"

"Bene."

"E la scuola?"

"Okay."

Lei sorrise e scosse la testa. Billy era un ragazzo di poche parole. "Oh, ho lasciato una cosa in macchina. Torno subito." Diane uscì dalla porta della cucina. David la seguì in garage, dove la madre tirò fuori un rotolo di cartone dal bagagliaio.

"Ti serve aiuto?" le chiese lui.

"No, grazie. Devo preparare delle tabelle per la lezione di sociologia."

Billy intanto ne approfittò per infilare rapidamente la videocassetta nello zaino e chiudere la cerniera lampo.

Quando madre e figlio tornarono in casa, David spense la tv e suggerì a Billy: "Andiamo in camera mia."

"Okay."

I ragazzi sparirono, lasciando Diane in piedi nel salotto, in mezzo agli scatoloni. "David!" lo chiamò lei. "Mi servirà il tuo aiuto per sistemare un po' di questa roba."

"Okay, mamma", rispose lui.

Diane pensava che, una volta sgombrato il salotto, si sarebbero sentiti un po' più a casa. C'era ancora parecchio lavoro da fare.

Billy e David ricomparvero. "Questa l'ho finita", disse il primo, mostrando la lattina di Pepsi.

"Oh, in cucina c'è un sacchetto di carta per la raccolta differenziata", disse Diane. Cominciò a tirare fuori libri da uno scatolone.

Billy andò in cucina, lasciò cadere la lattina nel sacchetto, poi andò verso la porta d'ingresso. "Ci vediamo domani, David."

"Ciao, Billy", lo salutò Diane.

"Ci vediamo", fece David. Non stava guardando l'amico. I suoi occhi erano puntati sulla madre, in ginocchio sul pavimento davanti alla pila di libri. Era nella stessa posizione in cui si era messa nel film.

A David tornò la stretta allo stomaco.

Lei alzò lo sguardo. "Cosa c'è che non va?"

"Eh?"

"Hai un'aria strana."

"Davvero?" Lui scosse la testa. "Aspetta, ti aiuto."

Si chinò su uno scatolone e lo aprì, mentre un milione di pensieri gli si affollavano nella mente confusa.

8

David rigirò gli spaghetti con la forchetta e li guardò raccogliere il sugo. Sedeva con la testa appoggiata su una mano e il gomito sul tavolo.

"Qualcosa non va, tesoro?" chiese Diane.

La forchetta continuava a rivoltare gli spaghetti.

"David?"

Lui alzò gli occhi. "Hmm?"

"Qualcosa non va? Stai giocherellando con gli spaghetti senza mangiarli."

"Oh, è solo che non ho molta fame, mamma." Tolse il gomito dal tavolo e si sedette composto. "Scusa."

"Gli spaghetti sono i tuoi preferiti. Non ti ho mai visto lasciarli nel piatto, nemmeno quando avevi l'influenza."

"Ho idea di non avere molto appetito, stasera."

Diane lo guardò di sottecchi. "Quel bullo a scuola ti ha di nuovo infastidito?"

Lui scosse la testa. "No. Cioè, sì, ma non è quello."

"Allora cosa?"

"Niente. Davvero. Non preoccuparti." Bevve un sorso di succo d'arancia e guardò la madre, che aveva ripreso a mangiare.

Era davvero mia mamma? si domandò lui. Aveva fatto sul serio quello che si vedeva nella videocassetta? Era possibile? Forse lui e Billy si erano sbagliati. Forse non era veramente lei, ma solo una che le somigliava.

"Che cosa c'è?" chiese la madre. David capì che si era

accorta che lui la stava guardando. "Ho qualcosa in faccia?"

"No, scusa."

"Mi guardavi come se fossi un'aliena."

"Non lo sei?"

Lei aggrottò la fronte. "Uh?"

David ridacchiò.

La madre sorrise. "Dispettoso. Su, mangia ancora un po'."

"Non ho proprio fame, mamma." Spinse avanti il piatto e si appoggiò allo schienale della sedia. "Devo finire i compiti."

"David."

"Sì?"

Lei soppesò le parole prima di parlare. "Lo so che è difficile per te. Lo è anche per me."

"Cosa?"

"Il trasloco. Il nuovo appartamento. Il divorzio."

"Oh, quello. Sì, ho idea."

"Tuo padre e io non riuscivano a stare insieme, David. Non eravamo felici. Nessuno dei due pensava che avremmo potuto continuare così solo per salvare le apparenze. Lo capisci, vero?"

"Ne abbiamo già parlato, mamma."

"Lo so. Ma in questi giorni mi sembri molto giù. Specialmente stasera."

"Sarà solo per il trasloco. Mi ci abituerò."

Lei annuì e prese il suo bicchiere di vino. Era sempre più la sua consolazione, la sera. Scioglieva l'angoscia e attenuava il dolore più di qualsiasi altro rimedio avesse provato. Qualche tempo prima, quando lei e Greg avevano cominciato ad avere problemi, aveva tentato con gli antidepressivi, ma non le piacevano gli effetti collaterali. Aveva smesso del tutto di andare dallo psichiatra. E poi, si diceva, non c'era niente che non andasse nella sua mente. Era uno squilibrio chimico. Niente di più.

David si alzò da tavola e uscì dalla stanza senza aggiungere altro.

Diane era preoccupata per lui. Forse il fallimento del matrimonio gli aveva fatto più male di quanto lei e Greg avessero previsto. Era anche possibile che Greg stesse mettendo David contro di lei, cosa che non aveva esitato a fare in passato.

Diane si alzò in piedi e andò al telefono, vicino al divano. Compose il numero che conosceva a memoria e attese che lui rispondesse.

"Pronto?"

"Greg?"

"Oh, ciao, Diane."

"Che stai facendo?"

"Finivo di cenare. E tu?"

"Anche noi."

"Come va la casa nuova? Tutto a posto?"

"Non ancora. Ma ci arriveremo. Quando ci saremo abituati a stare stretti." Non intendeva usare un tono sarcastico, ma era così che le era uscita la frase.

Lo sentì sospirare. "Diane, hai chiamato solo per farmi sentire in colpa?"

"No. Hai detto qualcosa a David? Voglio dire, sul divorzio o altro?"

"Non so cosa vuoi dire."

"Be', si comporta in modo strano. Stasera non ha mangiato gli spaghetti e lo sai quanto gli piacciono."

"Gesù, Diane, forse è solo che non aveva fame."

"Così ha detto. Ma gli spaghetti li mangia *sempre*."

"Be', gli hai chiesto come mai?"

"Sì. Ha detto che non aveva appetito."

"Be', ecco tutto. Non aveva fame."

"Credo che sia depresso per il trasloco. E per il divorzio."

"Be', allora siamo in due", disse Greg. "O dovrei dire tre?"

"Ehi, non è stata un'idea mia."

"Io metto giù, Diane."

"Aspetta. Non volevo litigare."

"Sembra che quando parliamo non si riesca a fare altro. Sei stata tu a chiamare me, ricordi?"

Lei scosse il capo, frustrata. Era impossibile parlare con quell'uomo. "Senti volevo solo sapere se gli avevi detto qualcosa di negativo. Lo hai fatto altre volte, lo sai."

Greg imprecò sottovoce. "Diane, sei insopportabile. Ne parliamo un'altra volta. Salutami David. Buonanotte."

"Sì, okay, scappa."

"Lo sai che non è così. Non ho risposto al telefono per mettermi a discutere."

"Va bene. Ciao."

"Ciao."

Lei aspettò che fosse lui a riagganciare. Poi sbatté il ricevitore. "Bastardo", mormorò.

Riprese il bicchiere e bevve un sorso di vino, seduta davanti al televisore spento. Si perse nello schermo nero, ignara del fatto che David, dietro l'angolo del corridoio, la stava guardando.

Diario di David

Stasera la mamma è di nuovo caduta in trance. Ha litigato ancora con il papà al telefono e adesso è seduta con il suo vino a fissare la tv. Spenta.

Comincio a capire qual è il suo segreto.

Oggi Billy e io abbiamo visto una delle videocassette porno che suo padre teneva in cantina. Non riuscivo a crederci. Non è la prima volta che vedo un porno, ma questo è stato uno shock. Sapete perché? Giurerei che la ragazza nel film era mia mamma.

Non posso e non voglio crederci. Ma se è vero, allora spiega tutto. È questo il grande segreto. Mia mamma era una pornostar. Chissà come si chiamava? Ho visto i nomi nei titoli ma non so quale fosse quello di mia mamma. Dovrei fare delle ricerche.

Ma il papà lo sapeva? Probabilmente no. A meno che sia per questo che hanno divorziato. Anche se credo di no. Scommetto che sono il primo ad avere scoperto il grande segreto.

E poi c'erano quegli strani ritagli di giornale che la mamma teneva nello scatolone che ho trovato dopo il trasloco. Lo scatolone è ancora in cucina. Sopra ce n'è un altro, ho idea che se n'è dimenticata. Aveva detto che l'avrebbe buttato via, ma non lo ha ancora fatto. Ogni tanto le capita, si scorda le cose, come se fosse distratta. Certe volte mi domando come riesce a fare lezione a scuola, visto che a casa è così strana.

Che cosa farebbero i miei compagni se scoprissero tutti che mia madre una volta era una pornostar? Spero proprio che Billy non dica niente. Domani a scuola dovrò raccomandargli di non parlarne. Potrebbe danneggiare il lavoro della mamma.

La verità e che, mi spiace dirlo, ma in un certo senso è una figata. Mia mamma, la pornostar. Quanti altri ragazzi possono dirlo? Quanti altri possono guardare la madre e dire: "Ehi, l'ho vista fare la zozza in un film."

Probabilmente non molti.

9

Era passata da un po' l'ora in cui Billy Davis andava a dormire di solito. Ciò nonostante, era ansioso di guardare un'altra videocassetta della collezione di suo padre. Tornato a casa, aveva rimesso a posto quella che aveva guardato con David e ne aveva preso un'altra. Anche se non era ancora un teenager, il suo corpo aveva cominciato a rispondere agli stimoli erotici e l'attesa era ancora più eccitante. Comprendeva, almeno teoricamente, che cosa gli stava succedendo e gli piaceva saggiare i confini della sua adolescenza appena scoperta.

Aspettò nella sua stanza che il padre andasse a dormire. Il televisore in camera da letto trasmetteva il notiziario delle dieci. Era un suo rituale quotidiano, quello di guardare il telegiornale fino alle dieci e trenta e poi spegnere la luce. Come insegnante al liceo, il padre di Billy doveva uscire di casa prima del figlio.

Il ragazzo stabilì che la via era libera. Il padre non avrebbe sentito il televisore in salotto, se lui teneva il volume basso. Billy uscì dal letto e aprì cautamente la porta della sua stanza. Il corridoio era buio. Sbirciò fuori e vide la lama di luce sotto la porta chiusa della camera da letto. Uscì silenzioso in corridoio e girò l'angolo. Una volta in salotto, si fermò e tese le orecchie. Le cifre luminose dell'orologio sul caminetto indicavano le dieci e trenta, ma si sentiva ancora in lontananza il televisore del padre acceso. Billy trattenne il respiro e attese fino a quando udì lo sciacquone del bagno e il silenzio dopo il notiziario.

Allora si avvicinò quatto quatto al televisore e lo accese con il telecomando. Premette ripetutamente il tasto del volume, in modo che non si sentisse rimbombare l'audio quando fosse apparsa l'immagine. Poi la stanza fu inondata di un lucore argentato che proiettò l'ombra di Billy sulle pareti e sul soffitto.

Accese il videoregistratore e inserì la cassetta nella fessura. Pochi secondi dopo le immagini del nastro arrivarono sullo schermo. Billy alzò leggermente il volume, per sentire almeno un po' il sonoro.

Passarono i titoli di testa. Questo film si chiamava *Bordello-Babysitter* e il cast era praticamente lo stesso dell'altro. Billy attese con impazienza che il film avesse inizio. La storia cominciava in una grande casa di campagna, dove una ricca coppia si preparava a uscire per la serata. L'uomo si domandava dove fosse la babysitter. La moglie rispondeva che stava arrivando.

Suonava il campanello e l'uomo apriva la porta, facendo entrare la stessa attrice dell'altro film: la mamma di David. Stavolta era vestita in uniforme scolastica – gonna a quadretti, calzettoni, camicetta bianca – e aveva i capelli raccolti in due codini. L'espressione dell'uomo dava a intendere che fosse molto soddisfatto dell'aspetto della babysitter. La coppia portava la ragazza in camera del bambino e se ne andava. Ma prima l'uomo palpava le natiche alla babysitter. Anziché essere offesa, lei gli strizzava l'occhio, mostrando che le avance erano gradite.

Uno stacco temporale. La ragazza aveva messo a letto il piccolo e, sola nel grande salone, davanti al fuoco acceso, di nuovo si dedicava al proprio piacere.

"Che diavolo stai facendo?"

Billy sobbalzò e quasi gli sfuggì un urlo. Si affrettò a premere il telecomando per fermare il videoregistratore. Sullo schermo le immagini del film furono sostituite da quelle di *The Tonight Show*. "Uh", balbettò il ragazzo, "non riuscivo, ehm, a dormire e ho pensato di guardare la tv."

"Che diavolo stavi guardando?" Era sotto l'arco tra il salotto e il corridoio, in boxer e maglietta.

"Niente. Un film sulla tv via cavo."

"Neanche per idea. Dammi il telecomando."

Billy era fregato. Non c'era modo di uscirne. Consegnò docilmente il telecomando al padre. Peter Davis lo puntò verso il televisore e premette *play*.

Sullo schermo apparve *Bordello-Babysitter*. Il padre guardò le immagini per qualche secondo, per rendersi conto esattamente di che cosa stesse guardando Billy. Poi spense il videoregistratore.

"Dove l'hai presa?"

Il ragazzo fissava il pavimento, rosso dalla vergogna e dall'umiliazione.

"Rispondimi!"

"L'ha trovata David", mentì Billy.

"David? David Boston?"

Billy annuì.

"Dove l'ha trovata?"

"Non lo so. È di sua madre."

Peter Davis batté le palpebre. "Sua madre?"

Billy annuì di nuovo, pregando che il padre non riconoscesse la cassetta come una delle sue.

Lui sembrò quasi volersi mettere a ridere, ma non lo fece. "Che cosa ti fa pensare che sia di sua madre?"

Billy si strinse nelle spalle. "David ha detto che ha trovato uno scatolone di videocassette quando hanno fatto il trasloco."

Il padre andò al videoregistratore ed espulse la cassetta. La esaminò, poi vide la custodia. Billy chiuse gli occhi e attese che arrivassero le urla, oppure le botte.

Peter Davis non sapeva cosa fare di quell'informazione. La cassetta sembrava una della sua vecchia collezione. Erano anni che non le guardava. "Be', credo che dovrò fare due chiacchiere in proposito con la madre di David. Lo sai che non dovresti guardarla, questa roba."

"Lo so."

"Ne parliamo domani. Adesso vai a dormire. Domani devi andare a scuola."

Billy non si mosse.

"Su", lo esortò il padre.

"Papà?"

"Cosa?"

"Non credo sia una buona idea parlarne con la madre di David."

"Perché no?"

Billy esitò, poi se ne venne fuori con. "Be', c'è lei, lì dentro."

"In che senso?"

"Nel film. Nella videocassetta. Lei fa l'attrice."

Peter Davis guardò il figlio, incredulo. "Non credo proprio, Billy."

"Davvero. Deve averne girati un po', da giovane."

Il padre esaminò la custodia e la cassetta, rigirandole tra le mani, come se sperasse che magicamente vi apparisse qualche indicazione rivelatrice. Alla fine disse: "Vai a letto. Subito."

Billy corse in corridoio e sparì nella sua stanza.

Peter Davis guardò la cassetta che aveva in mano. Che cos'aveva lì? Diane Boston? In un film porno? Era come avere in mano una granata.

La faccenda richiedeva un esame più accurato.

Davis spense il televisore e portò la cassetta in camera da letto, dove disponeva del proprio impianto video. Chiuse la porta, accese la tv e inserì la cassetta nel videoregistratore. Il film ripartì da dove si era fermato.

La "babysitter" era sul punto di raggiungere il momento dell'estasi quando i genitori del bambino rientrarono a casa. La signora disse al marito di pagare la ragazza e riaccompagnarla a casa. L'uomo era ben contento di provvedere.

Dopo un momento, Davis riconobbe il film. Lo aveva visto qualche volta, quando era scapolo. Suo figlio gli aveva mentito: era andato a curiosare in cantina.

Il film proseguì. Il marito accompagnava fuori la babysitter, le dava i soldi, poi aggiungeva un biglietto da cento e le chiedeva se voleva guadagnare un "piccolo extra". La ragazza batteva le palpebre e rispondeva che le avrebbe fatto piacere. Si allontanavano in macchina, svoltando in una strada deserta. L'uomo parcheggiava, dopodiché... si arrivava al punto.

Peter Davis si era visto un bel po' di film porno, a suo tempo. Quando era al college, negli anni Settanta, era diventato una specie di hobby. Aveva smesso quando si era sposato, anche se il suo desiderio di donne più giovani e sesso extraconiugale aveva fatto naufragare il matrimonio. Dopo il divorzio aveva continuato a vedere porno, quando gli capitava, anche se erano anni che non tirava fuori la sua vecchia collezione. Si considerava una sorta di conoscitore: poteva identificare gli interpreti, seguiva i vari generi e sapeva i titoli dei film classici e delle star.

E riconobbe l'attrice che interpretava la babysitter come Lucy Luv.

Ricordava che era apparsa sulla scena del porno alla fine degli anni Settanta e vi era rimasta per due o tre anni prima di scomparire. Più tardi, all'epoca del boom del video negli anni Ottanta, tutti i suoi film erano stati messi su cassetta. Peter Davis non aveva grande familiarità con le "opere" di Lucy Luv, ma l'aveva vista e sapeva che era stata prima una grande promessa, poi la star di una manciata di film e infine aveva lasciato il cinema. Se non andava errato, era anche corsa voce che fosse morta.

Peter Davis sorrise. Ora capiva perché trovava Diane Boston così attraente. Vedeva in lei qualcosa che nessun altro poteva cogliere. Fin dal loro primo incontro, Davis aveva avuto un senso di *déjà vu* quando la incrociava. Quell'unica volta che erano usciti insieme le aveva persino chiesto se si fossero conosciuti prima di trovarsi entrambi a insegnare al liceo. Diane aveva fatto una smorfia, rispondendo: "Improbabile." Ma lui non era mai riuscito a togliersi dalla testa l'impressione di averla già vista.

Adesso sapeva perché.

Certo, ora Diane Boston aveva un aspetto diverso. Era più vecchia, aveva un'altra pettinatura e portava lenti a contatto per cambiare il colore degli occhi.

Eppure era lei. Diane Boston era Lucy Luv.

10

Darren Marshall batté il pugno sulla scrivania e urlò, rivolto al monitor: "Che pezzo di merda!"

Guardò l'orologio e si accigliò: le otto e trentacinque. Avrebbe fatto bene ad andare in ufficio, altrimenti Mertz avrebbe voluto la sua pelle.

"Che problema c'è, tesoro?" fece Ellie dalla camera da letto.

"Internet non va, dannazione", replicò lui, a voce alta. "Torna a dormire." Chiuse Explorer e provò a riaprirlo. Lo schermo bianco rimase congelato, senza completare il caricamento della *home page*.

Ma Internet via cavo non avrebbe dovuto essere molto più veloce che via telefono? A Darren risultava che ciò fosse vero solo il novantasei per cento del tempo. C'erano momenti della giornata in cui sembrava che cani e porci si connettessero alla rete, rallentandola come una lumaca.

All'inferno, pensò. Chiuse la finestra e spense computer e monitor.

"Io vado, Ellie", annunciò. Prese il thermos di caffè di Starbucks e la valigetta, e corse alla porta. Il sole stava già scaldando il Sud California. Darren era lieto che alla redazione del "Weekly" non fosse obbligatorio l'abbigliamento formale: avrebbe potuto presentarsi anche in T-shirt e pantaloncini corti, se avesse voluto. Le cose sarebbero cambiate, se fosse riuscito a passare al "Times".

Salì sulla sua Saturn rossa, avviò il motore e uscì dal

vialetto a marcia indietro. Lui ed Ellie vivevano in un bungalow fine anni Quaranta, non lontano da Echo Park: un comodo alloggio con due camere da letto che Marshall aveva comprato per una cifra ridicola, perché i precedenti proprietari allevavano gatti. Il fetore di urina non se ne voleva andare, per quanti detergenti si provassero. Questo a Ellie non dava fastidio: i gatti le piacevano, ne aveva due. All'inizio Darren era diffidente, ma dopo averci vissuto una settimana aveva smesso di fare caso all'odore. E i gatti di Ellie facevano del loro meglio per emulare i loro predecessori. L'unico problema era quando avevano ospiti, il che non accadeva molto spesso. Di solito Ellie cucinava qualcosa con una tonnellata di aglio, così non c'era da spiegare perché la casa puzzava.

Immessosi nel traffico della 101, il giornalista tornò a riflettere sul progetto che aveva deciso di intraprendere. Dalla fine del processo, Aaron Valentine non aveva smesso di ossessionarlo. Darren aveva passato un po' di tempo in biblioteca, a caccia di vecchi articoli sul suo conto, e navigato in rete da casa, alla ricerca di qualsiasi pettegolezzo riguardante il re del porno. Era un'idea straordinaria. Qualche rivelazione su Aaron Valentine avrebbe potuto alzare il suo status al "Weekly", forse addirittura portarlo a pubblicare un libro. *Il re del porno*, gran titolo. Aveva lanciato l'idea a Mertz, che aveva alzato le spalle, dicendo: "Potrebbe funzionare. Ma le ricerche le fai nel tempo libero, finché non porti qualcosa di concreto."

Darren si domandava se sarebbe riuscito davvero a intervistare Valentine. Valeva la pena di tentare, anche se aveva sentito che non era facile vederlo. I giornalisti non gli piacevano, a meno che non avesse il controllo assoluto di ciò che veniva detto. Se Valentine avesse saputo che Darren intendeva smascherarlo – e psicoanalizzarlo nel contempo – non lo avrebbe gradito affatto.

Ma il giornalista era affascinato da quanto aveva appreso su Aaron Valentine. Negli anni Sessanta era stato per breve tempo in carcere, per sfruttamento della prostituzione e spaccio di droga. Era entrato nel mercato della pornografia al principio degli anni Settanta e, a quanto pareva, aveva trovato il proprio spazio. Alla fine del decennio, aveva consolidato la sua posizione come uno dei magnati del settore. A differenza dei suoi concorrenti, che avevano base soprattutto nella zona di San Francisco, Valentine rischiava l'arresto girando i suoi film nel Sud California. Qualche sua produzione era stata bloccata, ma molte erano state distribuite con l'aiuto di un paio di famiglie italiane con filiali sulla West Coast, gente che aveva in tasca elementi delle forze dell'ordine. Darren aveva trovato alcuni articoli del 1978 che parlavano della rinascita delle attività mafiose nell'area di Los Angeles, grazie all'ascesa del porno e del consumo di droga. Il giornalista era sicuro che Valentine avesse agganci con il crimine organizzato.

Altra scoperta interessante: le misteriose sparizioni di alcune pornostar che avevano lavorato per la compagnia di Valentine, la Erotica Selecta Films. La prima si chiamava Julie Titman. Il suo corpo era stato scoperto nella Death Valley diversi mesi dopo la sua scomparsa. Un'attrice con qualche anno in più, Brenda de Balze, il cui vero nome era Karen Andrews, era sparita nella primavera del 1979. L'episodio sarebbe passato inosservato, se il padre non avesse sollevato un vespaio apparendo su una tv locale chiedendo aiuto. L'organizzazione di Valentine aveva dichiarato che l'attrice, semplicemente, aveva lasciato la città: affermazione in conflitto con le dichiarazioni del padre, secondo cui la donna stava cercando di uscire dal giro, ma Valentine non glielo permetteva. Sette mesi dopo, anche il corpo di Karen Andrews era stato trovato nel deserto. Le avevano sparato alla testa. L'assassino non era mai stato preso.

Altre due star, note come Angel Babe e Lucy Luv, erano scomparse contemporaneamente all'inizio del 1980. I loro veri nomi erano rispettivamente Angela Gilliam e Dana Barnett, relativamente nuove nel settore. Le due ragazze abitavano insieme in una stanza a Santa Monica. Darren si era fatto l'idea che fossero amanti, o quantomeno bisessuali. Angela era una bionda giovane e carina che era arrivata a girare forse solo cinque film prima di scomparire. Dana, anche lei bionda, era già più nota come pornodiva, lavorando in quel campo dal 1977. Nessuno sapeva che cosa fosse stato delle due ragazze, che avevano lasciato il loro appartamento senza prendere nulla. Non erano mai stati trovati i loro corpi, sempre che fossero effettivamente decedute. Anche il fratello di Angela, Eric, lavorava nel cinema porno, sotto lo pseudonimo di Pete Rod. Eric Gilliam aveva rilasciato una dichiarazione alla polizia, affermando che la sorella non avrebbe mai lasciato la città senza avvisarlo. Sospettava qualcosa di losco e si era avventurato a insinuare che ci fosse di mezzo Valentine. Gilliam aveva lasciato la Erotica Selecta Films tre anni dopo e si era messo a lavorare per altre compagnie. Attualmente era uno dei leader del settore: produceva e dirigeva una collezione di video con interpreti non professionisti.

Il traffico sulla 101 era fermo e Darren fu costretto a chiamare l'ufficio con il cellulare.

"Dovresti partire più presto da casa", gli disse Mertz. Era la sesta o la settima volta in meno di un mese che il giornalista telefonava per dire che era in ritardo.

"Non ti importerà, quando saprai che cosa ho scoperto su Valentine", disse Darren. "Credo che il tipo abbia a che fare con la mafia e sia anche un assassino."

"Dimmi qualcosa che non so", fece il caporedattore. "Basta che non ci possa fare causa. Muovi il culo e vieni qui."

Darren tolse la comunicazione mentre il traffico si rimetteva in moto. *Che coglione*, pensò.

Cominciava a pensare che ci fosse una storia succosa da portare alla luce. Pornostar scomparse? Pornostar *assassinate*? Complicità con la mafia? Pornografia e droga? C'erano tutti gli elementi per un bestseller e forse anche per un film.

Doveva solo evitare di incorrere nelle ire di Aaron Valentine e finire con la gola tagliata. Per il resto, Darren Marshall vedeva davanti a sé un futuro roseo.

11

Per Diane i giorni successivi trascorsero con estrema lentezza, quasi come se il corso del tempo si fosse alterato. La scuola la impegnava quasi completamente, com'era naturale, e la sera si sentiva così stanca da non avere le forze di continuare a disfare gli scatoloni e cercare di mettere a posto la casa. Era fortunata se riusciva a svuotarne uno e a toglierlo dal pavimento. Ogni tanto cercava uno scatolone in cui sapeva esserci qualcosa che le serviva e finiva con impilare gli altri uno sull'altro. Era così che quello con i ritagli era finito sepolto e dimenticato. In seguito, ritrovandolo, avrebbe attribuito quella svista al proprio subconscio. Forse voleva negare l'esistenza di quei ritagli. Molto probabilmente era vero.

David riuscì a sistemare la propria camera molto più in fretta e la trasformò nel proprio rifugio dopo la scuola. Vi passava il tempo a fare i compiti o ad ascoltare musica. Un pomeriggio Billy venne a casa e i due ragazzi riuscirono a usare la Playstation 2 che era stata finalmente installata in soggiorno. L'amico non aveva più fatto parola della videocassetta che avevano guardato e David ne era sollevato. Sperava che Billy se ne dimenticasse, anche se sapeva che era poco probabile.

Sotto molti aspetti, la scuola era terapeutica per Diane. Quando era in aula davanti agli studenti, si sentiva piena di energie e sicura di sé. Insegnare le riusciva bene e le piaceva. Le giornate erano lunghe e lo stipendio inadeguato, ma il lavoro le dava soddisfazioni che giovavano alla sua psiche e alla sua autostima. Le mancava il corso di difesa femminile, avrebbe voluto tenerlo più spesso anziché solo nel semestre autunnale. Purtroppo a disposizione degli studenti c'erano così tante attività extracurriculari che lo spazio non era sufficiente. Era già tanto che glielo lasciassero fare una volta all'anno.

Quando suonò la campanella della sua ultima lezione, Diane rimase seduta in cattedra. L'energia che l'aveva alimentata fino a quel momento venne meno, lasciandole un improvviso senso di debolezza. Si accorse di avere il mal di testa e dedicò un minuto a massaggiarsi le tempie.

Si domandò perché fosse così stanca, in quei giorni. Poteva attribuirne le cause al trasloco, ma si sentiva anche depressa. Da anni si rendeva conto delle proprie condizioni ma non aveva mai fatto molto conto sugli psichiatri, per quanto fossero di moda. Era sempre stata convinta che certe questioni potessero essere risolte dalla mente stessa. Concentrarsi sul lavoro e sulla famiglia influiva profondamente su come si sentiva. Avrebbe voluto che più gente, di questi tempi, facesse lo stesso.

Con un sospiro, Diane si alzò, raccolse le sue cose e si accorse che la lucina della segreteria telefonica stava lampeggiando. Sollevò il ricevitore e compose il proprio codice.

Era una voce di donna. "Pronto, signora Boston? Sono Trish Hunter del 'Chicago Sun-Times'. Le spiacerebbe richiamarmi? Sto scrivendo un articolo sulle madri single insegnanti dell'hinterland." La giornalista aveva lasciato il suo numero prima di riagganciare. Dalla voce sembrava molto giovane.

Diane giudicò che non fosse una seccatura e la richiamò.

"Trish Hunter."

"Oh, salve. Sono Diane Boston. Ho trovato il suo messaggio in segreteria."

"Signora Boston! Grazie di avere richiamato. Resti in linea un secondo..." La donna tolse la comunicazione per un momento.

Diane detestava essere messa in attesa, ma la giornalista tornò in linea dopo cinque secondi.

"Mi scusi, dovevo liberarmi di una persona. Allora, possiamo parlare per qualche minuto?"

"Penso di sì, se non è una cosa lunga. Ho appena finito le lezioni, per oggi, e vorrei tornare a casa."

"Capisco. Prima di tutto, da quanto vive a Lincoln Grove?"

"Da un po'...", rispose Diane. "Vediamo." Fece un calcolo mentale. "Più di vent'anni."

"E prima dove abitava?"

Diane esitò. Dove voleva andare a parare? "Mi scusi, di che si tratta? E come ha saputo di me?"

La giornalista ignorò la domanda. "Signora Boston, non era nel Sud California alla fine degli anni Settanta?"

"Come?"

"Sud California. Non è vero che è venuta nell'Illinois dalla California?" La voce della donna si era fatta più decisa, come quando in televisione gli avvocati controinterrogano un teste.

"Senta, signorina, uhm..."

"Hunter."

"Sarò lieta di rispondere a qualche domanda, ma non voglio che pubblichi la mia biografia sul giornale."

"Lo dice perché una volta girava film pornografici, signora Boston?"

Il cuore di Diane perse un battito. D'un tratto provò una stretta allo stomaco e un immediato senso di nausea. "Come ha detto?" chiese, dopo quella che le parve un'ora. Le parole le uscirono in un sussurro.

"Film porno, signora Boston. Non ne ha mai girato nessuno?"

"Certo che no", rispose Diane. "Io metto giù."

"Aspetti, signora Boston, voglio solo..."

Ma Diane abbatté il ricevitore prima che la giornalista potesse chiedere altro.

Cosa diavolo...? pensò. *Come ha fatto...?*

Si accorse che stava tremando. Si sentì andare in ipoglicemia e non riuscì più a stare in piedi. Si lasciò cadere sulla sedia, lo sguardo perso davanti a sé, mentre un milione di pensieri si inseguivano nella sua testa. La nausea aumentò. Avrebbe potuto giurare che le pareti stessero oscillando intorno a lei. Era come in quei telefilm di fantascienza in cui il protagonista cade sotto l'effetto di una droga: vedeva l'aula annebbiata e le sembrava che si stesse muovendo in due direzioni opposte contemporaneamente.

Mio Dio... Mio Dio... Cos'è successo?

Cercò di respirare a fondo, la tecnica che aveva usato molte volte per combattere l'angoscia e la paranoia. Le sembrò che funzionasse, ma solo dopo essere rimasta seduta alla cattedra per parecchi minuti. Quando finalmente sentì di avere ripreso quasi completamente il controllo, guardò il telefono e considerò la possibilità di richiamare la giornalista. Le avrebbe detto di andare all'inferno, che aveva preso una cantonata.

Chiunque fosse, la signorina Hunter-Taldeitali si sbagliava di grosso. Non sapeva niente. Non conosceva la verità.

Non è così, Sweetie?

Che cosa doveva fare? Doveva richiamare la giornalista e spiegare che non era mai stata una pornostar? Aveva promesso di non rivelare mai la vera identità dell'attrice. Che il segreto che aveva tenuto per oltre vent'anni stesse per venire alla luce?

Diane cercò di respingere il bombardamento di dubbi e si rimise in piedi. Raccolse quello che doveva portare a casa e si diresse alla porta. A metà del corridoio, la nausea l'assalì di nuovo, ancora più forte. Andò dritta nei bagni delle ragazze, si chiuse in un cubicolo e vomitò.

12

Diane parcheggiò la sua Honda Civic del '97 nel box, aprì la portiera e balzò dall'auto. Ansante, aprì la porta della cucina e si precipitò dentro, sbattendola alle proprie spalle.

"David? Sei in casa?"

Non ebbe risposta, ma notò un biglietto sul banco della cucina: diceva che suo figlio era a casa di Billy e sarebbe tornato per cena.

Era un sollievo. Poteva fare quello che doveva senza rispondere a nessuna domanda. Guardò gli scatoloni impilati in cucina. Quello in cima era pieno di libri. Lo spostò di forza e lo scatolone, aperto, si rovesciò su un fianco, riversando il suo contenuto sul pavimento. Lei non vi fece caso e continuò a disfare il totem di cartoni fino a trovare quello che stava cercando.

Lo scatolone con i ritagli era il penultimo. Perché non lo aveva distrutto quando aveva detto che lo avrebbe fatto? Come poteva essersene dimenticata? Era impensabile. Colpa della stanchezza e dello stress. Non era possibile che fosse il suo subconscio a rifiutarsi di buttare via i ritagli. Non li voleva. Per lei non esistevano. Non sapeva nemmeno perché li avesse tenuti. Avrebbe dovuto bruciarli anni prima. Perché non lo aveva fatto?

Non importava.

Toglili subito di mezzo, si ordinò.

***

Quando David entrò nell'appartamento, vide la madre che alimentava il fuoco nel caminetto. Lo trovò molto strano: fuori era una bella giornata primaverile. Le ultime tracce dell'inverno di Chicago erano svanite da un mese.

"Ciao, mamma", disse.

"Ciao", rispose lei. Aveva gli occhi fissi sul fuoco, mentre rimestava le braci con l'attizzatoio.

"Che cosa fai?"

"Accendo il caminetto", fece lei, in tono assente.

"Ho visto. Come mai?"

"Volevo vedere se funzionava. Ci servirà, il prossimo inverno." Era un caminetto a gas, con finti ciocchi di legno. Non serviva un'esca per accenderlo.

"Oh", fece David, poco convinto. Guardò la cenere più da vicino. "Che cosa stai bruciando?"

"Carta straccia. Com'è andata a scuola?"

"Bene." David aveva capito di che si trattava. Vedeva i resti della carta: ritagli di giornale. Sua madre aveva bruciato i ritagli che lui aveva trovato nello scatolone. Faceva molto caldo in quella stanza e il ragazzo notò che la madre aveva la fronte sudata. "Da quanto l'hai acceso?"

Lei parve uscire inspiegabilmente dalla trance, come se fosse suonata una sveglia. "Oh, credo di avere finito. Funziona bene, no?"

"Mi sembra di sì."

Lei allungò una mano verso il rubinetto metallico sul lato sinistro del caminetto e chiuse il gas. Le fiamme scoppiettarono e si estinsero, lasciando un cumulo di cenere bianca sopra i ciocchi finti.

"Io vado in camera mia", disse lui.

"Okay. Per cena metto un paio di surgelati nel microonde."

David la lasciò a ripulire il caminetto e si ritirò nella sua stanza.

***

A cena vi fu di nuovo imbarazzo. Stavolta era la madre a starsene in silenzio e a giocherellare con il cibo nel piatto. Sembrava distratta. David immaginò che, se aveva bruciato quei ritagli, sapesse esattamente di che cosa si trattava. E lui era maturo quanto bastava a capire che dovevano rappresentare una parte forse dolorosa della sua vita. *Dovevano avere a che fare con il film porno che ho visto con Billy.*

"Tutto bene, mamma?" chiese, masticando un pezzo gommoso di gamberetto fritto riscaldato al microonde. Nei giorni feriali spesso si alimentavano di surgelati o takeaway.

Lei alzò lo sguardo e sorrise. "Hmm? Certo. Stavi dicendo?"

"Sei lontana mille miglia."

Lei annuì. "Temo di sì. Scusa. Ho un sacco di cose per la testa. La scuola e il resto."

"Il resto? Cosa?"

"Oh, soldi, eccetera. Non importa. Niente di cui preoccuparsi."

David chinò il capo da un lato, come faceva lei quando lo guardava di sottecchi perché non gli credeva.

Lei rise: "No, sul serio. Ero solo nel mio piccolo mondo. Raccontami com'è andata la tua giornata."

Passarono il resto della cena a parlare come se niente fosse.

Ma David non si lasciava ingannare.

Diario di David

Stasera, mentre la mamma era indaffarata, sono andato al nostro computer per vedere di scoprire qualcosa sul suo passato. È in salotto, così possiamo usarlo tutti e due. Oggi ci hanno messo il cavo così abbiamo tv e computer collegati. Io non dovrei visitarli, i siti porno, ma non abbiamo nessun blocco su Internet quindi, se la mamma non mi vede, nessun problema. Solo che quando sono andato su Yahoo per cercare "porn stars" e "pornstars", mi è uscito uno zilione di siti. Ho cominciato a cliccare qua e là tra i risultati della ricerca finché non ne ho trovato uno in cui non c'erano solo immagini. Si chiama "Porn Star Legends" e c'è un grosso database con le biografie di attrici a partire dagli anni Settanta. Il problema è che non sapevo esattamente che nome usasse mia madre. Non mi ricordavo i nomi di tutte le donne nel video che abbiamo visto Billy e io, solo un paio. Uno era Karen Klinger, l'altro Lucy Luv. Ho guardato prima Karen Klinger. C'era una foto della sua faccia e una breve bio, ho visto subito che non era mia mamma. C'erano anche altre foto di Karen, non so se mi spiego. E poi ho guardato Lucy Luv. Bingo. Eccola, mia mamma, in tutto il suo SPLENDORE. Lo so che è strano per me, suo FIGLIO, guardare questa roba. Cioè, posso in un certo senso fare finta che la donna del sito non sia lei, perché non assomiglia proprio a com'è adesso. Era molto giovane, allora. È come se fosse una persona diversa, però io so che è lei.

Mentre stavo guardando il sito, ho sentito la mamma che arrivava dal corridoio e ho cliccato al volo per chiudere la finestra. Il sito è sparito e nella finestra sotto ce n'era uno di videogame, che avevo preparato prima. La mamma mi ha chiesto cosa stavo facendo e io le ho detto che cercavo qualche dritta su un gioco. Poi lei è andata a fare qualcos'altro e io ho riaperto il sito porno.

Diceva che il vero nome di Lucy Luv era Dana Barnett, ma mia mamma non si chiama così. Il nome è Diane e il cognome prima di sposarsi era Wilson. Oltre allo pseudonimo "da pornostar" usava anche un "nome vero" diverso? Non ne so molto di queste cose, ma mi sembra strano.

Il sito elencava alcuni dei suoi film, prodotti da una compagnia che si chiama "Erotica Selecta". Erano mi pare otto titoli e ho riconosciuto Le bionde se la godono di più. Lucy Luv è arrivata sulla scena porno di Los Angeles nel 1977, ha girato qualche film e poi è scomparsa nel 1980. Si dice in giro che lei e un'altra pornostar di nome Angel Babe siano state uccise. Nessuno sa che fine abbiano fatto. Non sono state fatte molte indagini, perché alla polizia non importava delle pornostar e nessun parente si è fatto vivo per avere notizie. Lucy Luv ed Angel Babe hanno fatto alcuni film insieme e sembra che fossero fidanzate.

Oh, mio Dio, di QUESTO non so che cosa pensare. Mia mamma era una LESBICA? Possibile?

Chissà, forse non è vero niente e questa pornostar è solo una che per caso assomiglia a mia mamma. Forse Billy e io ci siamo sbagliati in pieno.

Certo, mi piacerebbe crederci, ma qualcosa mi dice che invece è tutto vero.

Mah.

13

Hiram Rabinowitz sospirò profondamente, appena il cliente fu uscito dal negozio. Aveva fatto solo un paio di vendite e, come ogni venerdì, anche l'A-1 Fine Jewelry di New York chiudeva presto. Hiram aveva già mandato a casa il commesso.

L'estate era arrivata presto in città. Fuori faceva un caldo d'inferno e Rabinowitz non moriva dalla voglia di fare la strada fino alla metropolitana. E nella stazione era peggio: sulla banchina affollata sarebbe stato come entrare in una sauna. C'era da augurarsi che almeno sul treno ci fosse l'aria condizionata. La maggior parte ce l'aveva, ma ogni tanto ne capitava uno vecchio in cui funzionava sì e no. C'era da morire, specie quando capitava di stare tutti schiacciati come sardine. A Rabinowitz non piacevano i treni affollati: gli ricordavano quel giorno terribile, una settimana dopo che aveva compiuto sei anni: i nazisti avevano rastrellato lui e la sua famiglia dalla loro casa di Berlino e li avevano messi, in piedi, su un treno stracolmo e puzzolente. Il viaggio verso il campo di sterminio era stato una lunga tortura. Hiram Rabinowitz e suo fratello Moses erano miracolosamente sopravvissuti a quella spaventosa esperienza solo perché erano ragazzi forti e in salute che potevano lavorare, ma i loro genitori non erano stati così fortunati.

Hiram li odiava proprio, i treni affollati, ma erano l'unico mezzo per tornare a casa sua, nel Queens.

Alle quattro del pomeriggio aveva finito di svuotare le vetrine e messo la merce al sicuro in cassaforte. Uscì dalla porta d'ingresso, la chiuse a chiave e tirò giù la saracinesca. Era doloroso chinarsi per far scattare il lucchetto. Non era molto divertente dover continuare a lavorare a settantadue anni. Ogni tanto invidiava il fratello che si era trasferito a ovest, a Chicago, dove i ritmi erano diversi. Anche se gli inverni erano terrificanti. Bastavano già quelli di New York.

Il sole era ancora alto e Hiram sarebbe arrivato a casa ben prima del tramonto. Aveva smesso da anni di essere religioso, ma certe tradizioni erano difficili da togliere dal proprio sangue. Una di queste era osservare lo Shabbat con la chiusura anticipata e una buona cena a casa con le candele, il pane *challah* e le preghiere. Gli ricordavano tempi più felici, quando aveva intorno la moglie, ora defunta, e i figli, che ormai erano grandi.

Il negozio di gioielli era in un'ottima posizione, fin da quando lui e suo fratello lo avevano aperto negli anni Cinquanta. La 47th Street era conosciuta come "Diamond Row"[9] e vi si trovavano solo gioiellieri e mercanti di diamanti, uno in fila all'altro. La maggior parte di loro erano ebrei. Non che facesse differenza, ma in quella strada Rabinowitz si sentiva a casa e questo era importante. La sua routine, dopo la chiusura, consisteva nel percorrere la Fifth Avenue in direzione est, poi la 42nd Street verso il centro, per prendere la linea 7, che gli avrebbe risparmiato un cambio di treno per arrivare a casa. Comportava un tratto più lungo a piedi, ma era meglio che starsene incollati a uno sconosciuto su un vagone.

Come previsto, la stazione della metropolitana era una fornace. Rabinowitz stava già sudando prima di essere arrivato in fondo alle scale. Per fortuna il treno stava arrivando proprio mentre lui passava la sua tessera Metro sul lettore e passava il tornello. Si infilò tra le porte aperte e si schiacciò in mezzo alla folla, attento a non guardare nessuno negli occhi o a non strofinarsi contro una donna in modo sconveniente.

Il viaggio richiedeva circa un quarto d'ora e per fortuna non ci furono ritardi. Scese alla stazione all'angolo tra la 61st Street e Woodside, salì le scale e fu lieto di ritrovarsi all'aria aperta. Strano a dirsi, faceva più fresco che a Manhattan. Si incamminò in direzione nord, attraversò la Broadway e nel giro di pochi minuti era fuori dal suo palazzo.

Non si accorse dello sconosciuto che lo osservava, un paio di metri più in là.

Rabinowitz spinse il portone ed entrò nell'ingresso. Nella cassetta della posta, chiusa a chiave, trovò solo bollette. Poi, con un'altra chiave, aprì la porta interna. In quel momento lo sconosciuto si fece avanti e gliela tenne aperta.

"Prego, signore", disse.

"Grazie", rispose Rabinowitz, voltandosi verso quell'uomo così gentile. Trasalì alla vista di un individuo alto, con i capelli biondi lunghi fino alle spalle e una benda su un occhio.

"Stia buono, signor Rabinowitz", sussurrò lo sconosciuto. "Ho un coltello. Non dica una parola. Mi porti al suo appartamento come se fossimo vecchi amici."

Rabinowitz si sentiva il cuore martellare nel petto. "Io... non ho soldi con me", balbettò.

"Shhh", fece l'uomo con la benda sull'occhio. "Ne parliamo di sopra."

Attraversarono l'atrio deserto, fino all'ascensore. Il biondo appoggiò un braccio sulle spalle del gioielliere, come se fossero nonno e nipote. Quando si aprirono le porte dell'ascensore, ne uscì un'anziana coppia che riconobbe Rabinowitz.

"Ciao, Hiram", disse l'uomo. "Come stai?" E notarono l'inquietante individuo con il braccio sulle spalle dell'amico.

"Ciao, Abe", riuscì a dire Rabinowitz. "Ida." Capì che la coppia si aspettava che lui presentasse lo sconosciuto. "Uh, lui è... uh..."

L'uomo con la benda tese una mano e disse: "John Hancock. Lui è mio zio."

La coppia rispose un allegro: "Oh!" L'uomo di nome Abe gli strinse la mano.

"È venuto a trovarlo?" chiese la donna chiamata Ida.

"Sì, da Cincinnati. La Grande Città", rispose il biondo.

"Be', divertitevi", disse Abe. "*Shabbat shalom*, Hiram." La coppia fece un cenno di saluto e uscì.

Sorridente, il biondo rimise il braccio sulle spalle dello "zio" e lo spinse in ascensore. "Bel lavoro, signor Rabinowitz. Se l'è cavata molto bene."

L'ascensore si fermò al secondo piano e i due uscirono. Rabinowitz tremava così tanto che stentava a stare in piedi. L'uomo con la benda dovette sorreggerlo.

"Ce la può fare", disse. "Ci siamo quasi." Quando furono di fronte alla porta dell'appartamento 3G, ordinò: "Ecco. Adesso, le chiavi."

Rabinowitz prese il mazzo, ma ebbe difficoltà a inserire quella giusta nella serratura. L'uomo con la benda gliela tolse di mano e fece da solo, aprì la porta e spinse dentro il gioielliere. Il vecchio cadde sul pavimento, mentre la porta sbatteva.

"Chi... chi è lei?" mormorò.

"Mi chiami Emo."

"Che cosa vuole?"

"Informazioni. Su certi diamanti che ha venduto. Lo riconosce, questo?" Emo infilò una mano in tasca e si chinò sul vecchio. Aprì un sacchetto di velluto da cui tirò fuori un grosso diamante lucente.

Rabinowitz vide la gemma e fece una smorfia.

"Ebbene? Ne ha venduto uno così di recente, giusto?"

Il gioielliere annuì.

"Quanti ne ha venduti come questo?"

Rabinowitz sussurrò qualcosa.

"Non la sento. Parli più forte."

"Non ricordo." Il gioielliere tossì. "Dieci... dodici..."

"Oh, davvero?" Emo lo afferrò per la giacca, lo sollevò dal pavimento e lo mise su una poltrona. "Ecco, si metta comodo."

Rabinowitz cominciò a gemere.

"Senti, vecchio, se non parli ti circoncido una seconda volta." Mentre parlava, Emo indossò un paio di guanti Sap, in pelle nera con rinforzi metallici. Colpire un uomo con un guanto Sap equivaleva a usare un pugno di ferro.

"La prego... io non... so..." disse Rabinowitz.

Il primo pugno gli spezzò la mascella e gli fece volare gli occhiali dall'altra parte della stanza. Il gioielliere lanciò un grido di dolore.

"Così vedi che faccio sul serio", disse Emo. "Allora, da quanto tempo vendi questi diamanti?" Il biondo concesse al vecchio qualche minuto per riprendersi. Prese una manciata di fazzoletti di carta dal tavolino accanto alla poltrona e glieli passò perché potesse asciugare il sangue.

"Dieci anni, credo", riuscì finalmente a dire Rabinowitz, con la bocca gonfia, senza poter muovere la mascella. "Davvero... non mi ricordo. Forse dodici. Non più di quindici."

"Questo vuol dire che ne hai venduti ben più di dieci o dodici, giusto?"

Il vecchio annuì.

"Quanti? Uno al mese? Di più?"

Rabinowitz annuì ancora. "In media. Uno al mese."

"Sono tanti, cazzo. Molto bene, prossima domanda. E questa è quella importante, quindi devi fare del tuo meglio. Da dove li prendi?"

Rabinowitz voleva disperatamente tenere il fratello fuori da quella storia. Chiunque fosse quel maniaco, era chiaro che non lo avrebbe lasciato vivere. Era meglio stare zitto. Se doveva morire in ogni caso, perché mettere in pericolo Moses?

"Vengono da una fonte sconosciuta", disse, dopo avere tossito altro sangue dalla bocca. Parlava lentamente, ma con decisione. "C'è un nero che viene in negozio. È lui che me li vende. Non so chi è o dove vive. Lo giuro."

Emo valutò le sue parole. "Non sono sicuro di poterle credere, signor Rabinowitz. Mi dice che un *nero* viene nel suo negozio a venderle questi diamanti? E lei fa affari con lui... ma non sa neanche come si chiama?"

Rabinowitz annuì. "È vero. Lo giuro."

Il coltello spuntò dalla mano del biondo come una bacchetta magica nel palmo di un prestidigitatore. Era uno stiletto lungo diciassette centimetri, che l'uomo probabilmente teneva nascosto nella gamba dei pantaloni. Il gioielliere non aveva idea da dove fosse venuto fuori.

Emo afferrò il polso destro del vecchio e lo tenne premuto sul bracciolo della poltrona. "Ci pensi bene, signor Rabinowitz. Dove li prende?" chiese, calmo.

"Gliel'ho detto!" gemette l'altro. "Lo giuro, un nero..."

Lo stiletto trapassò il mignolo di Hiram Rabinowitz, tagliando via la falangetta. Il vecchio urlò disperato.

Emo lo lasciò dov'era e andò in cucina. Trovò uno strofinaccio per asciugare i piatti e tornò in salotto.

Rabinowitz era sul pavimento e stava strisciando verso la porta, lasciando una striscia di sangue sulla moquette. Il biondo lo scavalcò, gli avvolse lo strofinaccio intorno alla testa, coprendo la bocca, e lo annodò. "Non vai da nessuna parte, amico mio." Gli premette un ginocchio sulla schiena e lo schiacciò a terra. "Chiunque sia, è inutile proteggerlo. Te lo farò dire, prima o poi. Se vuoi, puoi risparmiarti molti dispiaceri."

Lo strofinaccio attutì i gemiti di Rabinowitz.

Emo gli appoggiò lo stiletto sull'anulare della mano destra. "Hai altro da dire, prima che ti liberi di un altro dito?"

Rabinowitz annuì con furia. Emo gli allentò il bavaglio quanto bastava a lasciarlo parlare.

Il vecchio gli disse ogni cosa. Suo fratello Moses comprava i diamanti da qualcuno a Chicago e glieli spediva. Dal momento che era Hiram ad avere i contatti migliori sul mercato nero, guadagnavano di più se li vendeva lui. Quindi le pietre arrivavano al negozio di Chicago ed erano vendute in quello di New York. Ma da dove le prendesse Moses, Hiram non lo sapeva né gli interessava saperlo.

Emo gli credette. Si alzò, tornò in cucina e guardò negli armadietti, fino a trovare una bottiglia di vino rosso *kosher* e un bicchiere. "Hiram, dove tieni il cavatappi?" gli chiese dall'altra stanza.

Non ebbe risposta.

"Pazienza, lo trovo da solo." Aprì i cassetti fino a trovare le posate e, con esse, il cavatappi.

Stappò la bottiglia di vino e ne versò in un bicchiere. Tornò in salotto e trovò il gioielliere che singhiozzava nel proprio sangue. "Alla sua salute, signor Rabinowitz." Assaggiò il vino e lo sputò. "Puah! Cos'è questo schifo? È troppo dolce. Non ce l'hai del vino vero?" Ne bevve un altro piccolo sorso e stavolta lo tenne in bocca. Deglutì e disse: "Be', forse non è male. Si può bere." Svuotò il bicchiere e lo appoggiò sul tavolino. "Bene, signor Rabinowitz. È stato di grande aiuto. Grazie per l'ospitalità. È stato un piacere conoscerla." Estrasse lo stiletto e si chinò sull'uomo, guardandolo in faccia. "Adesso è il momento di dirci addio."

14

L a prima campanella stava già suonando quando Diane entrò di corsa in aula. Gli studenti stavano facendo confusione e solo qualcuno era già seduto al banco. *Oggi non ho voglia di perdere tempo*, pensò lei.

"Sedetevi e zitti!"

Erano un linguaggio e un tono di voce che i ragazzi non avevano mai sentito dalla loro insegnante. Si raggelarono dalla sorpresa. Un attimo dopo andarono lentamente ai loro posti.

Diane si diresse alla cattedra e scosse il capo. "Scusatemi, non volevo alzare la voce. Stamattina ho troppe cose per la testa."

"Tutto okay, *miz* Boston", disse Jeffrey, uno dei suoi studenti afro-americani, che Diane considerava tra i suoi allievi migliori.

"Grazie, Jeffrey. Va bene dimentichiamocene e cominciamo ad ascoltare le vostre tesine. Abbiamo molto da fare, oggi." Raccolse le sue carte dalla cattedra e si spostò in fondo all'aula.

Era una fortuna che tutto quello che doveva fare quel giorno fosse ascoltare. Mentre gli studenti si facevano avanti uno dopo l'altro, tuttavia, la sua mente vagava. Per quanto si sforzasse, non riusciva a concentrarsi sulle tesine. A metà della prima ora, si rese conto che non aveva preso neppure un appunto sulle presentazioni di due studenti. *Di che cosa hanno parlato?* Diane sospirò e decise di dare a entrambi un'A: erano intelligenti ma timidi, due secchioni. Probabilmente si meritavano il voto più alto, anche se sul piano della presentazione lasciavano parecchio a desiderare.

Per miracolo, Diane arrivò alla fine dell'ora. All'inizio dei dieci minuti di intervallo corse in ufficio per controllare la posta. Era abbonata al "Chicago Sun-Times" e il personale della scuola distribuiva la posta durante la prima ora. Come previsto, il giornale era in casella, insieme a un assortimento di volantini e circolari scolastiche.

Diane, in piedi, sfogliò il quotidiano ma non trovò niente che avesse lontanamente a che fare con lei. Non sapeva nemmeno perché avesse pensato che potesse esserci. La telefonata di quella giornalista l'aveva messa in allarme.

Sto diventando paranoica, pensò. Ma non c'era ragione di esserlo, giusto? Era tutto un grosso equivoco. Doveva esserlo.

L'ora successiva fu ancora più difficile: era la lezione di sociologia e le toccava parlare di fronte alla classe. Ma Diane si rese conto che le sue parole non arrivavano agli studenti: li vedeva distratti. Di solito sapeva coinvolgerli, calamitando l'attenzione anche dei teenager più irrequieti. Ma quel giorno non ci riusciva proprio e dovette fare del suo meglio per dissimularlo.

Durante l'intervallo-pranzo preferì restare in aula. Era stata una mattinata d'inferno e finalmente aveva qualche minuto per rilassarsi. Si sedette nell'ufficio sul retro, controllò i messaggi in segreteria e aprì il sacchetto di carta che aveva portato da casa. Addentò il sandwich al tonno ascoltando un messaggio della segretaria del preside, che ricordava una riunione prevista entro la fine della settimana. Poi cancellò il messaggio e riagganciò. Alzò la suoneria, normalmente a zero durante le lezioni, e continuò a mangiare.

Il telefono suonò dieci secondi dopo.

"Diane Boston", rispose, a bocca piena.

"Diane Boston?"

"Sì."

"Sono Gordon Walton del 'National Enquirer'." Era una giovane voce maschile. Diane pensò che fosse uno dei suoi studenti che le faceva uno scherzo.

"Come ha detto?" fece lei, sarcastica.

"Chiamo dal 'National Enquirer'. Sto facendo un controllo su una storia che pubblichiamo questa settimana."

Non era uno scherzo. Diane sentì il polso accelerare e lo stomaco torcersi. Lasciò a metà il sandwich e cercò di parlare, ma un nodo alla gola quasi glielo impediva.

"Signora Boston? Mi scusi, non ho capito."

Lei si schiarì la voce e ci riprovò. "Di che si tratta?"

"Riguarda lei, signora Boston. Sul 'National Enquirer' sta per uscire un articolo sul suo conto. Lei ha un figlio, abita nell'hinterland di Chicago e insegna in un liceo, ma è in realtà l'ex pornostar conosciuta come Lucy Luv, il cui vero nome è Dana Barnett."

La stanza si oscurò all'improvviso. Diane riusciva solo a sentire i battiti del proprio cuore. Una temuta angoscia le invase il petto e la bile le risalì in gola.

"Devo controllare alcuni fatti", disse Gordon Walton. "Posso farle qualche domanda?"

"No, non può", riuscì a rispondere Diane. "Non so di che cosa sta parlando."

"Signora, se lei rifiuta di rispondere, l'articolo sarà pubblicato ugualmente. Dovrò dire soltanto che non ha voluto rilasciare commenti."

"Da dove diavolo ha tirato fuori questa storia?"

"Mi dispiace, non possiamo rivelare le nostre fonti."

"Non è vero, sa? Rischia un'azione legale", disse lei, incerta. Sapeva che non era una minaccia molto convincente.

"Non ha commenti da fare?" chiese nuovamente il giornalista.

"Esatto", rispose lei, con voce flebile. "Nessun commento."

"Bene. Mi scusi per il disturbo."

Dopo che Walton ebbe riappeso, Diane rimase immobile con il ricevitore, completamente stordita.

Sembrava che Peter Davis la stesse aspettando quando lei uscì dal bagno femminile. Era appoggiato al muro e fingeva di leggere la posta, ma Diane non si lasciava ingannare.

"Oh, ciao", disse lui, sorridente.

Dal momento che aveva appena vomitato, Diane preferiva risparmiarsi le solite schermaglie. "Salve, Peter", mormorò, dirigendosi verso il suo ufficio.

"Ehi, Diane, aspetta. Ti senti bene?"

Lei si fermò e lo guardò, senza rispondere.

"Mi sembri, ehm, un po' pallida."

"Non sto bene", replicò lei, e fece per riprendere il cammino.

"Che peccato", disse Davis, alle sue spalle. "Bisogna essere in forma, quando si è una star."

Diane si irrigidì.

Che cosa sapeva? Che cosa intendeva?

Girò sui tacchi e lo guardò in faccia. "Come hai detto?"

Lui strascicò i piedi e rise. "Eh, scusa, volevo dire, sai, qui sei una celebrità. Insegnante dell'anno eccetera. Dovresti essere sempre allegra."

Diane non era sicura che lui stesse dicendo la verità. "Era questo che intendevi?"

"Be', sì."

"Spiacente di deluderti. Anche gli insegnanti dell'anno possono avere una giornata no." Lei fece nuovamente per andarsene.

"Sei piena di sorprese, Diane", disse lui, abbassando la voce.

Stavolta lei avvertì che Davis stava insinuando qualcosa.

"E un giorno o l'altro il mondo lo scoprirà, eh?"

Lei si fermò e si voltò di nuovo.

Davis arrivò a una trentina di centimetri da lei. Non stava più sorridendo. "Sai, Diane, apprezzo una donna che sa fare una pompa come si deve. Sicura che non vuoi riconsiderare di uscire con me?"

Diane era troppo scossa per reagire. Quando lui si fu allontanato, si rese conto che avrebbe dovuto dargli uno schiaffo, ma c'erano gli studenti in corridoio. Mentre Davis spariva in sala professori, lei dovette appoggiarsi a una parete.

Mio Dio, che succede? Che cosa sta accadendo?

Non conosceva la risposta, ma almeno si era fatta un'idea di chi potesse esserci, dietro tutto questo.

15

*E*ra nel magazzino... corpi dappertutto... Sweetie con il sangue nei capelli...

No, non era il magazzino. Era il granaio del ranch. Erano di sopra, nel fienile...

Sweetie voleva la sua collana... "*È mia, non la puoi avere!*"

Oh, mio Dio, hai il sangue nei capelli! Hai un proiettile in testa e IL SANGUE NEI CAPELLI!

Era sul punto di urlare, ma il suo corpo sussultò e Diane si risvegliò dall'incubo. Dopo qualche istante di disorientamento, tirò un sospiro di sollievo e sprofondò nuovamente nel letto.

I brutti sogni erano ricominciati. Pensava di avere superato quella fase della sua vita, ma da quando era arrivata la telefonata del "Chicago Sun-Times" non era riuscita a dormire decentemente neppure una notte.

Rimase immobile per qualche minuto, liberandosi piano delle ultime vestigia del sogno. Da due giorni a quella parte, lo stress non si era allentato neppure un momento. Era come se Diane si aspettasse un brutto colpo, qualche rivelazione che avrebbe distrutto la sua pacifica esistenza.

Prima che potesse imporsi di alzarsi dal letto, il telefono sul comodino squillò. Il trillo la colse di sorpresa, procurandole una scarica di adrenalina. Diane allungò una mano e prese il ricevitore. "Pronto?"

"Signora Boston?" Una donna. La voce sembrava familiare.

"Sì."

"Sono di nuovo Trish Hunter del 'Chicago Sun-Times'. Come si sente, oggi?"

Diane si infuriò all'istante. "Perché mi chiama a quest'ora? Che cosa vuole? Non intendo parlarle."

"Mi spiace chiamarla così presto, ma volevo avere la sua opinione sull'articolo che la riguarda pubblicato dal 'National Enquirer'."

Una volta di più Diane sentì l'angoscia comprimerle il petto. Aveva l'impressione di soffocare. "Quale articolo?" chiese, anche se conosceva in anticipo la risposta.

"L'articolo afferma che lei è effettivamente l'ex pornostar conosciuta come Lucy Luv. È vero?"

Diane chiuse gli occhi. "Ma voialtri non avete niente di meglio da fare che spiare le vite private della gente? Nessun commento!" Buttò giù il ricevitore e balzò fuori dal letto.

Indossò rapidamente un paio di jeans e una maglietta, si mise le scarpe senza calze, prese la borsetta e le chiavi della macchina e uscì di corsa dalla camera da letto. La porta di David era ancora chiusa. Non occorreva svegliarlo ancora per mezz'ora.

Diane andò in garage passando dalla cucina. Premette il pulsante della porta basculante e salì sulla Honda. Quando la porta automatica si fu sollevata, aveva già acceso il motore. Dal lunotto posteriore vide un furgone bianco fermo sul vialetto e, accanto, due uomini e una donna. Stavano scaricando apparecchiature dal portello laterale.

Diane fermò la macchina e scese.

"Che cosa ci fate qui davanti? Devo fare marcia indietro", disse a voce alta.

La donna alzò lo sguardo. "Guardate, eccola! Pronta la camera?" Aveva un microfono con sopra il logo di Channel 7. Era giovane e attraente, probabilmente Diane l'aveva già vista nel notiziario locale.

No, questo no!

"Levatevi dai piedi!" gridò Diane.

La donna si avvicinò con il microfono in mano, seguita

da un uomo con una grossa videocamera.

"Signora Boston, possiamo parlarle?"

Diane non rispose. Risalì in macchina, innestò la marcia indietro e ripartì, mancando di poco la giornalista e l'operatore.

"È vero che una volta girava film porno?" le gridò dietro la donna.

Il furgone era a tre metri dalla porta del garage. Diane sterzò verso destra, puntando verso il prato. Le ruote della Honda stridettero sul vialetto, poi la macchina piombò sull'erba, passando accanto al furgone.

"Signora Boston!" la supplicò la giornalista. "Per favore, aspetti!"

Diane mise la marcia avanti e premette l'acceleratore. La Honda sollevò erba e terra e saltò sul marciapiede, poi in strada, allontanandosi a tutta velocità e lasciandosi dietro la troupe a bocca aperta.

David aveva visto tutto dalla finestra della sua camera.

Diane si fermò in una strada a un chilometro e mezzo dal suo nuovo appartamento. Di sicuro la drogheria White Hen Pantry teneva il "National Enquirer".

Scese dall'auto ed entrò. L'allegra signora di mezz'età dietro il banco la salutò, ma Diane andò dritta alla rastrelliera di giornali e riviste e trovò subito quello che cercava.

Se non altro non era in prima pagina: c'erano una foto di Michael Jackson che ne aveva combinata un'altra delle sue e alcuni titoli sulle relazioni sentimentali o i problemi di disintossicazione di questa o quella star.

Diane sfogliò il giornale, passando rapidamente in esame gli articoli e le foto in cerca di qualcosa di familiare. Li trovò a pagina 14: un'immagine di Lucy Luv negli anni Settanta e un pezzo che occupava un quarto della pagina. Il titolo diceva:

MADRE, INSEGNANTE ED EX PORNOSTAR

Il cuore di Diane si mise a battere forte mentre leggeva l'articolo. Veniva identificata come Diane Boston di Lincoln Grove, Illinois, insegnante alla Lincoln High School. L'articolo precisava persino che era stata eletta insegnante dell'anno, che era divorziata da Greg Boston e madre di un figlio tredicenne.

Grazie a Dio non hanno scritto come si chiama.

L'articolo sosteneva che il suo vero nome era Dana Barnett e che alla fine degli anni Settanta, quando lavorava per la Erotica Selecta Films, aveva usato il nome d'arte di Lucy Luv. La pornostar era scomparsa nel 1980 e molti nel settore sospettavano che fosse stata uccisa: in quel periodo il crimine organizzato aveva grossi interessi nell'industria della pornografia, ancora più di quanto avvenisse al giorno d'oggi. Il pezzo si concludeva con una nota positiva: il "National Enquirer" augurava buona fortuna alla signora Boston e si rallegrava che Lucy Luv fosse ancora viva e in buona salute.

Accidenti, accidenti, accidenti.

Diane prese il giornale, pagò alla cassa e lo riaprì quando fu di nuovo in strada.

Si sono sbagliati di grosso. Come faccio adesso a chiedere una rettifica? Come reagiranno alla scuola? Rischio il posto? Che cosa posso FARE?

Una cosa era certa: non era più al sicuro. Diane sapeva che presto *loro* sarebbero venuti a cercarla. Appena avessero saputo che Dana Barnett era ancora in vita.

16

Dalla sua stanza, David vide il furgone che ripercorreva all'indietro il vialetto e parcheggiava davanti alla casa. La troupe non se ne voleva andare. La giornalista e l'operatore si preparavano a un secondo assalto. Dopo pochi minuti, suonarono il campanello. David era troppo spaventato per avvicinarsi alla porta. Si vestì e andò in cucina. Cercò di comportarsi come se fosse un giorno normale: prese i Rice Krispies e si preparò una scodella di cereali con il latte. Si sedette a mangiare, anche se non aveva molta fame.

Pochi minuti dopo, sentì riaprirsi la porta del garage. La Honda stava rientrando. La portiera sbatté e la madre gridò: "Vi ho detto di andarvene! Chiamo la polizia!"

La chiave girò nella serratura e David vide la madre entrare in casa con una copia del "National Enquirer" in mano. Si notava che aveva pianto: aveva gli occhi infiammati e le guance rosse di rabbia.

Lei lo vide a tavola e si fermò. Sembrava che volesse dirgli qualcosa, ma non ne avesse la forza.

David decise di incoraggiarla. "Che succede, mamma?"

"Oh, David." Lei gli andò vicino e gli appoggiò una mano sulla testa. Lui si lasciò abbracciare, poi lei si allontanò e si accasciò sull'altra sedia. "Credo di doverti dire una cosa."

"Forse la so già", ammise David.

Lei lo guardò perplessa. "Davvero?"

Lui annuì e abbassò gli occhi. Non voleva mettere Billy

nei guai, per cui non disse tutta la verità. "L'altro giorno, mentre non c'eri, ho, ehm, visto dei siti porno al computer e ne ho trovato uno che aveva una tua foto. Diceva che avevi girato dei film."

Diane si appoggiò allo schienale. "Capisco."

"Mi spiace, mamma."

"Lo so, tesoro. Senti, voglio che tu sappia una cosa. Qualsiasi cosa tu abbia visto, non ero io."

"Non eri tu?"

"No. Lo so... sembro io", disse lei.

David la guardò negli occhi, ma lei sfuggì il suo sguardo. "È un'altra persona. La sto proteggendo da più di vent'anni. Ho sempre sperato di non dover rivelare questo terribile segreto. È stato un peso per molto tempo."

"Chi... chi è?" chiese David.

"Tesoro, sono riemerse certe cose nel mio passato che avrei voluto restassero segrete, ma a quanto pare non è possibile. Ci proverò lo stesso, finché non sarò proprio obbligata a raccontare tutto quanto. Devo chiederti di fidarti di me e di credermi. Non sono io."

Il ragazzo non sapeva che cosa pensare. Non voleva dire che dubitava della madre. "Okay." Si strinse nelle spalle. Di meglio non poteva fare.

"David, lo hai detto a qualcun altro?" chiese lei.

Lui fissava il pavimento. Non sapeva che cosa rispondere. Doveva raccontarle di Billy? Se lo avesse fatto, sarebbe venuto fuori che aveva visto uno dei film e che era stato l'amico a portarlo. "No", mentì. E si sentì subito arrossire, tanto da star male.

"Me lo assicuri?"

David era incerto. Se sua madre era in grado di mentire, perché non poteva farlo anche lui? Perché era chiaro che lei mentiva sui film porno. C'era proprio *lei* nel film che aveva visto.

Lui fece cenno di sì. "Te lo assicuro."

Lei aggrottò la fronte e disse: "Be', qualcun altro lo ha scoperto. Ho l'impressione che sia stato il padre di Billy, ma non ne ho la certezza."

David si allarmò. "Il signor Davis?"

"Forse. Non lo so. La situazione potrebbe essere seria. Devo riflettere sul da farsi."

Rimasero entrambi zitti per tre minuti buoni. Poi la madre ruppe il silenzio. "Be', forza, dobbiamo andare a scuola tutti e due. Non finisci la colazione?"

"Non ho fame."

Lei sospirò. "Ti capisco. Su, prepariamoci. Ti accompagno."

David si alzò in piedi e portò la scodella al lavandino. Gli veniva da piangere. Non le aveva mai detto una bugia così grossa.

La madre risciacquò la scodella e la mise nella lavapiatti. Poi si voltò e vide il ragazzo fermo sui due piedi. "Stai bene, tesoro?" gli chiese.

Lui la raggiunse e l'abbracciò. "Ti voglio bene, mamma."

Diane lo strinse a sé. "Anch'io ti voglio bene, tesoro. Non preoccuparti. Sistemeremo tutto."

Quando arrivò alla Lincoln High trovò nella casella una convocazione in presidenza. Guardò l'orologio: aveva ancora dodici minuti prima della lezione.

Sentiva sempre più forte la stretta allo stomaco e il nodo alla gola, tuttavia si diresse a testa alta verso l'ufficio di Jim Morgan. Rammentò a se stessa che il preside era una brava persona, di qualche anno più vecchio di lei. Sembrava averla in simpatia e in varie occasioni le aveva detto quanto apprezzava la stima che gli studenti avevano di lei. Di certo sarebbe stato suo alleato in quel frangente.

"Allora, dove ti vedremo adesso, Diane? In tv da Jerry Springer?"[10]

Peter Davis. Era alle sue spalle e stava ritirando la sua posta. Lei decise di fare la finta tonta. "Di che cosa parli, Peter?"

"Vuoi dire che non lo sai?"

"Non so... cosa?"

111

"C'è un interessante articolo su di te sul 'National Enquirer'", disse, come se fosse una sorta di rivelazione sacra.

"Davvero? Oh, giusto: dimenticavo che quel giornalaccio è una lettura adatta a te. Ti sconsiglio di tentare qualcosa di più impegnativo."

Lui la fissò, ma Diane proseguì per la sua strada. Prima di svoltare l'angolo per raggiungere gli uffici, notò che Davis si stava avvicinando a Heather, la studentessa dell'ultimo anno, in corridoio. *Perché le gira sempre intorno?* si chiese. Li osservò per un attimo da dietro la parete vetrata. Di sicuro Davis le stava raccontando quanto era appena successo. Heather rise, poi gli appoggiò una mano su un braccio in un gesto affettuoso. Ma Davis fu rapido nel fargliela togliere. *Cretino*, pensò Diane, allontanandosi.

Sylvia, la segretaria del preside, si mostrò nervosa quando la vide arrivare. "Oh, signora Boston, dico a Jim che lei è qui." Prese il telefono, premette un tasto e parlò sottovoce nel ricevitore. Poi tornò a rivolgersi a lei: "Può entrare, signora Boston."

"Grazie, Sylvia."

Diane bussò. Il preside Morgan disse: "Avanti." Lei lo trovò con una copia del "National Enquirer" aperta sulla scrivania. "Chiuda la porta, signora Boston."

Lei obbedì. "Santo cielo, le notizie corrono."

Lui le fece cenno di sedersi.

"Resto in piedi", ribatté lei. "Tra poco ho lezione e devo arrivare al corridoio J. Uhm... voleva vedermi?"

"Diane, non è mia abitudine leggere certi giornali, ma stamattina lo hanno sottoposto alla mia attenzione. Che cosa significa questa storia?"

"Non c'è niente di vero."

"Sul serio?"

"Sul serio."

"E allora perché l'hanno pubblicata?"

"Signor Morgan, è il 'National Enquirer'. Questo dovrebbe già bastare come spiegazione."

Lui la fissò a lungo, poi disse: "Bene. Ne parleremo più tardi. Deve andare a fare lezione. Ma domani in sala riunioni ci sarà un consiglio d'istituto straordinario. La sua partecipazione è obbligatoria."

"Suppongo di esserci io all'ordine del giorno."

"Proprio così. Potrà dare le sue spiegazioni in quella sede. È tutto. Grazie per essere venuta."

"Grazie, signor Morgan."

Diane gli voltò le spalle e uscì. In corridoio evitò di incrociare gli sguardi del personale e dei colleghi che ritiravano la posta.

17

"Se la sua garanzia è scaduta, non posso farci niente", stava dicendo Greg Boston al telefono. "Mi spiace, signora Zakowsky, ma questo è il costo della sostituzione della batteria. Le assicuro che è un prezzo competitivo e che non ne troverà uno migliore in tutta l'area di Lincoln Grove. Le mando volentieri uno dei miei ragazzi a fare il lavoro, così può far ripartire la sua macchina, ma non posso farlo gratis."

Che gente, pensò lui. Perché si mettevano in testa che se compravano la macchina da lui, poi avevano il diritto alla manutenzione gratuita per tutta la vita? La Ford Tempo della signora Zakowsky aveva dieci anni. La batteria gratis se la poteva scordare.

Dopo averla ascoltata protestare e lamentarsi per un altro minuto, Boston disse: "D'accordo, signora Zakowsky. Le faccio uno sconto del venti per cento sulla manodopera. È il massimo a cui posso arrivare."

A sorpresa, la donna parve soddisfatta.

Cavolo, pensò lui, *bastava solo farle una piccola concessione.* Finita la telefonata, tornò alle cifre del mese precedente, che gli erano state messe sulla scrivania quella mattina. Non erano pessime, ma nemmeno grandiose. *Maledetta recessione*, rimuginò. *Al giorno d'oggi nessuno compra più niente. O almeno nessuno che sia disposto a spendere.*

Squillò il telefono. Greg esitò prima di rispondere.

Perché ho la sensazione che siano brutte notizie? si chiese. Alzò il ricevitore. "Boston. In che cosa posso esserle utile?"

"Greg, sono Mark." Mark Spencer, avvocato *extraordinaire* e compagno di golf.

"Ciao, Mark. Come va?"

"L'hai sentita la notizia?" L'avvocato sembrava emozionato.

"Che notizia?"

"Non crederai mai che cosa è uscito stamattina sul 'National Enquirer'."

Boston si accigliò. "Mi prendi per il culo, Mark? Chi le legge, quelle stronzate?"

"Be', mia moglie, per esempio. È abbonata."

"Capisco."

"Ascolta. È da non credere."

"Come quasi tutto, sul 'National Enquirer'."

"C'è un articolo sulla tua ex moglie."

D'un tratto Boston tese le orecchie. "Cos'hai detto?"

"C'è Diane sul 'National Enquirer'", ribadì Spencer. "Cazzo, mia moglie mi ha fatto vedere l'articolo stamattina. Da-non-cre-de-re!"

Boston si protese in avanti. "Che cosa dice?"

Spencer gli lesse l'articolo. Boston rimase ad ascoltare senza profferire parola. Quando l'avvocato ebbe finito, continuò a stare zitto.

"Greg, ci sei?"

"Sì, ci sono. Non ci credo."

"Bizzarro, no? Ma se non è vero, dove sono andati a pescarla, la notizia?" chiese Spencer. "Voglio dire, pensaci bene: nessuno sa chi sia Diane Boston fuori da Lincoln Grove, Illinois. È un'insegnante molto popolare, d'accordo, ma a un giornale nazionale non può fregare di meno. Forse l'hanno pubblicata perché è una storia che cattura l'immaginazione dei lettori. E forse perché è una storia vera. Pensaci, Greg. La loro specialità sono i VIP fuori di testa: possono scrivere quello che gli pare e farla franca, alle star non importa e alla peggio gli fanno causa. Ma perché dovrebbero prendersela con un'insegnante dell'hinterland di Chicago che nessuno ha mai sentito nominare? *Perché è una storia vera.*"

Greg Boston era ammutolito. Era tutto così assurdo che non poteva essere vero. Eppure... avrebbe spiegato un sacco di cose. Greg aveva sempre sospettato che Diane avesse un grosso segreto inconfessabile e che avesse paura a rivelarglielo. Che si trattasse di questo? Era quella la ragione per cui lui non era mai riuscito a conoscere la *vera* Diane Wilson? Era quella la causa del fallimento del suo matrimonio? "Sai, Mark", disse, alla fine, "c'è qualcosa che non mi torna."

"Immaginavo che l'avresti detto", commentò l'avvocato.

"È proprio... proprio strano." Greg Boston non era uomo da lasciarsi sorprendere facilmente, ma sentiva che quella storia avrebbe monopolizzato i suoi pensieri per tutta la giornata. Si passò una mano tra i capelli e chiese: "Cavolo, e adesso che cosa faccio?"

"Non devi fare niente. Ma posso dirti una cosa."

"Quale?"

"La questione della custodia adesso è sotto una luce diversa."

Boston si appoggiò alla scrivania. "Sì?"

"Ci puoi scommettere. Questo potrebbe essere proprio quello che ci serviva per sostenere che Diane non è adatta al ruolo di madre. Non dobbiamo fare altro che procurarci qualcuno dei suoi film e farli vedere a un giudice. Dopodiché potresti ottenere la custodia di David."

Boston tamburellò sulla scrivania e valutò le conseguenze. Sarebbe stato molto imbarazzante per entrambe le parti in causa. Non gli piaceva l'idea di coinvolgere il figlio in quella vicenda. E, a proposito di David, ne era a conoscenza? Presto o tardi lo avrebbe saputo. Lo avrebbe saputo la scuola, lo avrebbero saputo tutti. La strategia migliore sarebbe stata fare la parte del padre oltraggiato e del marito offeso. Shock e raccapriccio.

Umiliazione e dolore. Poteva funzionare.

"D'accordo, Mark. Provaci."

Darren Marshall scivolò silenziosamente fuori dal letto per non disturbare Ellie, che russava sommessamente. Lui sospettava che fosse dovuto al piercing al naso, ma non ne era troppo sicuro. In ogni caso a lui non dava fastidio, gli faceva tenerezza. Ed era probabile che lui russasse dannatamente più forte.

Si infilò i vestiti che usava in casa e uscì dalla camera da letto senza far rumore. Andò in cucina, accese la macchina del caffè e uscì a raccogliere i giornali. Era abbonato a tre quotidiani diversi di Los Angeles, anche se a stento aveva il tempo di sfogliarne uno. Ma era importante per lui tenersi aggiornato su quello che facevano tutti gli altri. Riteneva opportuno familiarizzare con gli stili di scrittura dei vari giornali. Ma quello era un giorno particolare: era la mattina in cui arrivava il "National Enquirer". All'inizio della sua carriera Darren vi aveva scritto pagine e pagine al limite della diffamazione, ci era affezionato e si divertiva tuttora a leggerlo. Avendoci lavorato, sapeva che la maggior parte delle storie erano bufale. La redazione scommetteva sul fatto che i divi non si preoccupassero di fare causa alla testata: quasi tutti la consideravano spazzatura innocua. E poi un'azione legale era lunga e costosa e raramente valeva la pena. Solo una piccola percentuale dei querelanti riusciva ad avere soddisfazione, ma l'altissima tiratura del "National Enquirer" compensava ampiamente i risarcimenti.

Darren preparò il caffè e guardò l'orologio alla parete. Quella mattina poteva prendersela comoda. Non aveva scadenze immediate, Mertz non c'era e lui avrebbe potuto presentarsi più tardi in redazione. Non se ne sarebbe accorto nessuno. Si sedette al tavolo della cucina con il caffè e i giornali e si mise a leggere per primo il "National Enquirer". I due gatti di Ellie comparvero dal nulla e cominciarono a miagolare, chiedendo la colazione.

"Levatevi dai coglioni."

I gatti parvero capire e corsero in camera da letto, di sicuro per svegliare Ellie.

Il giornalista sfogliava lentamente le pagine del tabloid, esaminando gli articoli. Non che ci fosse niente di nuovo: i soliti divi, il solito ciarpame. Poi, da un titolo, il nome Lucy Luv balzò nel suo campo visivo. Da quando aveva cominciato a fare ricerche su Aaron Valentine, era diventato un'autorità sulla storia dell'industria del porno. Dopo avere compilato un database di star della Erotica Selecta Films, aveva notato che molte di esse erano scomparse o decedute in circostanze sospette. Parecchie risultavano vittime di overdose o suicidio. Solo due casi erano stati classificati come veri e propri omicidi, anche se né l'uno né l'altro erano stati attribuiti al magnate del porno. La vicenda di Lucy Luv era tra quelle che Darren trovava più interessanti.

Lesse due volte l'articolo, grattandosi la barba non rasata sul mento. *Dunque Lucy Luv è viva...* Si domandò se fosse possibile trovarla e parlarle. Che storia avrebbe potuto raccontare? Perché aveva lasciato il porno? Perché era scomparsa in modo così misterioso? Era al corrente di qualcosa che potesse collegare Valentine alla scomparsa e alla morte violenta delle sue colleghe? Avrebbe potuto fornirgli le prove dei legami tra Valentine e le gang della West Coast?

Ancora una volta, Darren Marshall sognò il Premio Pulitzer.

Si alzò e andò al telefono della cucina. Chiamò il servizio informazioni, tenendo il giornale davanti a sé. Quando gli rispose l'operatore, disse: "Sì, mi serve un numero di Lincoln Grove, Illinois, per favore. Il nome è Diane Boston."

L'operatore gli chiese di aspettare un momento, poi: "Non abbiamo una Diane Boston."

"Dana Barnett?"

"Nessuna Dana Barnett."

Marshall si strinse nelle spalle e fece un tentativo. "E Lucy Luv? Scritto L-U-V?"

"Nessuna Lucy Luv, signore."

"Okay, grazie." Riappese il ricevitore e tornò al tavolo.

Ellie arrivò in cucina sfregandosi le palpebre, assonnata. Indossava una lunga T-shirt sfilacciata che le arrivava a metà coscia. Sbadigliò e chiese se c'era un po' di caffè.

"L'ho appena preparato", rispose lui. "Ehi, tesoro, guarda qui. Quella pornostar, Lucy Luv, è ancora viva. Adesso fa l'insegnante nell'Illinois. Non è strano?"

"Chi è Lucy Luv?" chiese Ellie, strascicando i piedi fino alla macchina del caffè.

"Non ricordi? Ne parlavamo l'altra sera. Una di quelle pornodive scomparse. Lavorava per Aaron Valentine."

A Ellie non importava minimamente. "Ah, sì."

"Devo parlarle. Potrebbe sapere qualcosa di sporco su Valentine. Proprio quello che mi serve per uno scoop."

"Sono contenta per te", disse Ellie del tutto priva di entusiasmo. Si versò una tazza di caffè e si sedette al tavolo di fronte a lui.

Marshall lesse la firma dell'articolo. "Gordon Walton. Non lo conosco. Dev'essere arrivato quando non ci lavoravo più. Ehi, è ora che mi vesta e vada in ufficio. Voglio chiamare questo tipo e sapere da chi ha avuto la dritta."

"Credevo che stamattina non dovessi lavorare."

"Questo non è lavoro", disse lui, raccogliendo i giornali. "Questo è *divertimento*."

18

Il giorno dopo, tutti i principali quotidiani di Chicago avevano ripreso la notizia del "National Enquirer". Diane fece buon viso a cattiva sorte, disse a David di prepararsi per la scuola e si presentò alla Lincoln High pronta ad affrontare qualsiasi umiliazione. Era troppo presa dal proprio tormento da pensare a quello che sarebbe potuto capitare a suo figlio.

Per tutto il giorno dell'uscita del "National Enquirer", David era stato ansioso e distratto. Avrebbe voluto parlare con Billy della videocassetta, ma alla fine aveva deciso di aspettare l'indomani. Ora però non poteva più rimandare. Sua madre era nei guai ed era visibilmente sconvolta. Il ragazzo non sapeva ancora se credere o meno alla sua versione, ma quello che importava era chiarire come fosse venuta fuori quella storia.

"Billy", cominciò David, all'ora di pranzo. Non c'era nessun altro al loro tavolo nella *cafeteria* della scuola ed era il momento più adatto ad affrontare l'argomento. "Hai detto a tuo padre che c'era mia mamma in quella videocassetta?"

Billy spalancò gli occhi e assunse un atteggiamento di difesa. "No, amico. Certo che no!"

"Sei sicuro?"

"Sì, sono sicuro. Perché me lo chiedi? Te l'ho detto che non ne avrei parlato con nessuno."

"È solo che qualcuno lo ha scoperto e mia mamma pensa

che c'entri tuo padre."

"Mio padre? Ma se tua mamma non gli sta neanche simpatica!"

"Proprio per questo", ribatté David.

L'amico si accigliò. "Non puoi pensare una cosa del genere, David." Distolse lo sguardo e si concentrò sul pranzo.

David conosceva bene l'amico e sentiva che qualcosa non andava. "Senti, voglio scoprire che cos'è successo, tutto qui. Mia mamma è nei casini e rischia di perdere il lavoro."

Billy alzò gli occhi e disse, in tono aggressivo: "E allora dai la colpa a *me*? Tipico, Boston. Al tuo migliore amico. Al tuo unico amico, da quello che vedo."

"Billy..."

"Ci vediamo dopo." Billy si alzò con il vassoio e se ne andò.

David non volle seguirlo. Finì di mangiare, mentre altri ragazzi si sedevano, riluttanti, allo stesso tavolo. Stare in compagnia di quello strano ragazzo alto, magro e con gli occhiali spessi era l'ultima risorsa, quando non c'erano più sedie libere.

Dopo la scuola, David evitò Billy e si incamminò da solo verso casa. Era così turbato che aveva trascorso il resto della giornata in stato confusionale. Ma ora cominciava a sospettare che l'amico gli avesse mentito: lo conosceva troppo bene. Sulle prime aveva voluto credergli, si era lasciato accecare dalla lealtà. Ma, ripensando alla loro conversazione, si accorgeva che Billy aveva tutta l'aria di nascondere la verità.

Intanto David aveva raggiunto il parcheggio, augurandosi di non incontrare persone di sua conoscenza. Finora gli era andata bene. E nessuno aveva detto una parola su sua madre. Forse non leggevano i giornali. Anche se presto lo avrebbero saputo tutti.

Diede un calcio a una lattina abbandonata. Aveva intenzione di giocarci per almeno un altro isolato, quando risuonò la voce che temeva di sentire.

"Ehi, Porno Boy! Tu! Sto parlando con te, Boston!"

David si sentì accartocciare lo stomaco, ma continuò a camminare come se non lo avesse sentito.

"Ehi, che hai? Sei sordo?" Matt Shamrock giunse alle spalle di David, gli afferrò lo zaino e lo trattenne.

"Lasciami andare, Shamrock. Devo tornare a casa."

"A fare cosa? A vedere tua mamma che succhia cazzi?"

David si girò di scatto. "Sta' zitto!" Poi vide che Shamrock si era fatto accompagnare da due dei suoi sgherri.

"Whoa, sei un duro, Porno Boy! Vuoi suonarmele. O vuoi chiamare la mamma perché mi dia un paio di colpi? Capito? Un paio di colpi." Il bullo rise del suo doppio senso e non si mosse.

David era più alto di lui, ma sapeva di non essere altrettanto forte. Questo non gli impedì di tirargli un pugno al mento, cogliendolo di sorpresa. Shamrock si ritrasse, batté le palpebre ripetutamente e si massaggiò la mascella. David gli aveva fatto male! Fosse stato più esperto, avrebbe potuto approfittare della confusione del suo avversario per tornare all'attacco. Purtroppo, timido e insicuro com'era, rimase dov'era. Non voleva cominciare una rissa. E poi sentiva che l'adrenalina gli aveva accelerato i battiti: la tachicardia su cui il dottore lo aveva messo in guardia. Avrebbe dovuto sedersi e riprendere fiato.

Matt Shamrock non condivideva i sentimenti pacifisti di David e non rimase con le mani in mano. Gli assestò un pugno allo stomaco e uno alla faccia, facendolo cadere sul marciapiede. David atterrò sullo zaino, che in parte ammorbidì la caduta, anche se le cinghie gli procurarono un doloroso strappo alle scapole.

David vide le stelle. Il cuore partì a razzo e il fiato gli mancò. Boccheggiò, mentre lottava per riprendere il controllo delle pulsazioni. Matt Shamrock torreggiava sopra di lui, sfidandolo ad alzarsi, ma la vista di David era appannata. Si portò involontariamente una mano alla fronte e capì che gli erano volati via gli occhiali.

"Forza, mostriciattolo, facciamola finita!" gridò il bullo. "È tempo di botte!"

David emise un sibilo, nel tentativo di riprendere fiato. E intanto la luce intorno a lui si affievoliva, la figura torreggiante cominciava a oscillare e il cielo si metteva a girare. Gli sembrava di sentire voci che gridavano, ma di lì a poco svanirono nel nulla, insieme alla conoscenza.

David riprese definitivamente i sensi nell'infermeria della scuola. Ricordava in modo vago di essere tornato in sé sul marciapiede, circondato da un gruppo di ragazzi che si erano raccolti per assistere alla rissa. Poi era arrivato l'allenatore Driggers, che li aveva dispersi. David lo aveva sentito ordinare a Matt Shamrock di correre subito in presidenza. Poi la voce si era avvicinata: "David, stai bene?"

Lui non ricordava che cosa si fossero detti, ma l'allenatore lo aveva aiutato a rimettersi in piedi e insieme erano tornati alla scuola. Lungo la strada, David aveva sentito i commenti dei ragazzi.

"Wow, Matt Shamrock ha steso David Boston!"

"Hai visto che Shamrock ha fatto il culo a Boston?"

"Shamrock ha messo David Boston KO!"

David avrebbe voluto protestare. Non era stato Matt Shamrock a mandarlo al tappeto. Era lui che era svenuto. Le sue pulsazioni avevano raggiunto il livello di guardia e il rigurgito aortico aveva ridotto l'afflusso del sangue al cervello. Aveva perso i sensi: era in quel modo che il suo corpo si difendeva da uno sforzo eccessivo.

Mentre la signorina Hatchins, l'infermiera della scuola, lo esaminava, lui sentì l'allenatore e il preside che parlavano tra loro poco più in là.

"Deve andare all'ospedale?"

"Lei che ne dice, signorina Hatchins?"

David proprio non voleva andare in ospedale, per nessuna ragione. Se il suo medico avesse saputo che era svenuto a causa di uno sforzo eccessivo, sarebbe stato nei guai. L'ultima volta lo avevano costretto a fare gli esami e come risultato aveva trascorso due notti terribili. Sua madre si sarebbe preoccupata da morire e lui avrebbe dovuto mangiare quello schifo di cibo. Neanche a parlarne. Meglio attribuire le cause a qualcos'altro.

"Non ho bisogno di andare in ospedale", intervenne. "Shamrock mi ha dato un pugno fortunato, nient'altro. Credo che mi abbia steso per un secondo."

"Per che cosa stavate litigando?" domandò il preside.

"Ha detto delle cose su mia madre", fu la risposta di David.

L'allenatore batté sulla spalla del preside e lo trascinò in un angolo della stanza. David lo sentì mormorare qualcosa, ma distinse solo la parola "giornale".

Il preside guardò cupo dalla sua parte, poi tornò da lui. "Va bene, David. Ce la vedremo noi con Shamrock. Nel frattempo, credo che dovremmo farti portare a casa. Chiamiamo tua madre?"

"Non c'è bisogno, posso tornare a casa a piedi."

Intervenne l'infermiera: "Non voglio che torni a casa da solo. Hai avuto un brutto colpo. Ti devi riposare per un po'. Forse è meglio se domani resti a casa da scuola."

"Non è necessario", disse il ragazzo. Si sentiva davvero molto meglio. La guancia che Shamrock aveva colpito gli doleva appena e David era sicuro che al suo avversario avesse fatto più male il pugno che gli aveva dato lui.

"La chiamiamo lo stesso, tua mamma", stabilì il preside.

"Non è in casa", fece presente David. "Oggi pomeriggio ha una riunione alla Lincoln High." La madre lo aveva avvisato che sarebbe tornata più tardi del solito.

"E tuo padre?" chiese l'infermiera.

"Sarà al lavoro."

"Proviamo a chiamarlo."

Erano le quattro e mezza del pomeriggio quando Greg Boston arrivò alla scuola media a prendere il figlio. Non era di buon umore. David buttò lo zaino sul sedile posteriore della Jaguar e si sedette su quello del passeggero.

"Perché ti sei azzuffato?" fu la prima cosa che chiese suo padre.

"Sto bene, papà. Non preoccuparti."

Boston si rese conto di avere usato un tono troppo brusco e fece marcia indietro. "Scusa, figliolo. Tutto okay?"

"Sì."

La macchina si allontanò dalla scuola e si diresse verso la concessionaria. "Non mi stupisce che non abbiano potuto contattare tua madre. Dobbiamo tornare al mio ufficio. Ero nel bel mezzo di un affare. Le mando un messaggio perché ti passi a prendere. D'accordo?"

"Non puoi lasciarmi a casa? Non è lontana."

"No, non c'è tempo. E poi ti voglio parlare."

David non capiva perché non potessero parlare in macchina e poi andare all'appartamento, ma non mise in discussione le decisioni del padre. Aspettò in silenzio che lui riprendesse la parola.

"Che ne diresti di venire a vivere da me?"

David rimase a bocca aperta per un paio di secondi. Poi disse: "Cosa?"

"Sai, vivere in una bella casa grande con me, invece che in quell'appartamentino con tua madre."

"Non lo so, papà. A me piace stare con la mamma."

"Non pensi che sia troppo protettiva, forse?"

David capì dove stava andando a parare quella conversazione. "No. Dai, papà. Non ne voglio parlare."

"Senti, figliolo, credo che dovresti proprio venire a vivere da me."

"Non voglio, papà. Cioè, ti voglio bene eccetera, ma sarebbe molto brutto per la mamma."

Il padre risucchiò l'aria tra le labbra, come se stesse cercando il modo migliore per dire la frase successiva. "Be', forse dovrebbe abituarsi all'idea."

"Perché?"

"Ho richiesto la tua custodia. Lo sai che cosa vuol dire?"

"Sì", rispose David, in allarme.

"Credo che ci siano buone possibilità." Greg Boston si voltò verso il figlio. Cercando di leggergli in viso se sapesse ciò che stava accadendo.

"Per quello che c'era scritto sul giornale?" buttò lì il ragazzo.

Il padre tornò a guardare la strada. "Sì. Non ci posso credere, figliolo. A te sembra vero che tua madre possa avere fatto quelle cose? A me pare impossibile. E non immagini quanto mi dispiaccia."

"Papà, è passato un sacco di tempo. E non so nemmeno se è vero. Lei dice di no."

"Non può dire altro."

"Be', risparmia i tuoi soldi. Non voglio trasferirmi da te", chiarì David.

"Figliolo, a volte le cose non dipendono da te. Io sono tuo padre e c'è in gioco il tuo interesse."

"Tu vuoi punire la mamma", disse il ragazzo, sottovoce.

"Come?"

"Niente. Non voglio parlarne."

"Bene. Ma ti avviso: oggi tua madre saprà che ho richiesto la custodia. Quindi tanto vale che ti abitui all'idea."

David era sgomento. Quell'uomo non sembrava nemmeno suo padre. Come poteva essere così vendicativo? Che cosa gli era successo?

"Sai, David", continuò Greg Boston, "tua madre ti tiene troppo sotto una campana di vetro. Ti impedisce di divertirti. Fare sport, interessarti alle ragazze, passare più tempo all'aria aperta..."

"Non posso, papà, lo sai. Le mie condizioni..."

"Ma che condizioni e condizioni, sono tutte palle. Tua madre si è inventata tutto per chiuderti in casa. Sono stufo di vederti fare il cocco di mamma."

"In che senso si è inventata tutto?" chiese David.

"La tua cosiddetta cardiopatia. Non ci ho mai creduto. Sono tutte invenzioni."

"Ma il dottore ha detto..."

"Il dottore è il suo e lei farebbe qualsiasi cosa pur di prendere i soldi dell'assicurazione. Te lo dico io, figliolo, tu sei normalissimo. Devi solo fare più esercizio e rinvigorirti un po'. Quando ti trasferisci a casa mia, ci penso io a rimetterti in sesto."

David non sapeva che cosa dire. Le parole di suo padre lo terrorizzavano. Mentre la Jaguar entrava nel parcheggio della Boston Ford, si accorse che si stava tenendo aggrappato al sedile con tutte le sue forze e che il suo battito era nuovamente accelerato.

19

Mentre David si difendeva da Matt Shamrock, Diane Boston si preparava ad affrontare una platea di facce ostili al consiglio di istituto. Per tutto il giorno aveva riflettuto su cosa raccontare. Fino a che punto poteva arrivare? Quanti rischi avrebbe corso, dopo tutto quel tempo? Era solo vittima di un'eccessiva paranoia? Alla fine dell'ultima ora, era giunta alla conclusione che parlare apertamente fosse ancora troppo pericoloso. Conosceva quelli di Los Angeles, sapeva bene che erano spietati e vendicativi. E che avevano la memoria lunga.

Per essere prudente, Diane telefonò a Scotty Lewis, l'avvocato che l'aveva brillantemente rappresentata al divorzio. Era ancora un caro amico ed era rimasto dalla sua parte dopo che lei e il marito erano andati ognuno per la loro strada. Lewis le aveva suggerito di presentarsi in consiglio, di ascoltare che cosa avevano da dire. Diane avrebbe dovuto rispondere alle loro domande quanto più sinceramente possibile e poi richiamarlo.

Alle quattro in punto, Diane entrò nella porta accanto a quella della sala professori. Il consiglio si era già riunito: quattro funzionari e sette membri. Il preside Morgan era presente, ma solo in qualità di osservatore, dal momento che non faceva parte del consiglio. Diane fece un cenno di saluto a tutti e si sedette accanto a Morgan. Qualcuno dei presenti disse: "Buon pomeriggio, signora Boston."

Pochi secondi dopo, Peter Davis entrò in sala riunioni.

Diane si sorprese di vederlo e si domandò che cosa ci facesse. "Scusate il ritardo", disse l'uomo. Si sedette al tavolo di faccia a Morgan e Diane, evitando lo sguardo di quest'ultima.

Il presidente del consiglio era Judy Wilcox, una repubblicana sui cinquant'anni dalla mentalità rigidamente conservatrice. Il suo defunto marito era stato rappresentante dell'Illinois in Senato, fino al suo improvviso attacco di cuore quattro anni prima. Judy Wilcox aveva importanti legami nel distretto e, così come l'ex marito di Diane, era assessore in municipio. Diane non sapeva se la frequentazione tra la signora Wilcox e Greg potesse giocare a suo favore, ma sospettava il contrario.

La signora Wilcox non si alzò quando prese la parola. "La seduta è aperta. Siamo qui per discutere quanto abbiamo appreso riguardo alla signora Boston e concederle la possibilità di darci una spiegazione. Dopodiché discuteremo e metteremo ai voti un'azione appropriata. Ci sono domande, prima di cominciare?"

Diane si fece avanti. "È una specie di processo?"

"Naturalmente no, signora Boston", rispose la signora Wilcox. "È solo che ci troviamo di fronte a... be', una situazione delicata che potrebbe rovinare l'immagine della Lincoln High School. L'oggetto della discussione è cosa fare in proposito. Se vuole, può definirla un'udienza. Nient'altro."

"Il mio posto di lavoro è in pericolo?" chiese Diane.

La signora Wilcox aggrottò la fronte. "Perché non procediamo e andiamo al nocciolo della questione? Sono sicura che questa domanda può attendere la fine della riunione di oggi. D'accordo?"

Diane assentì. Avrebbe voluto che Scotty fosse lì con lei, ma si augurava che non fosse necessario. Forse il problema si sarebbe risolto presto.

La signora Wilcox si rivolse a Peter Davis. "Professore, perché non comincia lei, dal momento che ha insistito perché si tenesse questa riunione?"

Davis incrociò inavvertitamente lo sguardo di Diane e

arrossì. Ora lei sapeva: c'era lui, dietro tutta quella storia. Quel bastardo voleva prendere il suo posto. Oppure gli bruciava ancora che lei non volesse uscire con lui, per cui ora si vendicava. Qualunque fossero le sue ragioni, lo odiava come non aveva mai odiato nessuno.

"Grazie, signora Wilcox", esordì Davis. "Come sapete tutti, sui giornali sono uscite notizie preoccupanti che riguardano la signora Boston. Il primo articolo è stato pubblicato, se non erro, sul 'National Enquirer' e i giornali di Chicago l'hanno ripreso. Ora, non so voi, ma sono profondamente turbato dalla rivelazione che la signora Boston abbia lavorato, ehm, nell'industria della pornografia. Come insegnante, è un modello per gli studenti della scuola e credo che questa notizia possa minare sul serio la sua posizione. Francamente, ora la signora Boston è diventata lo zimbello di Lincoln Grove. Non possiamo permettere che uno scandalo come questo infetti la nostra scuola e la nostra comunità."

"E qual è la sua proposta, signor Davis?" chiese la signora Wilcox.

"Temo di non avere altra scelta che raccomandare la sua sospensione", disse Davis, evitando gli occhi di Diane fissi su di lui. Se le pupille di lei fossero state munite di raggi laser, in quel momento l'uomo sarebbe finito in cenere.

"Grazie per il suo consiglio", disse la signora Wilcox. "Può andare."

Davis si guardò intorno, come per dire: *Tutto qui? Non mi fanno restare?*

"Grazie, signor Davis", ribadì la signora Wilcox.

Stavolta lui capì e si alzò in piedi. "Prego." Guardò Diane e le disse a bassa voce: "Mi dispiace." Poi uscì dalla sala.

Diane avrebbe voluto dirgli di andare a farsi fottere, ma rimase zitta.

"Preside Morgan", riprese la signora Wilcox, "ha qualcosa da dire?"

"Per ora no. Credo che dovremmo ascoltare la signora Boston prima di prendere provvedimenti. Non le pare?"

"Naturalmente. Ma mi risulta che lei abbia ricevuto qualche telefonata."

Morgan si agitò sulla sedia. "Sì, ieri mi sono arrivate otto chiamate, dopo l'uscita dell'articolo sul 'National Enquirer'."

"E qual era la natura di queste chiamate?" domandò la presidente.

"La richiesta di un immediato licenziamento della signora Boston."

"Capisco. Ha ricevuto altre telefonate oggi, dopo che la storia è stata pubblicata dagli altri giornali?"

"Sì."

"Quante?"

"All'ultimo conteggio eravamo a centocinquantasei."

"Tutte a favore del licenziamento?"

"Tutte tranne sei, che esprimevano ammirazione per la signora Boston."

Per qualche secondo regnò un silenzio assoluto.

La signora Wilcox guardò Diane. "Signora Boston?"

"Sì?"

"Le spiacerebbe dirci la sua opinione?"

Diane respirò a fondo e cominciò: "Gli articoli pubblicati sul mio conto sono falsi. È vero che un'attrice che girava quel tipo di film mi assomigliava, o meglio assomigliava a com'ero vent'anni fa. Ma non sono io."

"Questo è uno di quei film?" La signora Wilcox mostrò una videocassetta in un'anonima custodia bianca. "Mi dicono che l'attrice è proprio lei."

Diane era senza parole. "Dove l'ha presa?"

"L'abbiamo avuta da una parte interessata. Mi pare di capire che ce ne fossero diversi, negli anni Settanta."

Davis, pensò Diane. Doveva essere stato lui.

"Signora Boston, ripeto la domanda. È lei o non è lei l'attrice di questo film?"

Meglio vuotare il sacco. Non c'era altra via d'uscita. "Quello che sto per raccontare non deve uscire da questa sala", disse Diane.

Dopo qualche secondo, la signora Wilcox disse: "Non posso garantirlo. Lei è un'insegnante di liceo e questa storia è già finita sui giornali. Credo che le convenga dirci la verità."

"L'attrice in quei film era la mia sorella gemella Dana", rispose Diane.

La reazione nella sala fu palpabile. I membri del consiglio cambiarono posizione sulle sedie e si mostrarono imbarazzati, come se fossero già certi di avere fatto una pessima figura. Un uomo mormorò. "Oh, mio Dio." Un altro disse: "Ooops." La signora Morgan guardò Diane e le fece cenno di proseguire.

"Mia sorella Dana partì per Hollywood alla fine degli anni Settanta, sperando di fare l'attrice. Non occorre dire che si mise a frequentare cattive compagnie e si ritrovò a girare quei film. Quando lo scoprii, mi sentii mortificata e cercai di farla uscire da quel giro. Ma a gestirlo era la mafia della West Coast, che l'aveva trasformata in una tossicodipendente. La situazione non era affatto piacevole. Dana decise di andarsene, ma di fatto scomparve. Sono convinta che l'abbiano uccisa." Diane, calma, abbassò lo sguardo sulle proprie mani appoggiate sul tavolo.

Nella sala regnava un silenzio di tomba. Quella rivelazione aveva lasciato tutti impietriti.

Passarono parecchi minuti, o così parve, prima che la signora Wilcox riprendesse la parola. "Signora Boston, sono molto spiacente di sentire tutto questo. Presumo che lei intenda tenere una conferenza stampa per chiarire la sua posizione."

"No."

La presidentessa del consiglio fu colta di sorpresa. "Perché no?"

"Perché in tutti questi anni ho protetto il nome di mia sorella e intendo continuare a farlo."

"Ma se sua sorella è morta e ora è il *suo* nome a essere infangato... perché non vuole chiarire l'equivoco?"

"Francamente, non me ne importa", disse Diane, con

rabbia. Non poteva fare a meno di dire quello che pensava. "Sono sconcertata. Mi avete trascinato qui dentro per portare alla luce questi ricordi dolorosi. Se volete sapere la mia opinione, è Peter Davis quello che dovrebbe rischiare la sospensione."

La signora Wilcox domandò: "Signora Boston, vuole dirci altro? Temo che la sua intenzione di non riabilitare il suo buon nome sia insufficiente. Semplicemente non ha senso."

"Molte cose nella vita non ce l'hanno", ribatté Diane. "Non ha senso che mia sorella sia stata assassinata, ma così è stato. Sono libera di andare?"

La signora Wilcox si guardò intorno e ricevette dai presenti qualche indicazione di imbarazzata acquiescenza. "Sì", disse. "Può andare. Le spiace aspettare fuori per qualche minuto?"

"Ma certo." Diane si alzò e uscì. In sala professori si versò una tazza di caffè, si sedette su un divano e attese per sette interminabili minuti che il preside Morgan la raggiungesse.

"Diane, il consiglio ha accettato di approfondire la questione nei prossimi giorni. Ci sarà un'altra riunione tra una settimana esatta. Poi ti faranno sapere che cosa hanno stabilito. Suppongo che le tue azioni in questi sette giorni influenzeranno la loro decisione."

"Capisco." Vedendolo a disagio, Diane aggiunse: "C'è qualcos'altro, vero?"

Il preside assentì. "Sei in sospensione retribuita fino alla riunione."

Lei distolse lo sguardo, cercando di trattenere le lacrime che le stavano riempiendo gli occhi.

"Mi spiace", disse lui. "Non è stata una mia idea."

"Grazie, Jim", rispose Diane. Si alzò e andò alla porta. "Vado a prendere le mie cose, okay?"

"Certo."

Devastata, Diane lasciò la sala professori e con passo rapido percorse il labirinto di corridoi fino alla sua aula.

Diario di David

Sono seduto in uno degli uffici della Boston Ford. Sono in quello di Happy Jules,[11] perché oggi è a casa malato. Non so perché lo chiamino Happy Jules. Il suo nome è davvero Jules, ma non so da dove arrivi "Happy": tutte le volte che l'ho visto era di cattivo umore. Forse i colleghi lo chiamano così per prenderlo in giro.

Mia mamma è ancora a scuola e io devo restare qui finché lui non le dice di venirmi a prendere. Sembra che lui abbia troppo da fare per accompagnarmi a casa. Non so perché. Io lo vedo nel suo ufficio che telefona eccetera. In macchina gli basterebbero dieci minuti per portarmi e dieci per tornare qui. Avrebbe potuto anche lasciarmi a casa dopo che è venuto a prendermi a scuola, però non ha voluto. Credo che lo abbia fatto apposta per costringere la mamma a fare la strada fino a qui. Così forse avrà una scusa per litigare con lei.

Sembra che il papà abbia preso molto male la storia dei porno. Ho idea che lo capisco. Se scoprissi che mia moglie girava quei film e io non l'avessi saputo prima di sposarla, anch'io sarei sconvolto. Ma lei continua a dire che non è vero. In questo paese non dicono che uno è innocente fino a quando non si dimostra che è colpevole? Anche se ho visto la videocassetta con i miei occhi e l'attrice sembrava proprio mia mamma da giovane, credo che rimanderò il mio giudizio a quando si conosceranno tutti i fatti.

Oddio, parlo come una specie di avvocato.

Adesso mi sento stupido per essermi azzuffato con Matt Shamrock. È un imbecille, un vero stronzo. Ha la merda al posto del cervello. Se non altro gli ho dato un bel pugno. Gli ho fatto male sul serio, si vedeva. Lui non mi ha fatto tanto male, non lo sento neanche più. Ho solo un segno rosso sulla guancia e ho un dolore allo stomaco, dove mi ha colpito. Ho dovuto dire che mi ha messo KO e mi è dispiaciuto. In realtà non è stato lui. È stato il mio maledetto cuore. Io LO SO che ho qualcosa che non va bene, non m'importa quello che dice il papà. Oggi mi ha detto che io non ho il mal di cuore e che la mamma si è inventata tutto per proteggermi. Proteggermi da cosa? Non riesco a capire. Perché lo ha detto? Lui lo sa che ho dei problemi. Era presente quando il dottore ce lo ha spiegato.

Io ero molto piccolo, ma mi ricordo di essere stato all'ospedale. Avevo tre anni, ma me lo ricordo. Era orribile. Sono tornato in ospedale quando avevo sette anni. È stato anche peggio, perché mi hanno fatto tutti quegli strani esami. Mi hanno bucherellato con gli aghi un centinaio di volte. Non ci voglio tornare più in ospedale. C'era un odore cattivo. Un odore di MORTE.

Mi chiedo cosa fare con Billy. Secondo me ha mentito sulla videocassetta. Ma, accidenti, anch'io ho mentito alla mamma per la stessa ragione. Dev'essere la natura umana. Forse la cosa migliore da fare è andare da lui domani e dire che è tutto okay e che non si deve preoccupare. Magari dopo mi dice la verità, POI sì che mi posso incazzare con lui. LOL![12]

Spero che la mamma stia bene. Stamattina era nervosa prima di andare a scuola. Probabilmente la gente fa battute su di lei nei corridoi. Ne ho sentite persino nella MIA scuola, mi immagino come può essere nella sua. È proprio stupido che la gente si debba comportare così per qualcosa che è successo venti o trent'anni fa. Se è successo davvero. Forse dovrei dire alla mamma la verità su Billy e la videocassetta. Ci devo pensare.

20

Moses Rabinowitz rimase stupefatto da ciò che vide sul "Chicsgo Sun-Times". Eccola, in bianco e nero, la misteriosa bionda che gli aveva venduto i diamanti per tutti quegli anni. La foto non era granché ed era piuttosto vecchia, ma senza dubbio si trattava della stessa donna. Nell'immagine dimostrava una ventina d'anni ed era bella come lo era adesso. Si chiamava Diane Boston e faceva l'insegnante in una cittadina dell'hinterland.

Molto interessante.

E anni prima era stata una pornostar.

Davvero molto interessante.

Rabinowitz si domandò se ci fosse qualche legame tra il giro del porno e i diamanti. La bionda era sempre stata molto attenta a nascondere la propria vera identità e a tenere segrete le loro transazioni. Il giornale alludeva al controllo dell'industria del porno negli anni Settanta da parte della gang della West Coast e raccontava che l'attrice era scomparsa. E se i gangster la stavano cercando? Avrebbe spiegato parecchie cose.

Tranne l'assassinio di suo fratello.

Moses Rabinowitz era tornato a Chicago il giorno prima, ancora sotto shock dopo essere andato al funerale di Hiram a New York. Sulle prime non si era preoccupato, anche se il fratello non aveva risposto al telefono per tutto il weekend. Ma lunedì non lo aveva trovato neppure in negozio. Allora Moses aveva chiamato suo nipote Julius, dirigente di banca a Manhattan, e gli aveva chiesto di scoprire dove fosse il padre. Julius aveva richiamato qualche ora dopo, con le cattive notizie.

La polizia di New York era perplessa. Moses era stato interrogato a lungo sulle attività di famiglia. Ciò che più interessava agli investigatori era sapere se i due fratelli avessero nemici. Che qualche affare non fosse andato come doveva? Che qualcuno volesse vendicarsi? Non erano molti i moventi plausibili per il brutale accoltellamento di un vecchio gioielliere ebreo, un uomo che si teneva sulle sue e non dava fastidio a nessuno. Non poteva nemmeno trattarsi di un furto trasformatosi in tragedia, perché, secondo quanto aveva assicurato Moses, Hiram non teneva mai preziosi nel suo appartamento. E, vista la brutalità dell'omicidio, i poliziotti scartavano in partenza l'ipotesi del furto. Lo avevano classificato come omicidio "personale" e avevano trovato segni di tortura sulla vittima. In altre parole, in primo luogo l'assassino voleva sapere qualcosa da Hiram e in secondo luogo, con la sua uccisione, intendeva mandare un messaggio. La polizia voleva sapere a chi fosse diretto.

Dopo avere parlato con gli investigatori, Moses Rabinowitz aveva trascorso una notte insonne a casa del nipote, nell'Upper East Side. Temeva che il movente fosse collegato alle loro attività sul mercato nero. Il problema era che erano troppe! Che si trattasse dei diamanti?

Moses Rabinowitz sapeva che la polizia non avrebbe mai risolto il caso. Avrebbe dovuto occuparsene qualcun altro, un aiuto esterno. L'unica possibilità era chiamare una certa persona che gli doveva un favore. Aveva sperato di non dovervi mai ricorrere, ma se c'era una situazione che richiedeva una soluzione drastica, era proprio quella. Prima di lasciare New York, Moses aveva fatto una telefonata e aveva parlato per un'ora con l'unico uomo al mondo a cui potesse confidare i segreti di famiglia.

E ora era di nuovo a Chicago.

Moses Rabinowitz era nervoso, aveva paura. E se

l'assassino fosse venuto nell'Illinois? Di certo Hiram si era rifiutato di parlare dei loro affari: era un tipo coriaceo e ne aveva passate molte nella sua vita. Ma poteva avere resistito alla tortura? Moses non lo sapeva. Non ne era del tutto sicuro.

Guardò l'orologio e si accorse che il pomeriggio era passato in fretta. Era ora di chiudere e voleva tornare a casa prima che il traffico di Wrigley Field diventasse insostenibile. Quella sera c'era una partita dei Cubs e come al solito le strade intorno al negozio sarebbero state un macello.

Girò intorno al banco e cominciò a svuotare le vetrine. La via era affollata e rumorosa. Era l'ora di punta, i pedoni camminavano di fretta e c'erano già i primi ingorghi. Moses apprezzava il fatto di non dover fare troppa strada per arrivare alla sua casetta di arenaria vicino alla Addison. Non doveva prendere la Expressway e poteva schivare il traffico percorrendo le strade secondarie. Poteva cavarsela in un quarto d'ora.

Il gioielliere sobbalzò quando sentì tintinnare il campanello. Non si era accorto che qualcuno stava entrando. Sulla porta era apparso un uomo alto con capelli biondi lunghi fino alle spalle e una benda nera su un occhio. Indossava giacca e pantaloni di pelle, dello stesso colore della benda. Faceva paura soltanto a guardarlo.

"Buon pomeriggio", disse Rabinowitz. "P-p-posso esserle utile?"

Il biondo chiuse la porta e disse: "Forse sì, amico mio. Lei è da solo, qui?"

Il gioielliere esitò. "Il mio commesso è uscito un attimo. Torna fra poco."

L'uomo con la benda sorrise. "È una bugia, amico mio. Lei lavora da solo." Voltò il cartello con il lato CHIUSO verso la strada e girò la chiave nella serratura. Poi si volse nuovamente verso il negoziante. "Assomiglia molto a suo fratello, signor Rabinowitz."

Moses si mise a tremare, in preda al panico: l'angelo

della morte era arrivato. "Che cosa vuole?" mormorò.

Il biondo gli appoggiò un braccio sulle spalle e lo condusse nel retro. "Andiamo in un posticino tranquillo, è meglio, no? Non vogliamo che qualche curioso ci veda fare affari attraverso le vetrine, vero?"

Moses, spaventatissimo, si sentì sballottato come un burattino: lo sconosciuto lo sospinse in ufficio e lo mise a forza su una sedia. Poi si infilò una mano nella tasca della giacca di pelle e ne prese un sacchetto di velluto, da cui estrasse un diamante.

Il cuore del gioielliere diede un balzo. Non stava giusto considerando il possibile collegamento tra l'insegnante-pornostar con i suoi diamanti e l'assassinio di Hiram? Era questa la coincidenza che avrebbe posto fine a tutte le coincidenze?

"Lo riconosce?" chiese il biondo.

Moses annuì.

"Ho bisogno di sapere da dove viene. Questo e tutti gli altri."

"Lei ha...? Mio fratello...?"

"Sono io che faccio le domande, amico mio. Ma nel caso possa servire a rinfrescarle la memoria, sì, sono stato io l'ultima persona a vedere vivo suo fratello. Gli ho tagliato la gola, dopo avere asportato alcune parti del suo corpo. Lei non vuole che capiti anche a lei, vero?"

Moses scosse il capo.

"Allora, perché non mi racconta di quei diamanti?"

Il gioielliere assentì. "C'è una donna. Sui quaranta. Bionda, molto attraente. Vive nell'hinterland. Fa l'insegnante e credo che abbia famiglia. Una quindicina di anni fa, forse di più, è venuta da me, mi ha fatto vedere due di quei diamanti e mi ha chiesto se glieli potevo acquistare. Non so da chi abbia avuto il mio nome, ma mio fratello e io... be', abbiamo fatto anche affari del genere, per molto tempo. Le ho offerto un prezzo onesto per le pietre e da allora la donna è tornata regolarmente. Forse una volta al mese."

Lo sconosciuto si mostrò soddisfatto. "Molto bene,

vecchio mio. Non era difficile, visto? E adesso arriva la parte importante. Chi è la donna? *Come si chiama?*"

Moses scosse la testa. "Non lo so. Ha sempre tenuto segreta la sua identità. Avevamo... un accordo."

Il biondo si accigliò. "Tsk, tsk, tsk... Questa non è una risposta valida. Devo sapere come si chiama." Uno stiletto gli apparve nella mano destra. Moses non avrebbe saputo dire da dove l'avesse preso.

"Aspetti!" gemette. "Il giornale! Il giornale di oggi. È sul banco. C'è la foto della donna. È una specie di pornostar. C'è un articolo che parla di lei."

Nell'unico occhio dello sconosciuto balenò una luce. "Ha detto... pornostar?"

"Sì. Vada a vedere. Le mostro la pagina. È proprio lei."

"D'accordo, vediamo." Il biondo invitò il gioielliere ad alzarsi.

Moses si affrettò a tornare in negozio, afferrò il "Chicago Sun-Times" e lo aprì alla pagina dell'articolo.

Lo sconosciuto glielo prese di mano e fissò la foto. Lesse il testo e sorrise. "Bene, bene, bene. Allora è viva e abita da queste parti." Lasciò cadere il giornale sul banco, poi mise le mani sulle tempie di Moses e lo tirò a sé per dargli un bacio in fronte. "Grandi notizie, signor Rabinowitz. Grazie."

Moses sorrise. Voleva quasi mettersi a ridere. Forse il killer lo avrebbe risparmiato. Aveva fatto la cosa giusta?

Il biondo riprese il giornale e disse: "Torniamo nel retrobottega. Devo fare una telefonata."

Nel piccolo ufficio sul retro, lo sconosciuto rimise il gioielliere sulla sedia, prese un cellulare dalla tasca della giacca e premette un tasto.

"Sì?" rispose una voce che Emo Tuff conosceva molto bene.

"Aaron, sono io."

"Lo so. L'ho visto sul display."

"Non crederai mai a quello che sto per dirti."

"Aspetti un bambino."

"No, meglio. L'ho trovata."

Dall'altra parte calò il silenzio. Poi: "L'hai trovata? Proprio *lei*?"

"Ah-hah. È viva e sta a..." Tuff riguardò il giornale. "Lincoln Grove, Illinois. Fuori Chicago." Si immaginava Valentine che si metteva a ballare dalla felicità, come faceva sempre quando gli arrivavano buone notizie.

"Cazzo, Emo, è meraviglioso!" fece il boss. "Stammi a sentire: non farle del male. Le voglio parlare *di persona*. Sai che cosa voglio dire?"

"Sì. Vedrò di portarla in California. Ci sentiamo più tardi."

"Bene. Bel lavoro."

Tuff rimise via il cellulare e sorrise a Rabinowitz. "Si è comportato bene, amico mio. Ha reso davvero felice il mio capo."

"Ne sono lieto", disse Rabinowitz. Guardò l'orologio. "Dovrei finire di chiudere il negozio. Vorrei tornare a casa prima che il traffico peggiori. Sa, c'è la partita dei Cubs."

Tuff scoppiò a ridere. Lo stiletto gli riapparve nella destra. Lui lo usò per pulirsi le unghie della sinistra. "Non credo proprio, amico mio. Suo fratello la vuole vedere."

"M-m-mio fratello?"

"Già." Tuff si avvicinò a Rabinowitz. "Sente la sua mancanza."

21

Scotty Lewis la stava aspettando nel suo ufficio ad Arlington Heights. Al telefono, dopo la riunione, Diane gli era parsa sull'orlo di un attacco isterico. L'avvocato aveva accettato di vederla immediatamente.

Aveva conosciuto Diane Wilson all'Harper College di Palatine, dove lei aveva studiato negli anni Ottanta. Erano pressappoco della stessa età ed erano usciti insieme per diversi mesi, Scotty aveva preso quella storia molto sul serio e non sapeva esattamente che cosa fosse accaduto tra loro. Ma quando Greg Boston era comparso nella vita di lei, il rapporto tra Scotty e Diane si era trasformato in amicizia. L'avvocato le era rimasto vicino, diventando non solo il suo consulente legale ma anche la cassa di risonanza per i suoi problemi personali. Quando Diane e Greg si erano separati, Scotty si era quasi pentito di essersi sposato, nel frattempo, anche se era convinto che sua moglie fosse molto più stabile. L'avvocato aveva sempre sospettato che ci fosse qualcosa di oscuro nel passato di Diane e che lei non fosse stata del tutto sincera con lui, come del resto pensava anche Greg. Scotty pensava che forse era meglio se tra loro era finita. Ma questo non gli impediva di continuare ad ammirarla e di essere pronto a fare qualsiasi cosa per lei.

Diane scese dalla Honda, lo vide dietro la porta a vetri e gli fece un cenno di saluto. Lui le aprì e lei gli si gettò tra le braccia.

"Scotty", disse. Dal tono sembrava lì lì per scoppiare a piangere.

"Vieni dentro, Diane." Si scambiarono un bacio sulle guance, poi entrarono in ufficio.

Lo studio di Scotty era gestito esclusivamente da lui. Aveva una segretaria, che a quell'ora aveva finito il suo turno di lavoro, ma in pratica faceva tutto da solo, compreso cambiare le lampadine e i rotoli di carta igienica nell'unico bagno. Questo avrebbe potuto farlo sembrare un avvocato di scarsa fortuna ma, al contrario, Scotty Lewis era molto rispettato nella zona. Specializzato in questioni di famiglia, era un vero maestro in fatto di divorzi e ultimamente si stava facendo un nome anche nei casi di custodia dei minori. Le sue tariffe erano modeste e preferiva avere clienti nella classe bassa e media, oltre a fare parecchio volontariato. Se mai era esistito un avvocato onesto, questi era Scotty Lewis.

"Siediti, cara", disse. "Vuoi qualcosa? Una bibita? Qualcosa di forte?"

"Oh, un po' di acqua frizzante, se ne hai", rispose Diane. "Se comincio con gli alcolici, poi non riesco più a tornare a casa in macchina." Si sedette su una delle poltrone nell'ufficio della segretaria. Non occorreva ritirarsi in quello privato di Scotty.

"Giorni difficili, eh?" disse lui.

"L'hai detto."

Scotty prese un paio di bottigliette di acqua frizzante da un piccolo frigorifero dietro la scrivania della segretaria. Gliene passò una. "Vuoi un bicchiere?"

"Non c'è bisogno." Diane aprì la bottiglietta e ne bevve una sorsata.

Scotty si sedette di fronte a lei sul divano e la osservò. "Ti vedo in ottima forma."

"Lascia perdere. Sono un disastro. Mi si è sciolto il trucco. Mi sento di merda e probabilmente si vede."

"Nient'affatto."

Lei sorrise. "Grazie." Anche Diane trovava Scotty

piuttosto bello. Di origini irlandesi, l'avvocato aveva capelli rossi e lentiggini e ricordava un po' Howdy Doody[13] ma infinitamente più avvenente e virile. Per quanto avesse messo su qualche chilo negli ultimi anni, restava sempre un uomo attraente.

"Allora, che cosa succede, Diane?"

"Oh, Scotty, Gesù." Scosse la testa, come se fosse tutto un incubo. Gli raccontò dei film interpretati dalla sorella gemella e di come all'improvviso qualcuno ne fosse venuto a conoscenza. "Forse lo ha scoperto David, o uno dei suoi amici. Proprio non lo so. A insistere per la riunione del consiglio dev'essere stato Peter Davis. Ricordi che te ne ho parlato?"

"L'insegnante che ti odia ma vuole portarti a letto?"

"Lui." Diane proseguì, raccontando della riunione. "E così sono sospesa per una settimana. Da come si mettono le cose, probabilmente verrò licenziata. Tutti i genitori stanno telefonando alla scuola per protestare."

Scotty si grattò il mento. "Be', Diane, devo chiederti una cosa. È vero?"

"Dico a te quello che ho detto a loro: la donna che si vede nei film è la mia sorella gemella, Dana. Solo che a loro ho detto che era morta."

L'avvocato inarcò un sopracciglio. "L'Health Surrogate Act per cui hai firmato tre anni fa?"

"Sì."

"Me n'ero quasi dimenticato. Be', allora non hai niente di cui preoccuparti. Devi solo dare loro le prove che Dana esiste."

"Non posso farlo."

"Perché no?"

"Perché, a parte te, non voglio che nessuno sappia che è viva."

Scotty non sapeva che cosa pensare. Ancora una volta avvertiva che lei non gli diceva tutta la verità. Era come se tra loro si fosse eretto un muro. "Be', Diane, sono sicuro che ci possiamo difendere. Dopotutto non hai nessuna nota di biasimo a tuo carico. Questa storia del porno risale a molto tempo fa, giusto? Da allora hai fatto molta strada, ti sei laureata, ti sei fatta un buon nome presso la scuola..."

"Tu non mi credi, vero?"

"Non ho detto questo."

"Allora che cosa facciamo?"

"Diane, se c'è da fare causa al consiglio d'istituto, d'accordo. Dovrò consultarmi con qualche collega, questo non è proprio il mio campo. Ma la cosa migliore sarebbe riabilitarti dicendo a tutti la verità. Non può essere *così* difficile!"

Lei sospirò. Era l'ultima cosa che voleva fare.

Quando si parla di scheletri nell'armadio...

Scotty si schiarì la voce e spostò il peso da un piede all'altro. "Diane, c'è un'altra cosa di cui ti devo parlare."

"E sarebbe?"

"Non ti farà piacere."

"Dimmela, Scotty."

"Oggi mi ha chiamato Mark Spencer."

L'avvocato di Greg. Diane provò quella stretta allo stomaco che precede le brutte notizie. "Sì?"

"Greg ha richiesto la custodia di David."

"Che cosa?" Lei si drizzò sulla sedia. "Non può farlo!"

"Sì che può, Diane. Può fare tutto quello che gli pare. E farà leva su questa storia del porno."

"Non ci posso credere!"

"Dobbiamo stabilire una strategia, Diane. Quello che usiamo per il consiglio d'istituto, dobbiamo usarlo anche con lui."

Diane si alzò in piedi e camminò avanti e indietro per la stanza. "Non si prenderà David, mai, non se ne parla. Se pensa di riuscirci è fuori di testa. Quel figlio di puttana!"

"Siediti, Diane. Calmati. Sarà una dura battaglia per lui. Questo lo pensa anche Spencer. Per noi non sarà facile, ma loro dovranno sudare. Non gliela daremo vinta senza combattere."

"Gesù, Scotty", disse lei, tornando a sedersi. Appoggiò la

testa a una mano e si trattenne a fatica dal piangere.

Dopo un imbarazzante silenzio, Lewis domandò: "Parlami di tua sorella. Non capisco perché tu non possa dire la verità su di lei. E dov'è adesso, a proposito?"

"È nascosta. L'unica a sapere dov'è sono io."

"Giusto. Dimenticavo."

"Senti, ho chiesto il diritto a prendere decisioni su di lei perché mia sorella viene tenuta in vita artificialmente. Il che mi dà il diritto di togliere la spina, è così?"

"Sì."

"Mia sorella è in coma da vent'anni e non so decidere se voglio lasciarla morire o no. Fondamentalmente no, continuo a pensare che un giorno il miracolo accadrà."

"Non hai risposto alla mia domanda", le fece notare lui.

Diane sospirò. "La ragione per cui non posso far sapere a nessuno che è ancora viva è che verranno a ucciderla."

"Chi?"

"*Loro*."

22

"Bastardo!" gridò Diane al telefono. "Perché l'hai fatto?"

Greg Boston rispose: "Secondo te perché, Diane? Non voglio che mio figlio viva con una pornostar. Nessun padre rispettabile lo vorrebbe."

"Oh, ma fammi il piacere. Non sai niente di questa storia. Per cominciare, non è vera, Greg."

"Be', me lo auguro. Ma questo non mi fa cambiare idea."

Diane era tornata a casa di corsa, solo per scoprire che David non c'era. Sulla segreteria telefonica aveva trovato un messaggio dell'ex marito che l'avvisava che il figlio era da lui alla Boston Ford e che lei doveva venirlo a prendere. Diane, invece, aveva preso il telefono e chiamato l'ex coniuge.

"Non l'avrai mai vinta, Greg. Scotty e io ci opporremo con tutte le nostre forze, stanne certo."

Stavolta fu Greg a perdere le staffe. "E allora opponiti! Sei tu che mi hai mentito in tutti questi anni. Non mi hai mai detto la verità su di te. La sai una cosa? Credo che qualsiasi giudice prenderebbe le mie parti. Sono un membro rispettato della comunità, un assessore, uno che va in chiesa. E tu? Sei un'ex pornostar e non l'hai mai detto a nessuno, nemmeno a tuo marito. Che altro hai fatto? Eri anche una drogata?"

"Smetti di fare lo stronzo, Greg! Non avevi alcun diritto di andare a prendere David e portarlo in ufficio. L'hai fatto apposta per litigare, vero?"

"Per tua informazione, ho *dovuto* andare a prendere David, perché si è azzuffato a scuola! Lo hanno messo knock-out!"

"Che cosa?"

"Sì. Tuo figlio è stato messo knock-out. La scuola ha cercato di chiamarti, ma tu eri troppo impegnata con il consiglio d'istituto per far caso a tuo figlio."

"Non è giusto, Greg, e lo sai. Come sta David?"

"Bene, ma non certo grazie a te."

Diane dovette riprendere fiato. Alla fine disse: "Sto arrivando." Riappese e imprecò tra sé. Avrebbe voluto prendere un bicchiere e scagliarlo dall'altra parte della stanza, ma riuscì a controllarsi.

Mi sta sfuggendo tutto di mano.

Doveva fare qualcosa. Se era necessaria una battaglia legale, che così fosse. Ma avrebbe dovuto pagare Scotty e forse qualche altro consulente, oltre a lui.

Andò in camera da letto e recuperò un astuccio di velluto da un cassetto. Si sedette sul letto e aprì delicatamente la cerniera lampo. Dentro c'erano tre diamanti.

Maledizione. Avrebbe dovuto andare in banca a prenderne altri dalla cassetta di sicurezza.

Rimise a posto l'astuccio, chiuse il cassetto e uscì dall'appartamento. Le ci vollero quindici minuti di macchina per raggiungere la Boston Ford, tempo più che sufficiente per riconsiderare la conversazione telefonica con l'ex marito e per immaginare tutti i possibili sviluppi del confronto in tribunale. Quando arrivò a destinazione era livida di rabbia.

Entrò come una furia dal concessionario, senza preoccuparsi di salutare i venditori e gli impiegati, che vedevano e sentivano tutto quello che succedeva alla Boston Ford. Trovò David in uno degli uffici.

"Ciao, mamma", le disse il ragazzo.

Lei vide il livido sulla sua faccia e corse da lui. "Tesoro, stai bene? Che cos'è successo?"

Quando lei lo abbracciò, David si mostrò a disagio. "Niente. Sto bene."

"Che cos'è capitato a scuola?" volle sapere la madre. "Matt Shamrock e io ci siamo picchiati. Mi ha colpito e credo di avere perso i sensi per qualche secondo. Però gliele ho date anch'io."

"Oh, David..." Diane alzò gli occhi e vide Greg. "Tu! Hai proprio un bel coraggio!"

"Abbassa la voce", disse lui. "Ci guardano tutti."

"Non me ne importa niente. Devono saperlo tutti che testa di cazzo sei! Non avrai mai la custodia di mio figlio, Greg. *Mai*. Se continui così, giuro che ti ammazzo! Andiamocene, David."

Il ragazzo prese lo zaino e uscì con lei. Scambiò uno sguardo con il padre, che disse: "Parleremo presto, figlio mio."

I dipendenti della Boston Ford li stavano osservando. David non poteva biasimarli: non aveva mai visto sua madre così furente.

Quando la Honda si fu allontanata, Greg Boston si scusò per il comportamento dell'ex moglie e disse a tutti di tornare al lavoro. Si chiuse nel proprio ufficio e cercò di finire tutto quello che era rimasto in sospeso.

Fu l'ultimo ad andarsene, alle nove e trenta, molto dopo l'orario di chiusura. Greg sapeva che quella sera non sarebbe più riuscito a combinare altro e tanto valeva che se ne tornasse a casa. Dopo avere chiuso le porte, salì sulla sua Jaguar XK8 – uno dei vantaggi dell'essere un concessionario Ford era che aveva automaticamente anche la rappresentanza della Jaguar – e percorse i dodici chilometri che lo separavano dall'altro capo di Lincoln Grove, dove aveva una piccola casa in affitto.

Quando aveva lasciato la famiglia, aveva trascorso qualche notte da Tina, la sua segretaria, con cui aveva una relazione discontinua che durava da tre anni, come Diane aveva sospettato. Il cugino di Tina era proprietario di una casa e si era detto disposto ad affittargliela.

Greg si fermò sul vialetto, scese dall'auto e fece scattare le serrature. Andò alla porta, cercando le chiavi alla luce della luna. Gli piaceva il portico di legno della casa, con la balaustra e un'altalena su cui gli sarebbe piaciuto potersi sedere con una nuova ragazza. Fino a quel momento non era ancora successo. Tina non era mai venuta a trovarlo e di nuove ragazze non ce n'erano.

Appena mise piede sotto il portico, Greg avvertì odore di tabacco nell'aria, come quando in ufficio uno dei venditori faceva una pausa per una sigaretta. *Strano*, pensò. Chi poteva essersi messo a fumare sotto il portico?

Infilò la chiave nella serratura e la girò. Lo scatto improvviso di un accendino lo fece sobbalzare. C'era un uomo seduto sull'altalena, nel buio.

"Ehi!", disse Greg. "Lei chi cazzo è? Che ci fa davanti a casa mia?"

L'uomo si accese la sigaretta e richiuse l'accendino. Si alzò in piedi, facendo scricchiolare le catene dell'altalena. "Il signor Boston?"

Greg cercò di distinguere i contorni dello sconosciuto nell'oscurità. "Sì. Lei chi è?"

L'uomo era alto almeno quindici centimetri più di lui. Quando gli si avvicinò, Greg vide un individuo dall'aspetto minaccioso, con una benda su un occhio.

"Dov'è sua moglie?"

"Mia moglie?"

"Diane Boston."

Greg provò un brivido, ma riuscì a parlare in tono deciso. "Se ne vada prima che chiami la polizia." Aprì la porta di casa, forse il più grosso errore della sua vita.

"La compagnia telefonica dice che posso trovare qui la signora Boston."

"Be', si sbaglia. Vivo da solo. Abbiamo divorziato. Il suo numero non è nell'elenco", disse Greg. "Buonanotte."

Fece per chiudere la porta, ma lo stivale di Emo Tuff glielo impedì.

"Ma che..." cominciò a dire Greg.

L'uomo dai lunghi capelli biondi spinse avanti la porta ed entrò in casa.

23

Diane trascorse buona parte del giorno successivo da sola con i propri pensieri. David era a scuola: non sembrava avere riportato conseguenze dalla zuffa con Matt Shamrock e a colazione le era parso che stesse bene. Quando era uscito, la madre aveva cominciato a sentirsi come un pesce fuor d'acqua. Era troppo legata alla routine. *Chi mi farà da supplente?* si domandava. *Gli studenti sentiranno la mia mancanza?*

Forse era il momento di pensare a cosa fare della propria vita. Forse avrebbe dovuto trasferirsi in un altro stato, ma non voleva lasciare l'Illinois: non poteva abbandonare la sorella, non c'era nessun altro che potesse prendersi cura di lei e mantenerla in vita.

E poi c'era l'altra domanda: doveva mantenerla in vita? In tutto quel tempo, sua sorella non aveva mai dato cenni di ripresa. Per Diane era inconcepibile dare l'ordine di ucciderla, ma forse era ora di farlo. Non sapeva decidersi: andava contro tutto quello per cui aveva lottato.

David tornò a metà pomeriggio e si mise a fare i compiti. Diane decise di andare in città per vendere i tre diamanti che aveva in casa. Doveva chiedere al signor Rabinowitz se fosse possibile trattare a distanza, nell'eventualità che avesse dovuto lasciare lo stato.

Imboccò la Eden Expressway, si immise nella Kennedy e si diresse lentamente verso il nordovest di Chicago. Il traffico era sempre intenso, specie in prossimità dell'ora di punta. Diane si pentiva di non essere partita prima: tra andata e ritorno ci avrebbe impiegato più del previsto.

Dopo essere uscita a Diversey, percorse alcuni isolati in direzione est, fino a Lincoln Avenue. Ebbe fortuna: trovò un parcheggio a pagamento a un isolato dalla A-1 Fine Jewelry. Diane scese dalla Honda e si incamminò verso il negozio. Vide che davanti era ferma un'auto della polizia e, quando fu più vicina, notò il nastro giallo che transennava l'ingresso.

Preoccupata, guardò attraverso le vetrine. Dentro c'erano un agente in uniforme, uno che aveva l'aria di un poliziotto in borghese e un altro uomo che invece sembrava un hippie, con barba e capelli lunghi alla Gesù Cristo. Indossava abiti malconci che parevano appena comprati al mercato delle pulci. Ma sembrava pulito, quindi non doveva essere un barbone. Fino a quel momento nessuno di loro aveva notato Diane fuori dalla vetrina. Lei si chiese se dovesse bussare. Che cos'era successo?

Una quarta persona spuntò dal retro e raggiunse gli altri: era più giovane, doveva avere meno di trent'anni. Indossava giacca, cravatta e *yarmulk*.[14] Che fosse un parente?

Il giovane la vide e disse qualcosa agli altri.

L'agente in uniforme uscì dal negozio. "Posso esserle utile, signora?"

"C'è il signor Rabinowitz?" chiese Diane.

"Lei è una parente?" domandò il poliziotto.

"No."

"Un'amica?"

"Be', una specie. Sono una cliente abituale."

"Capisco. Temo di doverle dare una brutta notizia. Il signor Rabinowitz è stato trovato morto stamattina."

"Oddio!" Diane avrebbe voluto mettersi a piangere. Era affezionata al vecchio gioielliere. "Cos'è successo?"

"Vuole parlare con il nipote? È appena arrivato da New York."

"Sì, certo."

L'agente tornò in negozio e dopo poco uscì il giovane con

lo *yarmulke.* "Buongiorno. Sono Julius Rabinowitz."

"Salve." Diane si ricordò all'improvviso che non aveva mai detto il proprio nome al gioielliere. "Sono Suzie Thomas." Era il primo che le fosse venuto in mente.

"Posso aiutarla?"

"L'agente mi ha detto di... suo zio, giusto?"

"Sì." Il giovane sembrava sconvolto, ma riusciva a mantenere un certo autocontrollo.

"Sono una cliente affezionata. Che cos'è successo?"

"Ieri sera mio zio è stato ucciso", rispose il giovane Rabinowitz.

"Oddio!" Le ci volle qualche istante per ricomporsi. "È stata una rapina?"

"No, sembra di no. L'assassino non ha preso niente. Ha tagliato la gola a mio zio e se n'è andato."

Tagliato la gola?

"Mi dispiace moltissimo", disse Diane.

"Mio padre è stato ucciso allo stesso modo qualche giorno fa."

"Suo padre?"

"Gestiva anche lui una gioielleria, a Manhattan."

"Oh, certo. Vuole dire che sono stati uccisi tutti e due?"

Il giovane Rabinowitz assentì, scuro in volto. "Dalla stessa persona, a quanto sembra. Non riesco a capire. Due vecchi signori che non avrebbero fatto male a una mosca... La polizia pensa che possano essere stati coinvolti in qualche affare poco pulito."

Tagliato la gola... A Diane tornò in mente qualcosa dal passato. *Potrebbe essere lui? Che fosse riuscito a trovarla?*

"Mi dispiace, mi dispiace davvero. Ci sono altri parenti oltre a lei?"

Il giovane si strinse nelle spalle. "Solo io e le mie sorelle. Mio zio non aveva figli. Nessuno di noi si occupa di gioielli. Io lavoro in banca."

"Capisco. Dev'essere stato terribile."

Il giovane Rabinowitz sembrava avere bisogno di parlare con qualcuno. "È stata una giornata spaventosa. Oggi, appena sono arrivato al lavoro la polizia di Chicago mi ha chiamato per dirmi che mio zio era morto. Ho preso il primo volo dall'aeroporto LaGuardia e sono arrivato un'ora fa. L'ambulanza aveva già portato via il corpo e adesso il detective e l'altro poliziotto stanno, non so... facendo domande, cose del genere."

"Be', non voglio farle perdere altro tempo. Mi dispiace davvero."

"Grazie." Il giovane rientrò in negozio.

Diane tornò sui suoi passi. Era tutto molto strano: entrambi i gioiellieri uccisi dalla stessa mano. E il metodo le sembrava fin troppo familiare. Pregò che l'assassino non fosse chi pensava. Altrimenti presto anche lei se lo sarebbe trovato alla porta.

Aveva percorso una quindicina di metri quando sentì un prurito alla nuca. Si voltò verso il negozio e vide l'uomo malvestito con i capelli lunghi che la fissava dal marciapiede, come se volesse memorizzare ogni suo gesto.

Diane girò sui tacchi e si diresse verso la sua macchina.

Nicholas Belgrad seguì con lo sguardo la bionda che saliva sulla Honda, parcheggiata un isolato più in là. Si passò un dito sul mento, sotto la barba e tornò in negozio. Non disse niente né al detective Sharp né all'agente Logan. Era un'informazione che voleva tenere per sé.

"Mi scusi, signor Belgrad", cominciò Sharp, il poliziotto in borghese che prendeva appunti su un taccuino, "mi può spiegare di nuovo i suoi rapporti con il deceduto?"

Belgrad fece un cenno di assenso. "Amico di famiglia. Li conoscevo tutti e due, Moses e Hiram."

"È venuto da New York con il signor Rabinowitz?"

Intervenne il giovanotto: "No, il signor Belgrad e io ci siamo appena conosciuti."

Belgrad aggiunse, a titolo di spiegazione: "Fino a oggi non avevo incontrato nessuno dei figli di Hiram. Ma conosco Moses e Hiram da quando ero bambino. Io sono arrivato con un volo dal JFK."

Il detective Sharp era confuso. "Ma chi l'ha avvisata della morte del signor Rabinowitz?"

"Nessuno. Stavo venendo a trovare Moses. Non sapevo che fosse stato ucciso."

Il detective faceva cenno di sì con la testa, mentre prendeva appunti. "Va bene, ora è chiaro. Posso chiederle quale affare doveva trattare con il signor Rabinowitz?"

"Nessun affare. Solo un incontro tra amici", rispose Belgrad.

Il detective rifletté su quella frase, quindi osservò: "A dire il vero, chiunque l'abbia lasciata entrare sulla scena del delitto, prima, è andato contro le procedure. Mi spiace che lei abbia dovuto vedere il suo amico in quello... stato."

"Spiace anche a me, ma non si preoccupi. Sono lieto che non sia toccato a Julius trovare il corpo", replicò Belgrad.

"Okay, so dove trovarla in caso di necessità, penso che per oggi abbiamo finito. La Scientifica ha esaminato attentamente la scena e ora dobbiamo solo aspettare i risultati." Poi il detective si rivolse all'unico parente del deceduto, ignorando Belgrad. "Nel frattempo devo farmi inviare da New York il dossier sulla morte di suo padre. Dovrò collaborare con i colleghi di laggiù per risolvere i due casi. Da quanto mi ha detto, si direbbe che l'assassino sia lo stesso."

"Credo che abbia ragione", si intromise Belgrad. "Detective Sharp, ha ancora le buste degli indizi o le ha già inviate al laboratorio?"

"Ho qualcosa in macchina. Perché?"

"Il giornale che il signor Rabinowitz stringeva in mano. Posso vederlo di nuovo?"

Sharp assunse un'espressione contrariata. "Non so, dal momento che lei non è un parente..." Guardò il giovane Rabinowitz, che si strinse nelle spalle. "Venga", stabilì il detective, e accompagnò Belgrad in strada. Aprì il bagagliaio dell'auto della polizia e prese la busta di plastica contenente una copia del "Chicago Sun-Times" schizzata di sangue.

Belgrad esaminò il giornale attraverso la plastica trasparente. Era aperto su un articolo riguardante una donna che viveva nell'hinterland di Chicago, sospettata di essere una pornostar. C'era anche una fotografia.

L'istinto di Belgrad non si era sbagliato. La donna che aveva visto fuori dal negozio e quella dell'articolo erano la stessa persona.

Diario di David

Mi sento di merda.
Oggi, quando sono tornato da scuola, ho scoperto che qualcuno aveva vandalizzato la porta di casa. Qualcuno ha scritto LA PORNOMAMMA VIVE QUI e INSEGNANTE DI POMPINO a grandi lettere rosse.
Merda. È molto deprimente. Non sapevo cosa fare. La mamma non era a casa e non volevo che vedesse le scritte. Sono entrato in casa, ho preso una spugna bagnata in cucina e ho provato a cancellarle, ma non vengono via. Dev'essere una specie di smalto. Temo che alla mamma toccherà proprio vederle. Sono tornato dentro e ho acceso la tv.
Mi sento come se fosse tutto quanto colpa mia. Se Billy non avesse guardato quella stupida videocassetta, probabilmente non sarebbe successo niente. Non l'ho più visto dopo la nostra discussione a pranzo. A scuola mi evita. So che suo padre ce l'ha con mia mamma ed è stato lui a crearle problemi a scuola. Adesso la vogliono cacciare via. Scommetto che è stato lui a dire a Billy di non parlarmi. Perfetto. Adesso ho perso anche il mio unico amico.
Quando la mamma è tornata a casa, sembrava depressa anche lei. È venuta da me, ha spento la tv e ha detto: "Mi dispiace, David." Le ho detto che spiaceva anche a me. Ci siamo abbracciati per un minuto e poi lei ha detto che

doveva cercare qualcosa per pulire la porta. E che forse dovremo andarcene da un'altra parte. Non in una nuova casa, ma in un'altra città. Forse anche in un altro stato.

Le ho detto che sono d'accordo. Non voglio restare a Lincoln Grove. Non voglio neanche restare nell'Illinois. Lei ha fatto cenno di sì ed è andata in cucina a cercare la trementina o qualcosa del genere.

È riuscita a cancellare le scritte prima di cena, poi abbiamo ordinato una pizza. Non sono riuscito a mangiarne tanta. A volte vorrei avere un cane, per potergli dare gli avanzi. Non sarebbe male. Forse se andiamo da un'altra parte e ricominciamo da capo in una città più grande, posso chiedere alla mamma se mi compra un cane.

24

Il mattino dopo la spiacevole sorpresa avuta a Chicago, Diane si trascinò fuori dal letto e scoprì che aveva dormito fino a tardi. David era già andato a scuola. Lei sospirò. Era una fortuna che suo figlio fosse abbastanza grande da sapersi arrangiare da solo. Le condizioni di salute del ragazzo non erano rassicuranti e Diane si preoccupava del suo futuro, ma se non altro David aveva un cervello che gli permetteva di superare ogni ostacolo.

Diane andò in bagno e si guardò allo specchio. Era un orrore. Non poteva credere che l'immagine che vedeva riflessa fosse la sua: borse sotto gli occhi arrossati, capelli spettinati... Poi si ricordò che prima di andare a letto aveva bevuto un'intera bottiglia di vino. Le scritte che aveva trovato sulla porta quando era tornata a casa avrebbero fatto venire a chiunque la voglia di ubriacarsi.

All'inferno tutti quanti.

Indossò un accappatoio che stava diventando sempre più consunto e andò in cucina a preparare il caffè, con la vista annebbiata. Quando fu pronto, se ne versò una tazza piena e andò in salotto. Accese il televisore e si sedette sul divano.

Era in onda un notiziario. Diane ascoltò distrattamente il ronzio della voce dello speaker che parlava del presidente, di crisi all'estero, di problemi nel paese. Poi fu il momento delle notizie locali e Diane vide apparire la propria foto sullo schermo. Sotto di essa, una didascalia diceva:

LA MAMMA PORNOSTAR: DIANE BOSTON

Diane tornò immediatamente in sé.

"Nuovi sviluppi nella vicenda della cosiddetta 'Mamma Pornostar' di Lincoln Grove, nei dintorni di Chicago", stava dicendo lo speaker. "Diane Boston si appresterebbe a fare causa al Lincoln Grove School District per sospensione illecita. Secondo le nostre fonti, il consiglio d'istituto ha concesso alla signora Boston una settimana per scagionarsi dall'accusa di essere apparsa in alcuni film per adulti alla fine degli anni Settanta. Al rifiuto della signora Boston, il consiglio ha approfondito la questione. L'insegnante ha smentito le accuse, ma non sembra avere intenzione di dimostrarne la falsità."

Sullo schermo apparve nientemeno che Peter Davis, davanti a un reporter che protendeva un microfono verso di lui. La didascalia diceva:

PETER DAVIS, INSEGNANTE – LINCOLN HIGH SCHOOL

"Lavoro con la signora Boston al dipartimento di Scienze sociali", disse Davis. "È chiaro che siamo rimasti sconvolti dalle accuse. Il punto è: se non ha niente da nascondere, perché non ci fa vedere questa 'sorella gemella' che dice di avere? È molto strano. La mia opinione è che se la sia inventata."

"Vaffanculo", mormorò Diane, rivolta al televisore.

Sullo schermo riapparve lo speaker. "Channel 7 ha saputo inoltre che l'ex marito della signora Boston, il concessionario Greg Boston, ha richiesto la custodia del loro figlio. Vi terremo informati sui prossimi sviluppi."

Diane afferrò il telecomando e spense il televisore.

Non sarebbe stato molto facile andarsene. C'erano tutte quelle stronzate legali di cui occuparsi, a partire dalla battaglia legale con Greg, che le imponeva di restare a Lincoln Grove. Ma Diane cominciava a chiedersi se valesse la pena di portare avanti quella con il consiglio d'istituto. Certo, era una questione di principio, ma ormai lei per prima dava per perso il posto alla Lincoln High School.

Dopo quello che era successo, non avrebbe più potuto tornare in quei corridoi e riprendere il suo ruolo di insegnante dell'anno come se niente fosse. Di sicuro parecchi studenti sarebbero stati dalla sua parte e qualcuno avrebbe anche pensato che era una "figata" avere una professoressa che aveva girato pornofilm. Ma non era in quel modo che voleva essere considerata.

Maledizione, non è neanche vero!

Ma non poteva fare niente, a parte starsene seduta a bere il caffè e ad autocommiserarsi.

David non sapeva come avesse fatto a essere presente a tutte le lezioni di quel giorno, ma in qualche modo c'era riuscito. Anche se la sua testa era da tutt'altra parte e l'insegnante di matematica aveva dovuto richiamare la sua attenzione in classe: "Signor Boston, la smetta di sognare a occhi aperti", gli aveva detto il professore.

Non era troppo grave come rimprovero. Lo sapevano tutti che cosa stava passando David. Ma questo non aveva diminuito il suo imbarazzo e lo aveva fatto arrabbiare. Tutti si erano voltati verso di lui. Non era solo il figlio della mamma pornostar, era anche quello che si era picchiato con Matt Shamrock ed era finito al tappeto. Su questo punto i suoi compagni potevano simpatizzare con lui: il bullo della scuola non era simpatico a nessuno, a parte i membri della sua banda. Ma in realtà più che di simpatia doveva trattarsi di pietà. Era più probabile che pensassero tutti: "Povero coglione."

Quanto alla reputazione di figlio della mamma pornostar, la situazione si faceva sempre più umiliante. Poteva sentire i bisbiglii alle sue spalle e le risatine quando passava per i corridoi. Aveva persino trovato un foglio di carta appiccicato allo sportello del suo armadietto. Sopra c'era scritto il suo nuovo soprannome:

PORNO BOY

Doveva essere stato coniato da Matt Shamrock o da uno dei suoi fiancheggiatori. Anche se il bullo era stato sospeso, i suoi fan erano ancora a scuola. A pranzo uno del gruppo aveva chiamato David "Porno Boy" e tutti quelli al suo tavolo erano scoppiati a ridere. Più si faceva vedere in giro, più si demoralizzava.

Dopo il trillo dell'ultima campanella, era sgattaiolato da un'uscita laterale e aveva attraversato di corsa il parcheggio. Voleva evitare di incrociare la banda di Shamrock, nel caso avessero deciso di procedere a una rappresaglia per la sospensione del loro leader. Quando fu a un isolato di distanza, lontano dagli altri ragazzi, David sospirò di sollievo. Ma non poteva andare avanti così. Le cose dovevano cambiare, e presto.

"Ehi, Porno Boy!"

Era proprio davanti a lui. David, che camminava a testa bassa, non se n'era accorto. Eccolo lì, a una decina di metri da lui.

La Cosa.

"È di nuovo tempo di botte, amico", disse Matt Shamrock, avanzando verso di lui. "Mi hai fatto sospendere e adesso *me la paghi.*"

David non era in vena di ripetere l'esperienza del giorno prima. Il cuore aveva già cominciato ad accelerare e si sentiva girare la testa. Mise le mani avanti e disse: "Senti, Matt, andiamo, lascia..."

Ma prima che potesse completare il suo invito alla pace, Matt lo colpì con violenza al torace. David finì sul marciapiede, cadendo nuovamente sullo zaino. L'altro ne approfittò per dargli un calcio a una gamba.

"Alzati, pisciasotto. O devo continuare a prenderti a calci mentre sei a terra?" lo incalzò Matt.

David non aveva intenzione di alzarsi. Serrò le palpebre e si preparò al supplizio. Forse, se teneva gli occhi chiusi, il suo persecutore sarebbe sparito per magia, come in un brutto sogno.

"Che succede qui?"

Era una voce maschile, che David non riconobbe. Veniva dall'altro lato della strada, ma era abbastanza forte da sentirsi bene. Il ragazzo aprì gli occhi e alzò lo sguardo. Matt Shamrock si era voltato verso l'uomo che aveva parlato, in piedi accanto a un furgone bianco. Era un individuo che non passava inosservato: alto, con i capelli biondi lunghi fino alle spalle e vestito interamente di nero. Il dettaglio più caratteristico era una benda su un occhio. L'uomo attraversò la strada e raggiunse i due ragazzi. Si rivolse a Shamrock. "Te la prendi sempre con quelli meno grossi di te?"

Il bullo sghignazzò. "Meno grossi? L'hai visto quanto è alto, lui? E poi tu chi cazzo sei?"

La mano dello sconosciuto gli assestò un manrovescio così fulmineo che Matt non fece nemmeno in tempo a vederlo arrivare. Ma il suono riecheggiò nell'aria intorno a loro.

"Ahia", fece Shamrock, indietreggiando.

"Attento a come parli, ragazzo", fece l'uomo. "Sarà anche più alto di te, ma sai benissimo che tu sei più forte. Non può farcela contro di te. Perché non te ne trovi uno della tua taglia? Vattene, levati di torno."

Shamrock non sapeva che cosa pensare. Indietreggiò ancora, poi si voltò e corse via.

L'uomo tese una mano a David. "Posso aiutarti, figliolo?" chiese gentilmente.

David, esitante, prese la mano e si lasciò aiutare a rimettersi in piedi. "Grazie, signore."

"Di niente. Passavo di qui. Quel tipo se la prende con te?"

"Uh-huh. È un vero bastardo."

L'uomo ridacchiò. "L'hai detto, figliolo, l'hai detto. Senti, vuoi un passaggio fino a casa? Ho qui il mio furgone. Mi sembri piuttosto scosso."

David si sentiva effettivamente piuttosto stordito. Il cuore gli batteva all'impazzata da alcuni minuti e temeva che sarebbe svenuto di nuovo. E il biondo, anche se a guardarlo faceva paura, sembrava molto gentile. Dopotutto, lo aveva appena salvato. "Non so..."

"Oh, capisco." L'uomo rise. "Non dovresti accettare passaggi dagli sconosciuti, vero?"

"Be', sì."

"Mi chiamo Emo. E tu?" Gli strinse la mano.

"David", si presentò il ragazzo.

"Be', David, adesso non sono più uno sconosciuto, no?"

"Ho idea di no."

"Forza. Può darsi che il bastardo ti aspetti più avanti per finire quello che ha cominciato. Ti porto a casa io. Non è lontano, immagino."

"No, solo qualche isolato, verso il centro. Dove ci sono gli appartamenti."

"Devo esserci passato davanti poco fa. Vieni, fra poco sei a casa."

Il ragazzo seguì Emo dall'altra parte della strada.

L'uomo aprì la portiera del furgone, uno Chevrolet Astro Cargo RWD. "Salta su."

David si mise sul sedile del passeggero.

Emo chiuse la portiera e girò intorno al furgone, guardandosi intorno. Vide che stavano arrivando altri ragazzi usciti dalla scuola, ma nessuno faceva caso a loro. David era uscito cinque minuti prima di tutti gli altri.

Non li avevano visti.

L'uomo salì a bordo, chiuse la portiera e premette un bottone. Un *click* risuonò nell'abitacolo. David ebbe la sgradevole impressione che stesse capitando qualcosa di brutto. Che Emo avesse bloccato tutte le portiere? Poi notò che a parte i finestrini del passeggero, del guidatore e il parabrezza, tutti gli altri vetri erano coperti da solidi pannelli bianchi.

"Metti la cintura, David", raccomandò Emo, avviando il motore. "Lo dice la legge, sai."

David obbedì. "Senti... Emo, posso anche andare a piedi. È okay, non c'è bisogno che..."

"Macché. Ci vorrà un attimo. Mettiti comodo e tra poco

sei a casa."

Il furgone partì e percorse i sei isolati verso il centro di Lincoln Grove. David indicò casa sua. "Ecco, siamo arrivati. Puoi fermarti qui."

Ma Emo tirò dritto.

David alzò la voce. "Che cosa fai? Ho detto che..." E in quel momento capì che l'uomo non lo stava neppure ascoltando.

Più veloce che poté, David si liberò della cintura di sicurezza e tirò la maniglia della portiera. Come temeva, era bloccata.

"Te lo ripeto, David", disse Emo Tuff, "è meglio se ti allacci la cintura. Lo dice la legge."

25

Doveva trovarsi un nuovo ricettatore.

Diane si pose il dilemma quando uscì dall'ufficio di Scotty Lewis, dopo avere discusso la strategia per le imminenti battaglie legali. L'avvocato aveva richiesto l'aiuto di un collega di Chicago: non si fidava ad affrontare da solo la questione del consiglio d'istituto. Il nuovo avvocato di chiamava K. R. Harp e di lì a qualche giorno era fissato un incontro preliminare fra loro tre. Le tariffe di Harp erano spaventosamente alte e Diane sapeva che non avrebbe potuto pagare l'anticipo se non avesse venduto al più presto altri diamanti.

Era il tardo pomeriggio quando rientrò a casa. Entrò in cucina dal garage e chiamò: "David?" Non ebbe risposta e andò verso la camera del figlio, aspettandosi di trovare la porta chiusa e sentire musica all'interno. Ma la porta era aperta. David non era nell'appartamento.

Doveva essere in giro con Billy Davis, concluse. Sarebbe tornato per cena.

Darren Marshall appoggiò sul tavolo un registratore portatile digitale e chiese: "Le spiace se registro la conversazione?"

"No, faccia pure", disse il suo interlocutore.

Marshall accese l'apparecchio, registrò data e ora e annunciò: "Sono seduto da Starbucks con il signor Eric Gilliam, che ha accettato di rispondere ad alcune domande sui suoi giorni all'Erotica Selecta Films." Si rivolse all'uomo dall'altra parte del tavolo. "Dica qualcosa, così posso regolare il volume."

L'uomo disse: "Le rose sono rosse, le viole sono blu, è dolce la sua fica, le tette ancor di più."

Eric Gilliam, cinquantun anni, aveva un fisico muscoloso e in buona forma. Con i capelli color sabbia e gli occhi azzurri, aveva l'aspetto di un patito del surf, abbronzato, ben rasato e tatuato. Ancora dotato di un certo fascino, Gilliam era una figura chiave nell'industria dei film per adulti, nella quale lavorava dagli anni Settanta. In quel campo, tutti lo conoscevano come Pete Rod. Nei primi anni Novanta aveva creato la sua linea di porno amatoriali, che aveva fatto di lui un uomo ricco.

"Signor Gilliam, mi racconti come è entrato nel mondo del porno e quando ha conosciuto Dana Barnett", disse il giornalista.

Gilliam si passò una mano su una guancia. "Credo di avere conosciuto Dana... nel 1977. Lavoravo per Valentine da circa un anno. Aveva fondato la Erotica Selecta nel... 1975?"

"Esatto."

"Be', ho cominciato a girare porno alla fine del '75. La mia presunta carriera a Hollywood non decollava: avevo girato due filmetti del cavolo, roba di teenager sulla spiaggia, in cui non avevo neanche una battuta. Qualcuno mi aveva consigliato di fare da modello, sa, per le lezioni di arte. L'ho fatto per un po'. Così qualcun altro mi ha chiesto di posare nudo per una rivista gay. Pagavano bene e ho fatto anche questo, anche se non sono gay. E poi mi presero per girare dei *loop*."

"All'epoca i porno erano su pellicola", rammentò Marshall.

"Infatti. C'erano i lungometraggi che uscivano da un gruppo ristretto di produttori, soprattutto a San Francisco anche se ce n'erano parecchi anche a Los Angeles. Altre compagnie facevano i *loop*, cortometraggi da dieci o venti minuti che passavano nelle cabine dei peep show e dei sexy shop, sa com'è?"

"Lo so."

"Ecco, io avevo fatto qualche *loop* per la Erotica Selecta. Aaron Valentine puntava ai lungometraggi e io ho partecipato ai suoi primi due, *Dormitorio per classi miste* e *Quel pomeriggio di un giorno da cagne*. E un giorno Dana Barnett è comparsa allo studio come coprotagonista del mio terzo film, *Le bionde se la godono di più*. C'erano anche Karen Klinger, Jerry Zork e mia sorella."

"Angel Babe?"

"Sì, Angela." L'espressione di Gilliam lasciava intendere che non aveva voglia di parlare della sorella. Bevve un sorso di caffè.

"Che tipo era Dana?"

"Sveglia", rispose Gilliam. "Bella e sveglia. Nient'affatto la solita 'bella ma scema'. Avevo la sensazione che avrebbe potuto fare tutto quello che voleva. Un sacco di attrici entrano nel giro del porno perché hanno la merda al posto del cervello. Dana avrebbe potuto diventare avvocato, tanto era sveglia. Non ho idea del perché si fosse data al porno. Credo che scappasse dal suo passato, qualunque fosse. Non ne parlava mai. Angela mi ha detto una volta che Dana aveva perso i genitori da piccola ed era cresciuta nel Texas con gli zii. Ho il sospetto che lo zio avesse abusato di lei, ma non ne sono sicuro."

"Sa dove?"

Gilliam si passò ancora una mano sulla guancia. "Una cittadina da qualche parte nel West Texas. Forse mi viene in mente, ci devo pensare."

"Ha avuto una relazione con Dana al di fuori dei film?"

"Eravamo grandi amici. Ma Dana si è messa subito con Angela. Hanno simpatizzato a tempo di record. C'era una scena lesbo ne *La banda dei cuori solitari del sergente Pisello*[15]: da quel momento hanno fatto coppia fissa. Sono andate a vivere insieme e non si sono mai lasciate. Fino alla loro sparizione, tre anni dopo."

"Secondo lei Dana era lesbica o bisessuale?"

"Immagino che fosse bisex, ma di fatto preferiva le

ragazze. E Angela era la sua preferita in assoluto. Ma uscivamo spesso insieme tutti e tre. Angela e io eravamo molto uniti ed era naturale. Se avevo una ragazza, uscivamo in quattro."

"Pensa che Dana fosse attratta da Angel Babe... ehm, Angela, perché era bionda?"

"Accidenti, non lo so", rispose Gilliam. "Forse. Si somigliavano molto e gli piaceva fingere di essere sorelle. Tre o quattro volte hanno fatto la parte delle sorelle nei film. Quello era uno dei punti di forza della Erotica Selecta."

Marshall prese un paio di appunti sul suo block-notes e chiese: "Quando ha cominciato a pensare che all'Erotica Selecta non fosse tutto rose e fiori? E quando sono cominciate le sparizioni e gli omicidi?"

Gilliam si accigliò. "Sa, non è stato mai provato niente. La polizia ha abbandonato tutte le indagini. Valentine è stato interrogato qualche volta, ma non è mai stato accusato. Quindi quello che sto per dire sono solo congetture. Non deve scrivere che sono mie dichiarazioni."

"Capisco."

"Julie Titman è scomparsa nel 1978, intorno al Giorno del Ringraziamento. Se la ricorda?"

"Sì."

"Una brunetta deliziosa, con un sorriso dolcissimo. Ecco... da un giorno all'altro non si è più vista. Dopo un po' qualcuno è andato a cercarla a casa sua. Non ce n'era più traccia. C'erano ancora le sue cose, ma la macchina era sparita. È stata denunciata la sua scomparsa."

"E sei mesi dopo è stato trovato il suo cadavere nel deserto."

"Già. O almeno hanno *pensato* che fosse lei. C'erano solo le ossa e mancava la testa. I vestiti sullo scheletro potevano essere di Julie, così hanno detto. Nessuno è mai stato accusato dell'omicidio."

"Lei che cosa pensa sia successo?"

"Julie stava discutendo con Aaron per via del suo

contratto", raccontò Gilliam. "Valentine è un figlio di puttana bastardo e senza cuore. È un sadico. Gli piace controllare la gente. Ha tenuto in pugno anche me per molti anni, minacciandomi ogni volta che cercavo di sciogliere il contratto. Sono rimasto con lui fino a quando è scaduto e poi non l'ho rinnovato. Stiamo parlando del 1983. Ho lavorato per altri studios e nel 1990 ho aperto la mia compagnia. A Valentine non è piaciuto, ma me ne sono andato senza conflitti. Per tutto il tempo ho tenuto duro: anche se sospettavo che avesse ucciso mia sorella. Ma non ne ho mai parlato con lui."

"Come sono i suoi rapporti con Valentine, adesso?"

"Professionalmente cordiali. Lui rispetta quello che ho fatto della mia carriera. Mi sono fatto una posizione nel mondo del porno e gli piace pensare che è stato lui a scoprirmi. Ogni tanto mi invita alle sue feste. Andiamo abbastanza d'accordo."

"Che cos'altro le fa sospettare che Valentine sia un assassino?"

"Be', dopo la scomparsa di Julie, ogni tanto qualcuno dei suoi attori spariva: erano tutte star che volevano andarsene o cose del genere. Un altro corpo è stato scoperto nel deserto, nel 1979, lo sa? Si pensa che fosse Paul Stud. Hanno trovato solo un mucchietto di ossa e i denti corrispondevano alla cartella dentistica di Paul. Brenda de Blaze, che in realtà si chiamava Karen Andrews, è scomparsa anche lei nel 1979: hanno trovato il suo corpo nella Death Valley. Il caso fu classificato ufficialmente come omicidio, anche se nessuno è mai stato accusato. Ma tirava un'aria molto strana all'Erotica Selecta. Correva voce che, se non rigavi dritto, Valentine ti bruciava nell'inceneritore del suo magazzino. Lui però manteneva la sua facciata glamour: si era trasferito in quella sua grande proprietà e aveva cominciato a dare le sue feste stravaganti. Alcuni suoi film avevano un grosso successo e lui faceva soldi a palate."

"Ed è diventato uno dei re del porno."

"Già."

"Pensa che ci fosse di mezzo la mafia?" chiese Marshall.

"Assolutamente. A casa di Valentine e agli studios c'erano sempre tre italiani viscidi che sembravano usciti da *Il padrino*, a parte i vestiti pacchiani stile Las Vegas. Non era un segreto che la mafia della West Coast controllava tutta la distribuzione di film e prodotti vari. Avevano interessi nei sexy shop e nei peep show, con tutta la merce relativa. Non c'è dubbio che c'era di mezzo il crimine organizzato. Non come oggi. Adesso è tutto legale. La mia compagnia è pulita, io pago le tasse e nessuno mi disturba. Può ancora esserci un elemento criminale in qualche giro, ma non nella produzione porno in generale. Quella è roba del passato." Gilliam abbassò la voce e aggiunse: "Anche se credo che Valentine faccia ancora lingua in bocca con quella gente."

"Avrà sentito che Dana Barnett è ancora viva e sta nell'Illinois."

"Sì, l'ho sentito."

"Che cosa ne pensa?"

"Non lo so. Per tutto questo tempo ho creduto che fosse morta. Lei e Angela. Sono scomparse insieme. Mi piacerebbe farle qualche domanda... tipo che cazzo di fine ha fatto mia sorella."

"Pare che la donna nell'Illinois dichiari di non essere Dana Barnett, ma la sua sorella gemella. Ci crede?"

"Glielo dico io. Dana non ha mai parlato di una sorella gemella. Non ci credo neanche un momento. Ho visto le foto e sono sicuro che è Dana."

"Grazie, signor Gilliam." Marshall spense il registratore.

All'ora di cena David non era ancora tornato a casa e la madre cominciò a preoccuparsi. Erano d'accordo che doveva tornare sempre entro quell'ora e che, se ci fosse stato qualche problema, l'avrebbe chiamata.

Diane prese il telefono e chiamò il numero della casa di Billy Davis. Sfortunatamente fu il padre a rispondere.

"Peter, sono Diane", disse lei, concitata. "David è lì?"

"Oh, ciao, Diane", fece Davis, allegro. "Come va la vita?"

"Peter, David è lì?" ripeté lei, con una sfumatura di impazienza nella voce.

"No, non c'è. Per dirla tutta, Billy non ha più voglia di vederlo, Diane. Non so immaginare perché."

Lascia perdere il sarcasmo, stronzo. "Grazie", disse lei, e riagganciò. *Dove sarà finito?*

Compose il numero della Boston Ford. Le rispose l'odiata segretaria.

"Tina, c'è Greg?"

"Oh, salve, signora Boston", la salutò la ragazza, con la sua solita vocetta dolce. "No, oggi non è venuto. Anzi, non è venuto neanche ieri. Non sappiamo dov'è."

"Sul serio? È strano", disse Diane. "È a casa?"

"Non risponde al telefono, signora Boston."

"Ho capito. Be', gli lasci un messaggio, se chiama. Gli dica di chiamarmi. Riguarda David."

"Senz'altro", disse Tina, con un tono garrulo che Diane detestava. Sembrava che la ragazza (non le veniva da considerarla una donna) stesse ridendo alle sue spalle. In fondo lo facevano tutti, quindi perché non l'amante dell'ex marito?

Diane riappese il ricevitore e tamburellò con le dita sul banco della cucina. Poi andò in garage, aprì la porta basculante e salì in macchina. Passò la mezz'ora successiva vagando per il quartiere in cerca del figlio. Girò intorno alla sua scuola, senza vederne nemmeno l'ombra.

Alle sette e mezza cominciava a essere seriamente preoccupata. Tornò a casa: David non era ancora rientrato. Prese il telefono e chiamò l'ex marito a casa. Le rispose la segreteria telefonica.

"Salve, sono Greg. Lasciate un messaggio", disse la voce.

Dopo il *beep* lei disse: "Greg, sono Diane. Senti, sono le sette e trenta e non so dove sia David. Quando senti questo messaggio chiamami, per favore."

Poi si chiese che cos'altro avrebbe potuto fare, a parte tormentarsi. Stava pensando di accendere il televisore, ma in quel momento il telefono squillò sonoro, facendola sobbalzare.

Rispose: "Pronto?"

"Pronto, Dana?"

Era una voce maschile. Sicura di sé. Sinistra.

"Ha sbagliato numero", disse lei.

Diane stava per togliere la comunicazione quando la voce replicò: "Aspetta, *signora Boston.*"

Doveva essere uno scherzo telefonico. "Non mi chiami più."

"Metti giù e non vedrai mai più David", si affrettò a dire l'uomo.

Aveva catturato l'attenzione di Diane.

"Che cosa ha detto?"

"David è al sicuro. Non devi chiamare la polizia, mi hai capito?"

Oh, mio Dio. Mi hanno trovato. Hanno trovato me e David. Oh, mio Dio!

"Mi hai capito, Dana?" chiese di nuovo lo sconosciuto.

"Non sono Dana ma... sì, ho capito", rispose lei, con voce tremula.

"A David non succederà niente, se fai quello che ti dico."

"Gli posso parlare?"

"Non è possibile. Non è con me. È con qualcun altro."

"Con chi?"

"Dovresti saperlo. Io ho un messaggio da darti e tu devi fare molta attenzione se vuoi rivedere vivo tuo figlio."

"Quale messaggio?"

"Aaron Valentine vuole avere il piacere della tua compagnia. A casa sua. Appena puoi arrivarci. Tutto qui."

Lo sconosciuto riappese.

Diane rimase immobile fino a quando udì il tono continuo. Lasciò cadere il ricevitore sulla forcella e cominciò a tremare senza controllo.

"David", singhiozzò, mentre le lacrime le rigavano le guance. "David, mi dispiace... David..."

26

Il furgone oltrepassò il confine con l'Iowa al tramonto. Nelle ore trascorse dal suo rapimento, David aveva considerato attentamente le sue possibilità. Non che fossero molte, purtroppo. Mentre viaggiavano, l'uomo chiamato Emo teneva porte e finestrini bloccati e neanche con un'acrobazia da stuntman il ragazzo avrebbe potuto buttarsi dal veicolo in corsa. La sua unica speranza era di scappare nel momento in cui si fossero fermati. Perché si sarebbero dovuti fermare, no? Per andare in bagno o per fare benzina. E poi, dove diavolo stavano andando?"

"Dove stiamo andando?" chiese il ragazzo.

"A Hollywood, David", rispose Emo. "Ci sei mai stato a Hollywood?"

"No."

"La Città degli Angeli. Ti piacerà."

"Quanto ci vuole ad arrivare?"

"Solo un paio di giorni. Non ho bisogno di dormire molto, sai? Posso guidare per ore e ore. Ci fermeremo ogni tanto per mangiare e fare il pieno. Non preoccuparti. Arriverai sano e salvo."

"Non mi preoccupo", disse David. In realtà si preoccupava, e molto. La medicina che doveva prendere per la sindrome di Marfan era a casa. Doveva stare attento a non agitarsi troppo. "Perché andiamo a Hollywood?"

"C'è un uomo laggiù che vuole vedere tua madre. Ha

pensato che questo fosse l'unico modo per farla andare da lui."

"Non mi farai del male, vero?"

Emo sorrise. "Nooo, non ti farò del male, David." Si girò e gli rivolse una sguardo freddo. "A meno che non sia necessario."

Un brivido percorse la schiena di David. Ora aveva la certezza che Emo fosse un individuo pericoloso. Fino a quel momento si era mostrato gentile, ma era chiaro che dietro l'apparenza amichevole si nascondeva un uomo malvagio. Aveva persino l'aspetto di un pirata. E lo aveva sequestrato in pieno giorno. *No*, si disse David, *quest'uomo non è un amico.*

"Mi è venuta in mente una cosa, David", disse Emo.

"Cosa?"

"Hai un cellulare?"

David ne avrebbe voluto uno, in quel momento. "No."

Emo fece un cenno di approvazione. "Bene."

Il furgone passò un segnale che annunciava una stazione di servizio. David pensò: *Ora o mai più.* Disse: "Devo andare in bagno."

"Di già? Non puoi aspettare quando devo fare benzina?"

"No."

Emo fece una smorfia e passò sulla corsia di destra. "Stammi a sentire, David. Dobbiamo stabilire delle regole. Capito?"

"Sì."

"Non cercare di allontanarti da me. Ti assicuro che poi ti riprendo. E in questo caso non potrò mantenere la mia parola e sarò costretto a farti del male. Se cerchi di parlare con un poliziotto o con chiunque altro, mi arrabbio di brutto. Se cerchi di scappare, mi arrabbio di brutto. E non ti piacerebbe vedermi arrabbiato, hai capito?"

"Sì."

"Bravo."

Il furgone imboccò l'uscita e lasciò l'autostrada. In fondo alla rampa c'era una stazione Amoco con un negozio. Emo parcheggiò su un lato dell'edificio. Non c'erano altri clienti.

"Il bagno è dentro. Ti accompagno. Se fai il bravo ti compro una merendina."

"Non dovrei accettare merendine dagli sconosciuti", disse David.

I loro sguardi si incrociarono e un sorriso si disegnò sulla bocca del ragazzo.

Emo rise. "Benissimo, David! Questa era buona." Premette il pulsante per sbloccare le portiere. Scesero dal furgone ed entrarono nel negozio.

Dietro il banco c'era un omone nero. Aveva l'aria di essersi svegliato al loro ingresso. L'uomo li guardò, ma non sembrò notare niente di sospetto. Potevano essere padre e figlio. Anche se il padre era davvero un tipo strano.

"Dov'è il bagno?" chiese Emo.

L'uomo fece un gesto verso il fondo del negozio. C'era un cartello UOMINI/DONNE vicino al distributore automatico del caffè. Emo indicò la porta al ragazzo e gli disse: "Ti aspetto qui."

David aprì la porta con la scritta UOMINI, entrò e la richiuse a chiave. Il bagno era una stanzetta con un gabinetto e un lavabo. E una finestra.

Lui era abbastanza alto da arrivarci. Non era molto grande, una finestra rettangolare incernierata sul lato superiore, per arieggiare il bagno. Si apriva con una maniglia in basso. Forse lui avrebbe potuto arrampicarsi fin lassù e passarci attraverso.

David si guardò intorno e stabilì che l'unico oggetto utile era il piccolo bidone dei rifiuti. Lo prese, lo capovolse e lo sistemò sotto la finestra. Vi salì sopra e arrivò agevolmente alla maniglia. Sulle prime non riuscì a muoverla: era bloccata. Vi si appese con tutto il suo peso, sperando che la gravità lo aiutasse. La maniglia si mosse appena, mentre David si spenzolava nel vuoto. E infine cedette con uno scricchiolio. Il ragazzo cadde sul pavimento, urtando il bidone che andò a sbattere contro il muro.

Sentì bussare alla porta. "David, tutto bene?"

"Sì."

"Che stai facendo?"

"Mi manca il numero due. Un minuto e arrivo."

"Okay. Sbrigati."

David si rialzò silenziosamente e rimise in posizione il bidone dei rifiuti. Vi risalì e aprì la finestra più che poteva. Ora veniva la parte più difficile.

Si aggrappò al davanzale e si issò sul muro, cercando di non sbuffare troppo forte. La suola delle sue scarpe da tennis gli fu di grande aiuto. Una volta passate la testa e le spalle, non doveva fare altro che sgusciare attraverso l'apertura. Il davanzale gli premeva fastidiosamente sul petto, ma lui strinse i denti e tenne duro. Non aveva alternative: non poteva far passare le sue lunghe gambe insieme al busto. Doveva per forza tuffarsi in avanti, di testa.

Ammortizzò la caduta con le mani in avanti. L'impatto sull'asfalto fu terribilmente doloroso. Fece una capriola scomposta e riuscì ad atterrare senza farsi troppo male.

Ce l'aveva fatta!

La finestra dava sul retro del negozio, dove si trovavano il cassonetto dei rifiuti e un pickup Ford, probabilmente del cassiere di turno. Di là dalla stazione di servizio c'era solamente un'enorme distesa di erba. Sull'altro lato c'era l'autostrada. David non poteva andare da quella parte. Dove avrebbe potuto nascondersi?

Il sole era tramontato e il prato era illuminato da tre quarti di luna. Forse, se fosse riuscito a distanziare il suo rapitore, questi non sarebbe riuscito a trovarlo nella semioscurità. Forse poteva nascondersi da qualche parte nel prato. Era rischioso, ma doveva provarci.

Si mise a correre.

All'interno del negozio, Emo Tuff si stava spazientendo. Bussò un'altra volta alla porta. "David, forza, dobbiamo andare."

Il ragazzo non rispose.

Tuff bussò altre due volte, poi andò dal cassiere. "Senta,

ce l'ha una chiave del bagno? Mio figlio è... uh, non sta bene. Non vorrei che fosse svenuto."

L'omone annuì e gli diede una chiave.

Tuff tornò alla porta e l'aprì.

"Merda", disse, vedendo il bagno vuoto, il bidone capovolto e la finestra aperta.

Attraversò di corsa il negozio, lanciò la chiave al cassiere e uscì in fretta dalla porta. Fece rapidamente il giro della stazione di servizio, fino a raggiungere il retro e trovò il punto in cui David doveva essersi buttato fuori dalla finestra. Si guardò intorno e intuì che il ragazzo poteva avere preso solo una direzione: il prato.

"David!" gridò.

Uno dei vantaggi dell'aver perso un occhio era che quello rimanente compensava per natura la mancanza di una visione 20/20. L'occhio buono di Emo Tuff vedeva eccezionalmente bene, anche al buio. Scandagliò l'orizzonte alla luce lunare e percepì un movimento a un centinaio di metri di distanza, a un angolo di trenta gradi. Il ragazzo stava scappando.

Tuff si lanciò all'inseguimento.

David avrebbe voluto chiedere aiuto, ma nessuno lo avrebbe sentito. Senza contare che ormai era senza fiato. Non ce l'avrebbe fatta ancora per molto: il suo cuore batteva forsennatamente e il torace gli doleva. Ma sentì Emo che lo chiamava. Non poteva fermarsi proprio adesso.

Per favore, per favore, un posto in cui nascondersi!

Continuò a correre, ma il suo passo rallentava. I suoi polmoni agonizzavano ogni volta che cercava di inspirare una boccata d'aria. Era ciò che succedeva quando il suo cuore doveva fare gli straordinari: non aveva abbastanza ossigeno e sveniva.

No! Quello no!

Un dolore lancinante gli lacerò il petto. Inciampò e cadde. Non si era sentito così fin da bambino, quando si era scoperto il suo problema cardiaco. E stava facendo proprio ciò che il dottore gli aveva proibito: esagerare con gli sforzi. Aveva disperatamente bisogno della sua medicina.

Rotolò sull'erba e rimase disteso a faccia in su, stringendosi la cassa toracica e tentando di respirare.

Fu in quella posizione che lo trovò Emo.

"Piccolo stronzo, adesso ti faccio vedere io", urlò l'uomo, chinandosi su di lui. Prese David per la camicia e strinse la mano a pugno, pronto a colpirlo alla mascella. Poi si rese conto che il ragazzo non stava bene.

"David! Che cazzo ti succede?"

Lui cercava di respirare e non riusciva a dire una parola. Guardò Emo con gli occhi sgranati, il bianco che brillava alla luce della luna.

Accortosi che il ragazzo si stava premendo le mani sulla cassa toracica, l'uomo chiese: "Che succede? È il cuore? Fai cenno con la testa per dire sì."

David annuì.

"Okay, calmati. Mettiti a sedere." Emo lo aiutò. "Rilassati. Non ti faccio niente, David."

Ma il ragazzo aveva perso conoscenza e gli si accasciò tra le braccia.

"Oh, merda. Non mi crepare, stupido ragazzo." Valentine avrebbe voluto la sua pelle se David fosse morto durante il viaggio verso la California. Tuff guardò indietro, verso la stazione di servizio. Niente lasciava pensare che il cassiere li avesse seguiti fuori dal negozio.

Prese tra le braccia il corpo inerte del ragazzo e, attraversando il prato, lo portò di peso al furgone. Aprì la portiera e mise David sul sedile posteriore, facendogli passare la cintura di sicurezza intorno alla vita. Poi chiuse la portiera, fece scattare le serrature e andò a sbirciare dai vetri del negozio, per controllare che cosa stesse facendo il cassiere.

L'omone aveva gli occhi chiusi, i gomiti sul banco e la testa appoggiata sulle mani.

Tuff tornò al furgone, si mise al volante, avviò il motore e ripartì verso l'autostrada.

27

Diane lasciò la Honda nel parcheggio vicino alla banca. Scese dalla macchina con la borsetta e un sacchetto di plastica contenente alcuni asciugamani. Entrò e si diresse verso il primo sportello libero.

"Vorrei andare alla mia cassetta di sicurezza, per favore", disse con voce calma.

"Subito", disse l'impiegato. "Mi servono un documento e la sua tessera."

Diane prese l'uno e l'altra dalla borsetta e glieli porse. L'impiegato fece un cenno a uno dei due uomini seduti alle scrivanie nella sala. Questi, con molto sussiego, si presentò a Diane. "L'accompagno, signora. Da questa parte." Le fece strada di là dalle porte di sicurezza, in una stanzetta sorprendentemente piccola in cui erano alloggiate le cassette. Aprì lo sportello corrispondente, estrasse il contenitore e lo consegnò a Diane. Poi la condusse in un'altra saletta, con un tavolo e un paio di sedie.

"Qui potrà avere un po' di privacy", le disse.

"Grazie."

L'uomo indicò un telefono sul tavolo. "Se le serve aiuto, prema 7." Chiuse la porta, lasciandola sola con il contenitore metallico, lungo e stretto.

Diane lo aprì con cautela e vide che tutto era come lo aveva lasciato... quando? Tre mesi prima. Sembrava un'eternità.

Sollevò la pesante borsa di velluto nero e sciolse i lacci.

Rovesciò i diamanti sul tavolo e li contò, valutando quanto avrebbe potuto ricavarne se fosse andata da un gioielliere onesto. In effetti, non ne aveva idea. Era abituata ai prezzi da mercato nero di Moses Rabinowitz e non sapeva immaginare quanto potessero valere in una vendita legale. Forse in California sarebbe riuscita a trovare un ricettatore in grado di offrirle cifre ragionevoli. Se i suoi piani avessero funzionato, qualcuno che conosceva avrebbe potuto indirizzarla nella direzione giusta.

Diane raccolse i diamanti e li rimise nella borsa. La soppesò nella mano sinistra, riflettendo su quel giorno fatale in cui ne era venuta in possesso e quella spaventosa telefonata che le era arrivata a mezzanotte...

"Pronto?"

"... Aiutami..."

"Sweetie? Cosa c'è? Mi sembri..."

"Ti prego..."

"Dove sei?"

"... Magazzino..."

"Mio Dio, che è successo? Sweetie?"

"... Sparato..."

"Cosa? Non ti sento! Hai detto...?"

Poi la linea cadde.

Sparato.

Era quella l'ultima parola che le aveva sentito pronunciare. Scese dal letto, si vestì frettolosamente e si precipitò al magazzino di Valentine. Il posto era ben illuminato, ma vi regnava un silenzio irreale. Diane trovò una finestra, vicino all'area di carico e scarico da cui passavano sempre Valentine e i suoi uomini. Entrò da lì.

Temeva di scoprire qualcosa di terribile in quel vecchio e spaventoso magazzino, ma non si sarebbe mai aspettata di trovare un simile scenario di sangue. Da ogni parte, corpi crivellati di proiettili. Quattro erano neri: Eduardo, disteso di schiena sul cemento, il petto lacerato dalle raffiche, e tre dei suoi uomini.

Diane chiamò la sorella. Non la vedeva. Dov'era finita?
Sua sorella.
Diane. Dana. Sorelle.
Chi era chi? Gli eventi di quella notte le si confondevano nella mente. Ciò che ricordava non era necessariamente accaduto. Oppure sì?
Che cosa era successo? Dov'era la sua Sweetie? Le piaceva chiamarla Sweetie. Non era il suo vero nome, ma la chiamava sempre così. Da piccole, le gemelle si chiamavano Sweetie a vicenda, giusto per divertirsi.

La testa le faceva male. Si portò una mano alla nuca e poi la esaminò. Era insanguinata. Come si era ferita? Lei non era stata presente al massacro: era a casa, a letto.

O no?

Guarda, pensò. C'era una scia di sangue sul pavimento. Forse doveva seguirla.

"Sweetie?" chiamò ancora, mentre seguiva la striscia rossa sul cemento, tra le pile di scatoloni che riempivano il magazzino. Diane la trovò in stato di incoscienza nel piccolo ufficio, vicino a un cumulo di videocassette che aspettavano di essere distribuite in tutto il paese. Sweetie aveva trovato un telefono sulla scrivania e aveva usato le sue energie residue per chiamarla.

Aveva una ferita d'arma da fuoco alla testa. I capelli biondi erano intrisi di sangue. Diane la esaminò attentamente e verificò che respirava ancora.

Devo chiamare aiuto, si disse. Ma forse se la sarebbero presa con lei. Sarebbero arrivati presto, questo era sicuro! Con un simile carnaio al magazzino, la prima cosa cui avrebbero pensato sarebbe stata la vendetta.

Diane trascinò Sweetie al centro del magazzino, dove i corpi di Eduardo e dei gangster neri giacevano sul cemento come bambole rotte. Sul tavolo c'era una valigetta aperta. Diane si fermò a guardare e le sfuggì un singhiozzo. Era piena di gemme rilucenti.

Diamanti.

Eduardo avrà un bel bottino questa sera.

Così aveva detto Sweetie.

Anche sotto shock dopo avere trovato sua sorella ferita alla testa, la vista di quelle pietre abbaglianti riusciva a toglierle il fiato.

Che cosa doveva fare? Poteva correre il rischio di portare Sweetie all'ospedale? *Pensa! Pensa!* Come poteva ribaltare quella situazione a loro favore?

L'inceneritore funzionava a pieno ritmo. Che si fossero liberati di qualcuno? Era lì che lo facevano, Diane lo sapeva. Se Valentine voleva disfarsi di qualcuno, Eduardo o uno dei suoi gettavano la vittima nell'inceneritore. Così non ne restava traccia.

Diane guardò l'inceneritore, poi sua sorella. Fu in quel momento che avvertì un dolore intenso alla nuca. Si toccò la testa e avvertì una sensazione di umidità appiccicosa.

Perché la sua testa stava sanguinando? Per un momento dovette appoggiarsi al tavolo per mantenere l'equilibrio. Poi ricordò a se stessa che doveva completare la missione.

Vicino alla mano destra di Eduardo c'era una pistola, una Colt 45. Diane la raccolse e la mise nella borsetta. Poi chiuse la valigetta con i diamanti e la prese con sé...

Era così che erano andate le cose, no? O almeno, questo era ciò che lei ricordava. Era passato tanto tempo che i dettagli si rimescolavano, come avveniva nei suoi sogni.

Meglio non pensare troppo a quella notte.

Diane si riscosse. Si rese conto di trovarsi nella saletta della banca. Aprì il sacchetto della spesa e vi mise dentro la borsa dei diamanti, avviluppata in un asciugamano.

Poi prese gli ultimi oggetti rimasti nel contenitore metallico: una Colt 45 e una scatola di munizioni. Esaminò la pistola per controllare che fosse carica e l'avvolse in un altro asciugamano insieme ai proiettili. In questo modo il contenuto del sacchetto era invisibile.

Poi Diane richiuse il contenitore e si alzò in piedi, pronta a lasciare la città. Ma prima c'era un'ultima cosa da fare.

L'ufficio di Scotty Lewis non era lontano. Diane guardò dentro dalla porta a vetri: la segretaria, Dolores, era al telefono. Non c'era nessun altro.

Quando Diane entrò, Dolores le rivolse un cenno di saluto e un sorriso. "Sì, dirò al signor Lewis di chiamarla appena è libero", stava dicendo al telefono. "Ah-hah. Arrivederla." Riappese il ricevitore. "Buongiorno, signora Boston. Come sta?"

"Bene, Dolores. C'è Scotty?"

"Sì, ma è con un cliente. Ha un appuntamento?" La segretaria corrugò la fronte e guardò l'agenda.

"No, non mi sta aspettando. Volevo solo dirgli una cosa veloce, poi devo andare. È possibile parlargli un momento?"

"Un attimo e vedo." Dolores prese il telefono e premette un tasto. "Scotty? C'è qui la signora Boston che deve dirti una cosa... No, non credo... Va bene... Okay, glielo dico." Riappese e disse: "Adesso esce."

Diane non si sedette. Preferiva guardare la strada attraverso la vetrata. Non c'era molta attività, per essere la mattina di un giorno feriale. Ma in fondo che cosa ne sapeva lei? Di solito a quell'ora era in aula.

"Diane?" L'avvocato era uscito dall'ufficio.

Lei si voltò. "Ciao, Scotty. Senti, non ti faccio perdere tempo. Devo lasciare la città per qualche giorno."

"Davvero? Come mai?"

"Non posso dirtelo. Ascolta, hai il mio numero di cellulare, vero?"

"Sì, ma..."

"Chiamami se hai bisogno. Anche se in qualche momento potrei non essere raggiungibile."

"Diane, che succede?" chiese Lewis. "Fra tre giorni dobbiamo incontrare Harp per la questione della scuola. Tornerai in tempo?"

"Ne dubito. Dovrò contare su di te per rappresentarmi. Digli che ho avuto un impegno improvviso. Digli che è una crisi di famiglia."

"Diane, stai bene? C'è qualcosa che non va, lo sento."

"Lascia stare. Ti chiamo quando posso." Si voltò, andò alla porta ma si fermò prima di uscire. "Mi dispiace, Scotty, ma non posso fare diversamente. Grazie di tutto. Prometto che ti chiamo appena riesco."

E se ne andò.

Non pensava che le servisse altro. Aveva una borsa da viaggio nel bagagliaio, un po' di soldi e, cosa più importante, i diamanti e una pistola. Mentre tornava dall'ufficio dell'avvocato, decise di fare un'ultima tappa prima di partire verso ovest.

La piccola casa di Greg Boston era in una strada tranquilla di un quartiere costruito negli anni Cinquanta e popolata dal ceto medio-basso. Diane sapeva che Greg detestava viverci. Avrebbe potuto permettersi qualcosa di meglio, ma gli era capitata un'occasione grazie a qualcuno che conosceva in ufficio. Probabilmente, una volta che la situazione si fosse assestata, l'ex marito avrebbe traslocato in una zona più elegante. In ogni caso, Diane era decisa a impedire che David andasse a vivere con lui.

La Jaguar di Greg era ferma sul vialetto. *Strano*, pensò lei. Secondo Tina non era a casa e doveva essere via da un paio di giorni. Dove poteva essere andato senza la sua auto?

Non importa.

Gli avrebbe lasciato un biglietto per avvisarlo che sarebbe stata fuori città per un po' e che aveva portato David con sé. Cercò carta e matita nel cassetto del cruscotto e scrisse il messaggio. Poi scese dalla macchina per mettere il biglietto sulla porta. Considerò se suonare o meno il campanello, per vedere se Greg era a casa, ma decise che non aveva voglia di incontrarlo.

E si accorse che la porta era socchiusa.

Sbirciò all'interno. "Greg? Sei in casa?"

Nessuno rispose.

"Greg?" Bussò con forza. "Ehi, c'è nessuno?" Spinse avanti la porta. "Greg?"

Quando vide che cosa giaceva sul pavimento del salotto,

Diane soffocò un grido. Portò la mano alla bocca ed emise un suono strozzato, sentendosi mancare il respiro. La vista era così spaventosa che barcollò all'indietro e urtò la porta, che sbatté.

Il corpo di Greg Boston, o ciò che ne restava, era disteso sul tappeto orientale del salotto. Nella mente di Diane rimase impressa la vista del sangue, tanto sangue, coagulato in una larga pozza rosso scuro che occupava buona parte del pavimento.

In preda al panico, Diane corse alla porta, lottò con la maniglia e si precipitò fuori di casa. Salì in macchina e partì a razzo con un acuto stridore di pneumatici. Dal cellulare chiamò il 911 e segnalò ciò che aveva visto, togliendo la comunicazione prima di dare il proprio nome.

Non si era accorta che l'anziana, gentile signora O'Donnell, che viveva nella casa di fronte a quella di Greg Boston, stava guardando dalla finestra quando Diane era uscita correndo dalla porta. La signora O'Donnell si era presa una cotta per Greg da quando questi era venuto ad abitare nel quartiere. Di tanto in tanto gli portava una torta o i biscotti che cucinava. Le dispiaceva per quell'uomo divorziato, specie ora che la sua ex moglie aveva avuto tutta quell'orribile pubblicità sui giornali. La vecchia signora aveva riconosciuto la bionda uscita dalla casa di Greg Boston.

Anche un'altra persona aveva visto Diane salire in macchina e scappare. Nick Belgrad era a bordo di una Lexus color argento ferma tre case più indietro. Aveva seguito Diane per tutto il giorno, prima alla banca, poi dall'avvocato e ora qui.

Belgrad avviò il motore e partì. Ovunque andasse, non intendeva perderla di vista.

Diario di David

Non posso credere a quello che ho sentito alla radio.
Persino Emo è stupito. Non è possibile che la mamma abbia
fatto una cosa del genere.
Meglio che cominci dal principio, visto che non scrivo sul
mio diario da un paio di giorni.
Per farla breve, sono stato rapito da uno strano tipo che si
chiama Emo Tuff, che ora mi sta portando in California. Ha
lunghi capelli biondi e una benda su un occhio. Sembra un
po' un pirata. Finora è stato piuttosto gentile con me, ma
sono sicuro che può diventare molto cattivo, quando vuole.
Scommetto che è anche un assassino.
Siamo a bordo di un furgone con le portiere bloccate.
Impossibile scendere. Emo si ferma ogni tanto per lasciarmi
andare in bagno e prendere qualcosa da mangiare nel
furgone. Per il resto, continua a guidare e non si stanca mai.
Ieri sera ho cercato di scappare. È stato un grosso sbaglio,
sul serio. Eravamo in una stazione di servizio nell'Iowa e io
sono uscito dalla finestra del bagno. Mi sono messo a
correre su un prato e il mio cuore ha ricominciato a fare il
matto. Sono svenuto. Emo mi ha ripreso e mi ha riportato sul
furgone. Ho dormito per tutta la notte. Stamattina quando
mi sono svegliato mi sentivo malissimo. Ero molto debole. Mi
serve la mia medicina, ma è rimasta a casa. Ho spiegato a
Emo le mie condizioni e lui si è persino scusato. Ha detto che
cercherà di procurarmi quello che mi serve quando

arriviamo a Los Angeles.

Abbiamo preso la colazione a un McDonald's e dopo mangiato mi sono sentito meglio. Poi abbiamo viaggiato tutta la mattina, fino a mezzogiorno. Ci siamo fermati a un Wendy's a comprare degli hamburger. Ora mi sento bene. Credo che Emo si sia preso un bello spavento quando sono stato male. Dice che ha ordine di portarmi a Los Angeles, quindi penso che mi ci debba portare vivo.

Sono riuscito a convincerlo ad accendere la radio, perché il viaggio è noiosissimo. Siamo nel Nebraska e fuori non c'è altro da vedere che campi piatti. La radio è okay. Ho cercato una stazione decente e ne ho trovata una di Omaha che trasmette roba alternative niente male. Poi hanno fatto un notiziario e sono rimasto sorpreso sentendo che parlavano della mamma. Anche Emo se n'è accorto e ha alzato il volume.

Dicono che il mio papà è stato trovato ucciso in casa sua e che la mamma è stata vista andarsene via di corsa. La polizia la sta cercando: pensano che abbia lasciato la città e credono persino mi abbia portato con sé!

Be', visto che su questo si sono sbagliati, forse anche il resto non è vero. Non posso credere che la mamma abbia ucciso il mio papà. È da pazzi.

Forse non è vero neanche che il mio papà è morto. Non voglio che sia vero. Io gli voglio bene. Non è cattivo. Lo so che lui e la mamma hanno avuto dei problemi, ma io con lui sono sempre andato d'accordo. Era un po' strano l'ultima volta che ci siamo visti, quando mi ha detto che in realtà io non sono malato e che la mamma si è inventata tutto. Adesso capisco che stava mentendo. Ma perché? Forse era solo perché voleva che andassi a vivere con lui invece che con la mamma.

Ho tirato fuori il diario per scrivere queste cose, ma ormai faccio fatica a mettere a fuoco. Sono stanco e depresso. Ora mi sdraio sul sedile di dietro.

E non voglio che Emo mi veda piangere.

28

Diane era così stanca quando arrivò a Des Moines che fu costretta a fermarsi. Parcheggiò davanti a un Days Inn Motel e trascorse una notte irrequieta in una stanza umida che non valeva nemmeno i quarantadue dollari che era costata. La sveglia la buttò giù dal letto alle sei del mattino. In tutto doveva avere dormito tre ore. Era sufficiente.

Il viaggio era monotono e per quasi tutto il tempo Diane non fece che domandarsi dove si trovasse David. Era su una macchina? Oppure lo avevano portato a Los Angeles in aereo? Non sarebbe stato ironico se avessero viaggiato entrambi lungo la stessa strada? Era anche possibile che lo raggiungesse e lo superasse in autostrada. Pregò che non gli facessero del male.

La radio la teneva sveglia. Si era dimenticata di prendere qualche cassetta da ascoltare durante il viaggio. Non aveva un lettore cd sulla Honda e la musica che ascoltava di solito consisteva in vecchie cassette degli anni Ottanta e Novanta. Ormai era difficile trovare musica su cassetta: era tutto su cd. Aveva un lettore a casa e ne aveva uno anche David, ma possedeva pochissimi compact disc. E poi non aveva mai il tempo di ascoltare musica.

Quando arrivò il notiziario, Diane stava per cambiare canale in cerca di altra musica, ma qualcosa la trattenne. Che cosa stava succedendo nel mondo? Era così presa dai propri problemi che ignorava se gli Stati Uniti fossero in guerra o se qualche personaggio famoso fosse morto di recente.

Non si aspettava di sentire parlare di sé nel notiziario.
Ricercata per omicidio?
Com'era possibile? Non era stata lei a uccidere Greg! Ma che cosa passava per la testa della gente?

Lo speaker sosteneva che lei era stata riconosciuta mentre "scappava dalla scena del delitto". Una vicina di Greg l'aveva vista uscire di corsa dalla casa dopo che lei aveva scoperto il corpo. Non avevano capito che era stata lei a chiamare il 911? Chi altri poteva averlo fatto? I poliziotti erano un branco di idioti. Erano idioti a Los Angeles ed erano idioti nell'Illinois.

Quando arrivò in prossimità di Omaha, Diane aveva fame e doveva andare in bagno. Uscì dall'Interstate e si inoltrò in città, sperando di trovare un posto in cui rinfrescarsi e mangiare in pace. Non voleva perdere troppo tempo e si fermò a un Taco Bell in una zona commerciale con un parcheggio, parecchi negozi e un piccolo supermercato.

Prima di entrare, vide che c'erano diversi distributori automatici di giornali, in uno dei quali c'erano copie del "Chicago Tribune". Dopo un momento di esitazione, infilò una moneta nella fessura e prese un giornale. Lo sfogliò dopo essersi seduta nel ristorante e avere ordinato tre *shell tacos* e una Pepsi.

Come temeva, sepolta nella cronaca locale, c'era una fotografia di Lucy Luv con sotto il nome di Diane. Il titolo diceva:

MAMMA PORNOSTAR RICERCATA PER OMICIDIO

Gesù. E adesso che cosa faccio?
L'articolo spiegava tutto. Greg Boston era stato trovato a casa sua con la gola tagliata. La sua ex moglie, Diane Boston, era stata vista scappare dal luogo del delitto. Una vicina aveva raccontato alla polizia di averla vista. Non si sapeva chi avesse chiamato il 911: una "persona misteriosa" aveva avvisato la polizia poco prima che la chiamasse la vicina.

I poliziotti stavano cercando tanto Diane Boston quanto il figlio tredicenne David. Ritenevano che lei lo avesse portato con sé. Questa non era una bella cosa. Diane mangiò troppo in fretta, procurandosi bruciori di stomaco e nausea, aggravati dall'angoscia degli ultimi due giorni. Trascorse i dieci minuti successivi a vomitare nel bagno delle signore.

Dopo essersi ricomposta ed essere rimasta seduta nel ristorante per qualche minuto, cercando di riprendere il controllo di se stessa, tornò alla macchina e prese il cellulare. Telefonò a Scotty Lewis, che da quando era partita dall'Illinois le aveva lasciato sei messaggi sulla casella vocale.

"Scotty, sono Diane."

"Dio, Diane, dove sei?" L'avvocato era in allarme.

"Vediamo... Al momento sono a Omaha, Nebraska."

"Che cosa stai combinando? Diane, lo sai che cosa succede qui?"

"Sì, l'ho appena scoperto. Sono ricercata per omicidio."

"La polizia ti sta dando la caccia. Devi tornare qui immediatamente! Non hai avuto i miei messaggi?"

Diane prese fiato. "Senti, Scotty, io non ho ucciso Greg. Dovresti sapere che non sono stata io."

"Be'... be', certo che lo so."

"Non mi sembri convinto."

"Diane, se dici che non sei stata tu, ti credo. È solo che quella vecchia signora che abita dall'altra parte della strada..."

"Scotty, io ho *trovato* il corpo di Greg, non immagini in quali condizioni. Sono stata presa dal panico e sono scappata senza pensarci. Ho chiamato il 911 e ho avvisato la polizia. Ma stavo partendo e non mi sono fermata. Lo so, lo so, avrei dovuto restare. Sarebbe parso molto meno sospetto."

Scotty era agitato. "Cristo, Diane, è la cosa peggiore che potevi fare. Devi tornare qui e chiarire tutto, se non vuoi trovarti in un mare di guai. Così grossi che non potrò più aiutarti!"

"Lo so, Scotty. È che non posso."

"David sta bene? Sono tutti fuori di testa al pensiero che te lo sei portato via."

"Non l'ho portato via, Scotty. Non è con me."

"No? E dov'è allora?"

Diane sapeva che dirglielo era rischioso. "È... scappato di casa. Per questo sono in viaggio. Lo sto cercando."

"Scappato di casa? E perché?"

"Oh, sai... cose da teenager."

"Sai dov'è andato?"

"Mi sono fatta un'idea", rispose Diane. "È per questo che sono partita."

"E dove sarebbe?"

"Scotty, conto sul fatto che tu non lo dica alla polizia."

"D'accordo."

"In California. A Los Angeles."

"E David è andato laggiù? A fare cosa?"

"Quando lo trovo ti spiego tutto. Alla polizia – e a chiunque lo debba sapere – di' solo che David è scomparso e che è per questo che ho lasciato la città. Che sono innocente della morte di Greg e che tornerò per affrontare la situazione."

"Lo farò, Diane. Ma non sono sicuro che funzionerà."

"Dovrà bastare, per ora. Grazie, Scotty, sei il mio salvatore."

"Diane, *chiamami*. Fammi sapere che cosa succede. Io posso coprirti solo per un po'. Lo sai che ti stanno cercando."

"Ho capito. Arrivederci, Scotty. Augurami buona fortuna."

Tolse la comunicazione e avviò il motore. Forse era opportuno che la polizia sapesse che David non era con lei. Se si fossero messi a cercare suo figlio, questo li avrebbe distratti da lei. E forse avrebbero potuto ritrovarlo per primi.

Diane uscì dal parcheggio del Taco Bell e tornò sulla strada per dirigersi verso l'Interstate. Con la coda dell'occhio vide un'insegna sopra una vetrina:

PERLMAN FINE JEWELLERY

Fece un'inversione a U e passò davanti al negozio:
sembrava di un certo livello e non c'erano clienti. E
soprattutto un'altra insegna diceva:

ACQUISTO E VENDITA

Diane parcheggiò di nuovo, prese la borsetta e scese
dalla macchina. All'interno del negozio c'era un bell'uomo sui trent'anni
che l'accolse con un: "Salve. Sono Mike Perlman. Posso
esserle utile?"
"Vorrei vendere dei diamanti", rispose lei.
Perlman inarcò le sopracciglia. Evidentemente non era
abituato alle sconosciute che entravano in negozio con pietre
preziose nella borsetta. "Sarò lieto di darci un'occhiata."
"Mi creda, le piaceranno." Diane andò al banco e,
voltando le spalle al gioielliere, aprì la borsetta e prese
quattro gemme dalla borsa di velluto. Le depose sul ripiano
del banco e fece un passo indietro perché l'uomo potesse
guardarle liberamente.
Perlman sgranò gli occhi e batté le palpebre tre volte.
"Sono veri?" chiese.
"Mi ascolti, signor Perlman, se lei non ha esperienza in
materia, dovrò portarli da un'altra parte."
"No, no, ne ho molta di esperienza", disse lui, con voce
rotta. Si schiarì la gola e girò intorno al banco per prendere
la lente. Accese una lampada ed esaminò ogni pietra con
estrema attenzione. Dopo parecchi minuti domandò: "Dove
le ha prese?" Era chiaramente impressionato.
"Sono in famiglia da cent'anni. Appartenevano al mio
bisnonno. Ora le vorrei vendere."
Lui la guardò con espressione seria. "Non sono rubate,
vero?"

Lei fece del suo meglio per mostrarsi offesa. "Certo che no!"

"Le chiedo scusa. Ecco, signora, non sono sicuro di avere la somma che si può aspettare per queste pietre."

"Apprezzo la sua onestà. Quanto è in grado di offrirmi?"

Perlman si tolse l'oculare e si grattò la testa. "Posso darle diecimila dollari per tutte e quattro."

"In contanti?"

Il gioielliere batté di nuovo le palpebre. "Dovrei andare in banca."

"Ho una certa fretta."

"È qui vicino, su questa stessa via. Non dovrà aspettare molto."

Diane sapeva che dovevano valere anche quattro volte quella somma, ma le occorrevano urgentemente i contanti. "D'accordo. Vada a prendere i soldi. Vuole che aspetti qui?"

"Uhm, ecco..."

Lei alzò una mano. "Capisco. Aspetterò fuori. Anzi, vado al supermercato e torno tra venti minuti. Pensa che possano bastare?"

Lungo la strada che la riportava all'Interstate, Diane si fermò a una rivendita Car Max. Cercò – e trovò – un venditore sovrappeso, il tipo che avrebbe potuto essere sensibile al fascino di una bella bionda.

"Sì, posso esserle utile?" fece l'uomo, con un sorrisone.

"Voglio vendere la mia auto e comprarne una usata."

"Prego?"

"La vede quella Honda là fuori? Ho i documenti e tutto quello che serve. Vorrei cambiarla con un'altra macchina."

"Perché vuole farlo?" chiese l'uomo.

Perché la polizia sta cercando proprio questa macchina, idiota. "Perché mi sono stufata e voglio qualcosa di diverso, se non le spiace."

Il venditore si strinse nelle spalle. "Be', certo. Diamo un'occhiata."

A Diane l'idea di cambiare la macchina era venuta dal

film *Psycho* di Alfred Hitchcock. Janet Leigh era in fuga con una borsa piena di soldi rubati e diventava paranoica quando un poliziotto cominciava a seguirla. Allora entrava in una rivendita di auto usate per cambiare l'auto, con il risultato di creare maggiori sospetti. Purtroppo per lei, il trucco non funzionava: il poliziotto assisteva a tutta la transazione dall'altro lato della strada.

Ma nel caso di Diane, nessun poliziotto la stava osservando. E nessuno poteva immaginare che ci fosse lei a bordo della Chevy Malibu verde del '97 che si allontanava da Omaha.

29

Darren Marshall era incantato dalle ultime notizie sul conto di Diane Boston. *Ricercata per omicidio.* Persino Brandon Mertz cominciava a interessarsi a quella storia e concesse al giornalista maggiore libertà di movimento e più tempo fuori dalla redazione. C'era ancora molto lavoro di ricerca da fare e Marshall stava tentando di rintracciare tutti coloro che avevano conosciuto Dana Barnett quando era una pornodiva. Sfortunatamente non erano rimasti in molti: qualcuno era morto, qualcuno era svanito nell'oscurità, altri ancora non volevano parlare. Tra questi ultimi, lo stesso Aaron Valentine. Marshall aveva chiamato gli uffici della Erotica Selecta e richiesto un'intervista, ma quando il magnate aveva saputo che il giornalista intendeva affrontare la questione di Dana Barnett lo aveva fatto mandare all'inferno.

Fino a quel momento le informazioni più preziose erano arrivate da Pete Rod, alias Eric Gilliam. Ora Marshall aveva piste sufficienti per diversi giorni di lavoro. In particolare, il giornalista voleva scoprire le radici texane di Dana Barnett. Qualcuno doveva ricordarsi ancora di lei, non era passato poi tanto tempo.

Marshall si alzò dalla sua scrivania al "Weekly" e si stiracchiò. Aveva navigato su Internet per ore, raccogliendo ogni più piccolo dettaglio, vero o inventato, che fosse stato scritto sull'Erotica Selecta, Aaron Valentine e Lucy Luv. Aveva trovato una quantità sorprendente di informazioni, a riprova di un adagio che aveva coniato molto tempo prima: "Se qualcuno ci ha pensato e lo ha scritto, allora si trova da qualche parte su Internet."

Il telefono squillò. "Marshall", rispose.

"Uh, ciao. Sono Eric Gilliam."

"Eric, come stai?" Marshall tornò dietro la scrivania e si sedette.

"Bene, senti, ho ripensato a quello che ci siamo detti l'altro giorno."

"Sì?"

"E sono andato a recuperare un po' delle cose di mia sorella dal magazzino. Volevo vedere se in mezzo a tutta quella roba c'era qualcosa che poteva interessarti."

"Davvero?" Marshall si sentì come se gli avessero appena concesso un aumento di stipendio. "Cos'hai trovato?"

"Be', ci sono delle lettere e un diario. Aveva scritto un bel po' di cose su Dana."

"Fantastico! Quando posso passare da te?"

"Oggi ho delle riprese", rispose Gilliam, "però domani pomeriggio potrebbe andarmi bene. Ma senti una cosa: dal momento che tu su tutto questo ci guadagni, devo chiederti una fetta della torta."

Questo era un imprevisto che Marshall non sapeva bene come affrontare. "Be', vedi, Eric, come ti ho detto, io devo scrivere degli articoli per il "Weekly" e spero di tirarne fuori un libro. Per gli articoli non prendo niente di più del mio stipendio e quanto al libro, è ancora da vedere. Non so nemmeno se si farà mai."

"Non pigliarmi per il culo, Marshall", disse Gilliam. "Sappiamo tutti e due che questa è una storia cazzutissima. Il libro sarà un bestseller e ne faranno anche un grosso film."

Marshall sospirò. D'altra parte doveva avere il diario e le lettere di Angela Gilliam. "Va bene, che cosa vuoi?"

"Voglio entrare nel film. Produttore associato o qualcosa del genere. Retribuito. E fare la parte di me stesso. È la mia occasione per uscire dal giro del porno ed entrare nelle produzioni *mainstream*."

"Accidenti, Eric, come faccio a garantirti una cosa del genere? Diciamo che gli articoli diventano un libro. Diciamo anche che vendo i diritti cinematografici. Ma dopo non avrò alcun controllo su quello che ne fa Hollywood. Non dipenderà da me. Un produttore chiamerà uno sceneggiatore e un regista che probabilmente stravolgeranno tutto quanto senza che io possa dire niente. Lo sai come funziona."

"E allora non vendere i diritti cinematografici se non ti danno un ruolo creativo nel progetto. Credimi, sono sicuro che ce la puoi fare. Vorranno questa storia a tutti i costi e ti concederanno tutto quello che vuoi."

Gilliam non aveva torto. Marshall già si immaginava il proprio nome sui cartelloni del film. Forse ce la poteva fare sul serio. "D'accordo, Eric, faremo così. Possiamo anche metterlo nero su bianco. Ma ci saranno un sacco di 'se': *se* riesco ad avere un ruolo creativo, *se* il progetto ha successo, *se* ti prendono, *se* a te va bene... allora affare fatto."

"Sono un bel po' di 'se'. Che ne dici di darmi cinquemila dollari subito e io ti consegno la roba?"

"Venduto."

Nick Belgrad teneva almeno sei auto di distanza tra la sua Lexus e la Chevy Malibu di Diane. Con tutti i suoi anni di esperienza in pedinamenti e sorveglianza, era sicuro che lei non avesse la minima idea di essere seguita. Non l'aveva persa di vista da quando era partita dall'Illinois e aveva assistito al cambio di veicolo a Omaha. Anche a lui era venuto in mente il film di Hitchcock.

La sosta in gioielleria era un enigma. Che cosa ci era andata a fare? E dov'era il ragazzo? Quella storia era un mistero, ma per lui i misteri erano il pane quotidiano. La sua vita consisteva nel risolverli. Qualche pezzo del mosaico stava andando a posto e Belgrad cominciava a capire qualcosa della donna che stava seguendo. Secondo i notiziari, l'avvocato di Diane Boston aveva dichiarato che la sua cliente era innocente e che era partita alla ricerca del figlio scappato di casa. Il capo della polizia di Lincoln Grove, un certo Grabowsky, non ci credeva e non vedeva l'ora di mettere le mani su di lei.

Tuttavia Belgrad l'aveva vista uscire dalla casa dell'ex marito. La donna gli era parsa spaventata e isterica e lui sapeva per esperienza che non era quello il comportamento di un assassino che ha appena commesso un omicidio. A suo modo di vedere, Diane aveva scoperto qualcosa di orribile, esattamente come diceva il suo avvocato. Belgrad ne era convinto.

Quello a cui non credeva era che fosse in cerca del figlio scappato di casa. Al ragazzo doveva essere capitato qualcosa di brutto e Diane sapeva di che si trattava.

Belgrad si riteneva sempre più vicino a scoprire il legame tra la donna e la morte dei fratelli Rabinowitz. Quello era il suo obiettivo principale. Aveva un lavoro da fare e aveva promesso a Moses che lo avrebbe portato a termine, quando questi gli aveva telefonato dopo il funerale di Hiram. Belgrad si sentiva in dovere di scoprire la verità. L'assassinio di Moses era stato un brutto colpo, ma lui non ne era particolarmente sorpreso. Aveva avvisato più volte Hiram che stavano giocando con il fuoco e che prima o poi avrebbero rischiato di bruciarsi. Persino il padre di Belgrad, l'amico più caro e intimo che avessero i fratelli Rabinowitz, li aveva messi in guardia sui loro affari loschi.

Tutto doveva avere a che fare con Diane Boston e i suoi collegamenti con il mondo della pornografia di Los Angeles. Belgrad ne era sicuro.

Aveva fatto i suoi compiti. Diane era in realtà Dana Barnett, un'attrice che aveva lavorato per l'Erotica Selecta Films alla fine degli anni Settanta sotto il nome di Lucy Luv. Aveva avuto quasi certamente una relazione omosessuale con un'altra attrice, Angel Babe, sorella di un pornodivo chiamato Pete Rod. Le due donne erano scomparse nel 1980, in concomitanza con uno scontro a fuoco in un magazzino di Van Nuys, di proprietà di Aaron Valentine.

Secondo i rapporti della polizia, ai quali Belgrad aveva avuto accesso tramite un contatto in California, Valentine aveva un fratello minore di nome Eduardo. La polizia era convinta che questi facesse da collegamento tra il magnate e la malavita. In precedenza Eduardo era stato arrestato per traffico di droga ma se l'era cavata grazie alle amicizie del fratello. Belgrad supponeva che Eduardo rifornisse di droga gli attori e le attrici della scuderia.

Eduardo Valentine e tre altri dipendenti della Erotica Selecta erano stati trovati uccisi a colpi di arma da fuoco nel magazzino, insieme ad alcuni membri di una gang nigeriana. La polizia non era mai riuscita a capire che cosa avesse scatenato la sparatoria, ma era molto probabile che si trattasse di una questione di droga. Aveva senso. Aaron Valentine era stato interrogato a lungo, ma aveva convinto le autorità che lui non ne sapeva niente. Un elemento che i media non avevano riferito ma che si trovava nei rapporti della polizia era che un indizio lasciava pensare che Lucy Luv fosse presente sulla scena dello scontro a fuoco. La polizia sospettava che tanto lei quanto Angel Babe fossero finite nell'inceneritore.

Il sole era ormai tramontato e Belgrad vide la Malibu che usciva dall'autostrada. Immaginò che Diane avesse deciso di fermarsi a riposare e intendesse cercare un motel. Il che per lui avrebbe comportato un'altra notte passata a dormire in macchina, per non lasciarsela scappare. Doveva mettersi in strada quando lo faceva lei e l'unico modo era tenere sotto controllo la sua macchina.

Che spasso.

Litri di caffè. Se andava bene, un sandwich freddo o una pizza e un sonnellino nel cuore della notte. Mal di schiena il mattino dopo. Ibuprofen. Ancora caffè.

Faceva tutto parte del lavoro.

30

Arrivarono di buon mattino.

Los Angeles si stava svegliando quando il furgone entrò in città. Il viaggio aveva richiesto poco meno di due notti e due giorni. David era stanco morto, mentre Emo sembrava più sveglio che mai. *Ma è umano, questo qui?* si chiedeva il ragazzo. Non lo aveva visto sbadigliare neppure una volta. Tuff non sembrava avere bisogno di dormire.

"Benvenuto nella Città degli Angeli, David. Peccato che siamo arrivati proprio quando comincia l'ora di punta."

"Dove stiamo andando esattamente?"

"A casa di Aaron Valentine. Lo sai chi è?"

"No."

"È un milionario. Un produttore cinematografico. Ti sarà simpatico."

Il furgone si fece largo nel traffico intenso fino alla Hollywood Freeway, quindi proseguì sulla Ventura in direzione ovest, attraversando la 405, e infine prese l'uscita per Woodland Hills. Tuff attraversò buona parte della città, poi svoltò a sinistra imboccando una strada tutta curve tra le colline. David osservò con interesse le ville spettacolari nascoste in fondo ai vialetti privati o protette da recinzioni.

"Questa è Beverly Hills?" chiese il ragazzo.

"No, Beverly Hills è più a sud. Questa è Woodland Hills. Ma anche qui vivono molte persone famose. E anche un bel po' di artisti che fanno la fame e gente normale."

David perse l'orientamento fra una curva e l'altra. La

strada stretta e serpeggiante saliva attraverso una fitta foresta. Infine Tuff svoltò in un vialetto interrotto da una cancellata in ferro, sopra la quale un cartello proclamava che la proprietà si chiamava PARADISE. Si fermò e abbassò il finestrino per comporre un codice su una tastiera. Il cancello si aprì lentamente.

Un viale lastricato si snodava su una collina, passando tra eleganti statue e fontane. Una fitta vegetazione di alberi e rampicanti impediva la vista dalla strada, ma ora David aveva l'impressione di trovarsi nel cortile del palazzo di un imperatore romano. Un pavone maschio attraversò la strada sfoggiando le sue piume. Tuff dovette rallentare e suonare il clacson. Quando furono in cima alla collina, la vegetazione si aprì, rivelando una costruzione in stile Tudor, alta tre piani, con un prato che si estendeva alla sua sinistra.

"È lì che la gente parcheggia quando c'è una festa", disse Tuff, indicando il prato.

"Wow." Fece David. Per un momento si dimenticò di essere stato rapito. Era il posto più bello che avesse mai visto.

Il furgone entrò in un cortile circolare e si fermò davanti alla villa. Due uomini robusti vestiti di nero con pistole alla cintola li raggiunsero davanti al portone.

Tuff sbloccò le serrature e scese dal veicolo. "Andiamo, David", disse.

Il ragazzo scese a sua volta, nervoso.

"Accidenti se è alto", disse uno dei due uomini.

"Giochi a pallacanestro, ragazzo?" chiese l'altro.

"No", rispose David.

"Lasciatelo stare", ordinò Tuff. "Dov'è il capo?"

"Nel suo studio", rispose il primo dei due uomini.

"Vieni, David." Tuff entrò nel portone.

Il ragazzo si ritrovò in quella che avrebbe potuto essere la residenza di un duca inglese, o forse la casa di campagna di un re. Mentre percorrevano un corridoio, vide molti camerieri, altri uomini vestiti di nero e alcune donne – splendide, avrebbero potuto essere modelle – non troppo vestite. Una di loro gli sorrise e gli disse: "Ciao." David era troppo confuso per parlare.

"Chiudi la bocca, ragazzo", disse Tuff. "Hai la mascella penzoloni."

David si riscosse e seguì il suo rapitore su una scala a chiocciola di pietra. "Chi sono quelle ragazze?"

"Attrici."

"Davvero? Erano in qualche film che posso aver visto?"

"Ne dubito. Non fino ai diciotto anni. Ventuno, in alcuni stati."

Passarono davanti a un'armatura e proseguirono in un altro corridoio, in fondo al quale si trovava una porta di legno, chiusa. Tuff bussò. Una voce maschile disse loro di entrare.

Aaron Valentine non era come David se lo aspettava. In effetti non sapeva nemmeno che cosa aspettarsi, ma di sicuro non un uomo con una folta capigliatura bianca, un fisico da lottatore di wrestling e un'abbondanza di gioielli e catene d'oro.

"David, ecco il signor Valentine."

"Ciao, David", disse il padrone di casa, tendendogli la mano.

David la strinse docilmente. "Salve."

"Benvenuto a Paradise" disse Valentine. "Non preoccuparti, starai benissimo. Appena arriva tua madre, lei e io faremo due chiacchiere. A seconda di come andranno le cose, resterai qui più o meno a lungo. Ma intanto potrai avere tutto quello che vuoi. Temo che dovrai restare confinato in una stanza, ma avrai a disposizione televisione via cavo e una selezione di dvd. Oh, c'è anche installata una playstation Sony con gli ultimi videogame. Ti piacciono i videogiochi, David?"

Il ragazzo si strinse nelle spalle. "Direi di sì."

"C'è altro che ti serve, adesso? Hai fame?"

"Mi serve la mia medicina", rispose David.

"Ha un problema di cuore", spiegò Tuff.

"Oh. E cosa prendi, David? Vedo di procurartelo."

"Si chiama Tenormin."

"Bene, te lo troveremo. Che cosa vuoi per colazione?"

"Non ho fame."

"Come vuoi. Emo ti mostrerà come chiamare qualcuno per farti portare da mangiare. Ci vediamo dopo, okay?"

David assentì, ma evitò di guardare Valentine negli occhi. Di sicuro trovarsi in un posto del genere era un'avventura, ma quell'uomo non gli ispirava simpatia. Aveva qualcosa di incredibilmente... viscido.

Emo Tuff poteva essere cortese, almeno fino a un certo punto, tuttavia il ragazzo sentiva che era un individuo pericoloso e che probabilmente era il braccio armato del suo capo. Quanto ad Aaron Valentine, aveva un'aura che David poteva definire minacciosa: sorrideva e faceva il gentile, ma era tutta finzione. La verità era che voleva David sotto il suo tetto come avrebbe voluto un tafano che volava per casa.

"Andiamo a vedere la tua stanza, David", disse Tuff.

Ripercorsero il corridoio del piano superiore, passando davanti a una grande vetrata che dava sul retro del palazzo. David vide un campo da tennis, una piscina in cui sguazzavano un paio di ragazze in bikini e un vasto giardino con aiuole e siepi scolpite, in una parte del quale era stato allestito un tendone che riparava sedie e tavolini.

David seguì Tuff lungo un'altra rampa di scale che portava al terzo piano. Nel corridoio si apriva una lunga serie di porte. Alle pareti si allineavano in bella mostra dipinti erotici a vivaci colori, di varie epoche storiche. David occhieggiò quelli più espliciti, ma altri erano semplicemente troppo surreali. Tuff aprì la serratura di una porta a metà corridoio.

Era una spaziosa camera da letto con un enorme letto a baldacchino, un televisore a grande schermo, un guardaroba e un'ampia finestra con tende colorate. Tuff indicò il pulsante di un campanello sul comodino. "Premilo, se ti serve qualcosa. Verrà subito qualcuno." Poi accennò a una porta su un lato della stanza. "Quello è il bagno. Fatti pure una doccia." Poi aprì l'armadio, in cui c'era un assortimento di T-shirt e pantaloncini. "Ho preso a occhio le tue misure e ti ho fatto comprare qualche vestito, visto che quelli che hai addosso puzzano. Spero che ti vadano bene. In ogni caso, mi auguro che tu non ti trattenga a lungo. Butta i vestiti sporchi nella cesta accanto alla porta, qualcuno te li laverà. Ci vediamo dopo, io vado a schiacciare un pisolino." Se ne andò chiudendo la porta. David sentì scattare la serratura.

La prima cosa che fece fu guardare fuori dalla finestra, che si affacciava su un lato della casa. Dietro l'angolo si vedevano il giardino e la piscina. La buona notizia era che, se voleva, David poteva aprire la finestra. La cattiva era che si trovava al secondo piano e non c'era niente sulla parete della casa a cui aggrapparsi per tentare di scendere.

L'emozione di trovarsi a Paradise sfumò.

Non c'era dubbio: era un prigioniero.

31

Diane arrivò a Los Angeles il giorno successivo. Per prima cosa, decise di cercare Pete Rod. Le occorreva un alleato. Sapeva che il suo vero nome era Eric Gilliam, che era stato un caro amico di Dana Barnett e che sua sorella era l'attrice Angel Babe. Diane sperava che potesse dirle che cosa aspettarsi quando si fosse presentata da Aaron Valentine, che probabilmente voleva essere indennizzato per il furto dei suoi diamanti. E quasi certamente voleva vendicarsi di Dana per essere scomparsa con le sue gemme. Rintracciare Gilliam non fu difficile. La sua compagnia di produzione era sull'elenco e, come molte altre società nel settore del cinema per adulti, si trovava a Van Nuys. Diane non sapeva per quale ragione l'industria del porno gravitasse in quel sobborgo.

La sede della Pete Rod Productions risultò essere un semplice ufficio, gestito da una donna con i capelli rosa tagliati corti, che avrebbe potuto fare la protagonista in *Centaure da Marte*:[16] indossava un completo da motociclista in pelle nera pieno di borchie e aveva piercing sul naso, sulla lingua, su un sopracciglio e probabilmente in altre parti del corpo non altrettanto visibili. Si chiamava Louise.

La donna disse a Diane che Gilliam si faceva vedere raramente in ufficio. Lavorava a casa e girava clandestinamente i suoi video in varie stanze d'albergo in giro per la città. Diane le diede cinquanta dollari per farsi dire l'indirizzo, che Louise fu ben lieta di rivelarle.

La residenza di Gilliam non era di certo paragonabile alla proprietà di Aaron Valentine, ma era di gran classe: un ampio ranch degli anni Sessanta, circondato da palme e da una recinzione, in un quartiere piuttosto elegante.

Al cancello, Diane scese dall'auto e premette il pulsante del citofono.

"Sì?" fece una voce.

"Eric Gilliam è in casa?" chiese lei.

"Chi vuole saperlo?"

"Diane Boston."

"Chi?"

"La sorella di Dana Barnett."

Silenzio.

Diane alzò lo sguardo e notò la videocamera di sicurezza puntata su di lei. Fece un cenno di saluto.

"Entri con la macchina", intonò la voce. Il cancello si aprì con uno scatto metallico. Diane risalì sull'automobile, che aveva lasciato con il motore acceso. Ripartì.

Una volta all'interno, si rese conto che la casa non era diversa da quelle delle famiglie benestanti dei dintorni di Chicago. Parcheggiò sul vialetto accanto a una Porsche, scese e raggiunse Eric Gilliam, che l'aspettava sulla porta aperta.

"Salve", disse lei, tendendo la mano. "Se non sbaglio, lei conosceva mia sorella."

Gilliam la guardò incredulo. "Che mi venga un accidente! La sorella di Dana..."

"Già."

Lui le strinse la mano. "Scusa la mia sorpresa, ma sei identica a lei. Be', con qualche anno in più, naturalmente. Non vedo Dana dal 1980."

"Lo so. Nessuno l'ha più vista. È morta."

"Non sapevo che avesse una sorella gemella. E sì che la conoscevo bene."

"Non lo diceva mai, specie sul lavoro. Posso entrare? Spero di non disturbarti."

"No, no. Scusa. Solo che è stato uno shock." Gilliam si fece da parte.

La condusse oltre una "reception", dove, le disse, teneva i colloqui con potenziali attrici dei suoi video amatoriali.

Diane sapeva di che si trattava: le ragazze che volevano farsi strada nell'industria del porno di solito cominciavano con quel genere di film, che ormai proliferavano. Gilliam non era l'unico veterano del porno che avesse avviato una propria compagnia in quel settore. Era un'attività molto remunerativa che lo manteneva sotto i riflettori, soprattutto perché di solito era lui a fare sesso con le attrici principianti. A volte si serviva di un operatore, più spesso sistemava una videocamera fissa per riprendersi da solo.

Gilliam portò Diane in uno studio accogliente con televisione, stereo e un mobile-bar. "Siediti da qualche parte. Qualcosa da bere?"

"Solo un po' di acqua fresca, se si può", disse Diane, sedendosi su una poltrona rivestita di tela jeans.

Lui le riempì un bicchiere e si prese una birra dal frigorifero. "Ho sentito che sei finita sui giornali, di recente."

"Le notizie sono arrivate fin qui? Santo cielo."

"Sei in un mare di guai."

"Già. Credo di sì. Sai, niente di quello che hai sentito è vero. Io *sono* la sorella di Dana. E non ho ucciso il mio ex marito."

"Ehi, a me non importa." Le passò il bicchiere. "Quello che vorrei sapere è cosa è successo alla mia, di sorella."

"Non lo so", rispose Diane.

Lui la guardò di sottecchi.

"Sul serio", insistette lei. "Tua sorella è scomparsa insieme alla mia."

"D'accordo, immagino di essere disposto a crederti. Allora, che cosa ti porta a casa mia?" Gilliam si sedette su un divano, di fronte a lei.

"Aaron Valentine. Ha saputo di me e crede che io sia Dana. C'è stato cattivo sangue tra loro due e ho il sospetto che mi voglia morta."

"E sei venuta a Los Angeles per farti ammazzare?"

"No. Ha rapito mio figlio e lo sta usando come esca."

"Tuo figlio?"

"Ha tredici anni. Si chiama David."

Gilliam fischiò. "Gesù! Perché non chiami la polizia?"

"È proprio quello che mi ha detto di non fare."

"Certo, certo. Allora... perché sei venuta da me?"

Diane si protese in avanti. "Sono venuta a chiederti aiuto. Tu conosci Aaron Valentine, io no. Conosci i suoi affari, quelli che gli stanno intorno, la sua casa. Non voglio andarci senza avere una specie di piano, qualcosa che garantisca la sicurezza mia e di David."

"Perché io?"

"Per via di Dana, naturalmente. E di Angela. Valentine le ha fatte uccidere, lo sai. Come parecchi altri attori e attrici che non accettavano i termini dei suoi contratti."

Gilliam rimase in silenzio per qualche minuto. "Come fai a saperlo?"

"Dana era mia sorella."

"E perché non ha mai parlato di te? Perché Angela non me lo ha mai detto? Lo sai che erano molto intime, Dana e Angela. Erano amanti. Lo sapevi?"

"Sì."

"Penso che Dana le avrebbe detto che aveva una sorella gemella."

"Lo pensi tu. Lei ha preferito di no."

"E tu che cos'hai da dire?" chiese Gilliam. "Voglio sapere tutto quello che sai tu, prima di pensare di aiutarti o meno. Forse Valentine non è più agguerrito come negli anni Settanta o all'inizio degli Ottanta, ma è ancora un tipo pericoloso. È un uomo potente che ha amici potenti. Lo hanno appena scagionato dalle accuse di racket, sfruttamento della prostituzione e impiego di attrici minorenni. E, se vuoi la mia opinione, la procura distrettuale poteva averlo in pugno."

"Cos'è successo?"

"I gorilla di Aaron hanno fatto due chiacchiere con uno o più dei giurati. È stato assolto."

"Non sono sorpresa."

"Parlami di te e di Dana. Vorrei sapere qualcosa prima di trovarmi coinvolto in questa storia."

Diane sospirò. "Dana e io abbiamo perso i genitori da piccole. Prima mio padre, quando avevamo tre anni, poi mia madre quando ne avevamo cinque. Siamo andate a vivere con uno zio, il fratello di mio padre, e sua moglie, nel Texas. Come tutore, mio zio non era il più gentile e il più intelligente che potessimo avere. Dana e io ci siamo separate appena finito il liceo. Lei era decisa a diventare un'attrice, io mi interessavo di educazione fisica e volevo lavorare in una palestra. Dana cercò di trovarsi un agente, ma non ebbe successo e molto presto finì con le persone sbagliate... droga, eccetera. Per un po' convisse con uno spacciatore. Credo che sia attraverso di lui che è entrata nel porno."

"Noi lo chiamiamo 'industria del film per adulti'", precisò Gilliam.

"Be', in ogni caso, perdemmo i contatti. Non sapevo che cosa stesse combinando. Poi un giorno è arrivata a casa mia. L'avevano picchiata. Aveva un labbro che sanguinava e un occhio nero. Rimasi sconvolta. Dana mi disse che lavorava... nell'industria del film per adulti e Aaron Valentine aveva mandato qualcuno a picchiarla perché lei aveva chiesto più soldi, o qualcosa del genere, non ricordo. Forse voleva andarsene, non so come fossero andate le cose."

"Me lo ricordo!" esclamò Gilliam. "Mi ricordo quando aveva l'occhio nero e il labbro rotto. Non ha potuto lavorare per tre mesi, finché la faccia non le è tornata normale."

"Già. Be', le ho detto di uscirne e tornare a vivere da me. Lei non voleva. Poi ho scoperto che era una tossico-dipendente. A quell'epoca viveva già con tua sorella."

Gilliam annuì. "Si facevano tutt'e due di eroina e di coca. Be', a quei tempi ci facevamo tutti. Era di moda negli anni Settanta. Una volta Dana ha avuto un'overdose."

"Questo è il capitolo successivo", disse Diane. "Una notte mi arrivò una chiamata dal Cedars-Sinai Hospital. Mia sorella era stata ricoverata. Andai a trovarla. Era viva per miracolo. Ma riuscì a cavarsela e io la pregai di cercare aiuto, la supplicai di uscire da quel giro. Quella, tra l'altro, fu la prima e ultima volta che incontrai Angela. Era in stanza con Dana e non sembrava messa bene neanche lei."

Gilliam si limitò ad annuire.

"Comunque, dopo che Dana uscì dall'ospedale, ricominciò daccapo. Ma una sera mi telefonò per dirmi che lei e Angela avevano deciso di uscire dal giro e scappare: se non se ne andavano da Los Angeles, uno degli uomini di Valentine le avrebbe uccise. Sai, tra quelli che lavoravano per lui, chi avrebbe potuto esserne capace?"

"Certo", rispose Gilliam. "È ancora in circolazione. Un certo Emo Tuff, il braccio destro di Valentine. Non mi stupirei se fosse lui ad avere rapito tuo figlio. Fa paura a guardarlo. Ma non dev'essere l'unico, suppongo. Valentine ha sempre avuto tipi loschi intorno. Continua."

"Ecco, poi mi parlò del fratello di Valentine."

"Eduardo?"

"Sì. Diceva che era lui a rifornire di droga attori e attrici."

"Esatto. Era molto abile. Era lui a fare una buona parte del lavoro sporco di Aaron."

"Se non sbaglio, Eduardo era quello dei due più vicino al crimine organizzato."

"Puoi dirlo forte, ma Aaron sapeva tutto. Eduardo non faceva che obbedire ai suoi ordini. Sapevi di Eduardo e Angela?"

Diane chinò il capo da un lato. "In che senso?"

"Sono stati insieme, per un po'. Eduardo si scopava Angela anche quando lei stava con Dana. Immagino che fosse sesso in cambio droga, perché a quanto ne so lei teneva molto a tua sorella. Dana non la vedeva allo stesso modo. La cosa le dava molto fastidio."

"Non lo sapevo. Ma spiega un sacco di cose."

"Cioè?"

Diane sospirò: "Al telefono, quella sera, Dana mi ha detto che lei e Angela avevano in mente di rubare dei diamanti a Valentine. A quanto ho capito, Eduardo aveva programmato uno scambio droga-diamanti con una banda di gangster africani, o qualcosa di simile."

"Il massacro al magazzino..." disse Gilliam. "Ne parlarono molto i giornali."

"Già." Diane distolse lo sguardo. Doveva riprendersi: raccontare quella storia aveva riportato a galla alcuni ricordi latenti. "Mi spiace."

"Non preoccuparti. È da dopo quella notte che di Angela e Dana non si è saputo più niente."

Diane tornò a guardare Gilliam. "Dana mi chiamò dal magazzino poco dopo la sparatoria. Era rimasta ferita e mi pregava di andarla a prendere. Trovai il magazzino e ci arrivai molto prima della polizia. Vidi tutti quei morti... Ma Dana e Angela non c'erano. Sembrava..." Esitò. Era sul punto di singhiozzare. "C'era un inceneritore al magazzino."

Gilliam alzò una mano. "Lo so. Hanno pensato che tutt'e due vi fossero state buttate dentro."

Lei annuì. "Ma nessuno lo sa con certezza. Non ho più visto Dana da allora."

Gilliam stritolò la lattina di birra vuota con la mano. Dopo un momento di silenzio disse: "D'accordo. Ti aiuto."

Diane sorrise e rilasciò un respiro profondo. "Grazie. Forse insieme potremo fargliela pagare per le nostre sorelle."

"A dire la verità, questa sera abbiamo un'occasione d'oro."

"E sarebbe?"

"Valentine ha organizzato una grande festa a casa sua. Ho un invito e posso portare con me una persona. Vuoi venire?"

"Ci puoi scommettere quello che vuoi."

"C'è solo un'altra cosa che vorrei sapere", disse lui.

"Sì?"

"Che fine hanno fatto i diamanti?"

Diane fece un sorriso malizioso. "Ah, già. Ecco una cosa che ti volevo chiedere. Conosci qualche buon ricettatore in città?"

32

"Perché cazzo l'hai dovuto ammazzare?" ruggì Valentine.

Emo Tuff si strinse nelle spalle. "Mi sembrava necessario. Sai, mi aveva visto."

"Ma cazzo, Emo! Così adesso la polizia le dà la caccia. Il che rende tutto più rischioso per noi. Non c'era modo di scoprire dove abitava senza stendere l'ex marito?"

"Stavo cercando di affrettare i tempi. Lei non era sull'elenco, lui sì. Senti, l'ho trovata, ho preso suo figlio, dovresti essere contento."

Valentine, seduto alla scrivania, era furioso. Se Tuff non fosse stato una persona di fiducia, lo avrebbe sbattuto fuori a calci. Ma quell'uomo era con lui fin dal principio e aveva sbrigato tutte le sue questioni più delicate. Non poteva trattarlo male. "D'accordo, lascia perdere. Quando pensi che arriverà?"

"Non può avere viaggiato veloce quanto me. Deve aver fatto qualche tappa. Non sarà a Los Angeles prima di domani, al più presto."

Valentine si alzò in piedi e andò a una finestra che guardava sul retro della casa. I camerieri si dedicavano ai preparativi per la festa, decorando i tavolini sotto il tendone e collocando vasi di fiori intorno alla piscina. Altri preparavano cibi e bevande da sistemare in punti strategici della proprietà. Su un lato venivano eretti servizi igienici mobili Port-O-Johns, per le necessità degli oltre mille invitati.

"Quanta gente ci aspettiamo stasera?" chiese Tuff.

"Troppa. Ho chiamato personale extra per la sicurezza. Parla con Julio, ti aggiornerà su tutto."

Julio era il capo della sicurezza di Paradise, agli ordini di Tuff, che era anche il responsabile della sicurezza. Tuttavia, durante le feste, Tuff doveva essere in un milione di posti nello stesso momento. Quando c'erano problemi con gli ospiti se ne occupavano i buttafuori, ma di tanto in tanto lui doveva intervenire personalmente. Si era fatto la reputazione di un uomo con cui era meglio non avere a che fare. Chi lo conosceva, anche al di fuori dell'Erotica Selecta, lo temeva e il personale di Paradise stava alla larga da lui.

"E il ragazzo?" chiese Tuff. "Con tutta questa gente in giro stasera..."

"Non preoccuparti", disse Valentine. "Tienilo sotto chiave nella sua stanza. Quelli della sicurezza sorvegliano le scale. Lo sai che i piani superiori sono off limits agli ospiti delle feste. Vallo a controllare un paio di volte durante la serata e per il resto lascialo in pace. Come se non esistesse."

Tuff rifletté. "Metterò qualcuno fuori dalla sua porta, non si sa mai."

"Come vuoi. A proposito, quei lavori che hai fatto a New York e a Chicago... Tutto a posto per quanto riguarda la nostra privacy?"

Tuff fece l'offeso. "Come? Metti in dubbio il mio lavoro? Pensi che possa fare cazzate dopo tutti questi anni?"

"Tranquillo, Emo. Era solo una domanda."

"Aaron, portavo i guanti, dopo ho pulito tutto e nessuno mi ha visto. Quei due vecchi sono stati i soli che mi hanno visto in faccia e di sicuro non lo andranno a raccontare."

"Mi chiedo quanti diamanti siano rimasti."

"Da quello che mi ha detto quello di Chicago, non direi che ne siano stati venduti troppi. A meno che lei andasse anche da qualche altro ricettatore, ma non credo che si sia posta il problema. Probabilmente i soldi che tirava fuori da ogni pietra le bastavano per un po'. Scommetto che ha ancora tre quarti dell'intera partita."

"Speriamo. Da quello che mi può restituire e quello che è disposta a darmi come indennizzo dipende il destino suo e del ragazzo."

"La lasceresti andare?"

Valentine lo guardò severo. "Quella donna non lascerà la California."

"Lo immaginavo. E il ragazzo?"

"Non ho ancora deciso. È abbastanza grande da crearci problemi se lo lasciamo andare."

"Sì, lo so."

Valentine si passò le dita tra i capelli. "Credo che dovremo occuparci anche di lui. Lo lascerò a te. Che sia rapido e indolore. Ma quanto a *lei*..."

"Ricevuto, forte e chiaro", disse Tuff.

Darren Marshall si allacciò la cintura di sicurezza e diede un'occhiata alla rivista della compagnia aerea nella tasca del sedile davanti a sé. Si domandò come si facesse a pubblicarci articoli e se pagassero bene. Lui le ignorava abitualmente. Chissà se qualcuno le leggeva mai?

Rimise a posto la rivista e si appoggiò allo schienale in attesa del decollo alla volta di El Paso, Texas. Poi avrebbe dovuto prendere una coincidenza per Midland-Odessa. Guardando l'area su una carta stradale, non sembrava che ci fosse molto da vedere nel West Texas. Le città erano poche e distanziate l'una dall'altra. A Garden City, la sua destinazione finale, non c'era un aeroporto: il più vicino era quello di Midland-Odessa. Il giornalista avrebbe dovuto noleggiare una macchina e guidare, pressappoco per un'oretta.

Il materiale fornito da Eric Gilliam non era emozionante come aveva sperato. Non c'erano rivelazioni mozzafiato, se non quella che Dana Barnett aveva vissuto a Garden City. Angela aveva scritto nel suo diario che, a detta di Dana, quello era il nome più stupido per una città che di fatto era "l'ascella del Texas". Marshall doveva supporre che fosse lì che vivevano gli zii che avevano cresciuto la ragazza e la sua presunta gemella. Intendeva trovarli o, se erano morti, rintracciare qualcuno che li avesse conosciuti. In un modo o nell'altro, voleva scoprire la verità.

Diario di David

Sono prigioniero in questa stanza al secondo piano della casa di Aaron Valentine, in California, in una zona che si chiama Woodland Hills. Stiamo aspettando che compaia mia madre. Spero proprio che arrivi presto, qui sto impazzendo. Vorrei che mi lasciassero uscire, così potrei farmi un giro. Mi sto stufando a guardare la tv e a giocare con i videogame.
Ieri sera Emo mi ha portato la mia medicina. Così va meglio. Mi trattano molto bene e nessuno ha cercato di farmi del male. Il letto è comodo e dormo benissimo. Quello che mi danno da mangiare è ottimo: ieri sera bistecca e aragosta. Non potevo crederci. Come dolce ho chiesto torta al cioccolato e me l'hanno portata. Comincio a pensare che se per cena chiedessi cervello di scimmia, troverebbero il modo di procurarmelo.
Ma voglio andarmene lo stesso. Non piace a nessuno essere prigioniero, anche se in un palazzo come questo. Dalla mia finestra vedo gente che lavora, credo che stiano preparando una grande festa per stasera. Vorrei riuscire a vedere il giardino e la piscina, forse potrei fare un segnale a qualcuno. Ma qui sotto ci sono solo fiori rossi. Se qualcuno ci passasse, potrei buttare giù un messaggio. Ho strappato qualche pagina dal mio diario e ci ho scritto sopra: "David Boston è prigioniero qui al secondo piano. Aiuto!" Se ci fosse un po' di vento, potrei farli volare fuori

dalla finestra e magari uno lo trovano.

Mi sono appena accorto che una delle lenti dei miei occhiali ha un graffio. Riesco ancora a vederci attraverso, ma c'è questa strana riga davanti a un occhio. Proprio quello che ci voleva. Non è che ci veda molto bene.

È ora di pranzo e ho fame. Credo che suonerò il campanello e mi farò portare un hamburger o qualcosa del genere. Magari un frullato.

Dopo torno a scrivere.

33

Aveva perso di vista Diane Boston.

La Lexus aveva forato una gomma mentre passava il confine con la California. Maledicendo la sfortuna, Nick Belgrad aveva sprecato tempo prezioso per montare la ruota di scorta e portare la macchina in un garage per far riparare la gomma. Ormai Diane aveva un vantaggio di tre ore su di lui e doveva essere già nel cuore di Los Angeles.

Belgrad non ricordava di avere mai perso una persona che stava seguendo e si domandò se quello fosse un cattivo presagio di ciò che lo aspettava.

Una volta in città, prese una stanza in un albergo a Hollywood e nel pomeriggio fece un sonnellino di un paio d'ore. Non aveva dormito molto durante il viaggio da Chicago, ma quel breve intervallo sarebbe bastato a snebbiargli il cervello. Fece tuttavia un sogno vivido e ricorrente, come sempre spiacevole.

Era in Israele, vent'anni prima, e saliva i gradini malfermi di un vecchio edificio destinato alla demolizione. I servizi di sicurezza generali avevano identificato i tre uomini nascosti in una stanza vuota come traditori che cooperavano con i terroristi palestinesi. Belgrad si era offerto volontario per eliminarli prima che la polizia li arrestasse. Era stato giudicato che i tre meritassero di essere uccisi. Inoltre, se fossero stati portati in tribunale, avrebbero dato ai palestinesi un pretesto per ulteriori manifestazioni di protesta.

La scena era esattamente come lui se la ricordava: la luce del sole e il rumore del traffico filtravano tra le fessure nei muri. Si sentivano i tre uomini che russavano già a mezza rampa di scale dalla stanza. Evidentemente preferivano dormire di giorno e compiere i loro misfatti di notte.

Belgrad preparò il fucile d'assalto Galil ARM a presa di gas e si preparò a fare irruzione attraverso la porta sprangata. Ma, a differenza di quanto era avvenuto nella realtà, nel sogno gli uomini lo stavano aspettando. Appena ebbe spalancato la porta con un calcio, fu accolto dal fuoco di fila dei traditori. I proiettili lo trapassarono. Cadde all'indietro...

Si svegliò, scosso da un sussulto che lo costrinse a mettersi a sedere. Si aspettava di vedere il sangue sulla camicia, ma non c'era niente. Ricordò dove si trovava e si rilassò.

Si alzò, andò in bagno e si gettò acqua fredda sulla faccia. Di solito quel sogno, o più esattamente quell'incubo, lo lasciava sconvolto e disorientato. Ma questa volta, invece, l'adrenalina lo faceva sentire sorprendentemente lucido.

Alle quattro del pomeriggio era pronto a mettersi sulle tracce di Diane per finire di ricomporre i frammenti del puzzle. Considerò la possibilità di cercare Pete Rod alias Eric Gilliam, il fratello di Angel Babe. Ma ritenne che la strategia migliore fosse far visita agli uffici dell'Erotica Selecta. Forse sarebbe riuscito ad avere udienza da Aaron Valentine in persona.

La compagnia aveva sede in un palazzo di quattro piani su Highland Avenue, tra il Sunset e l'Hollywood Boulevard. Erano solamente uffici amministrativi, dal momento che le riprese erano effettuate di nascosto in vari punti della città. Una giovane e attraente receptionist che sembrava l'incarnazione di Betty Boop,[17] seduta a una scrivania circolare, lo salutò al suo ingresso. Belgrad notò che l'accesso al resto della suite era alle spalle della ragazza, oltre una porta a vetri.

"Posso esserle utile?" chiese la receptionist, con una

voce consona al suo aspetto. Belgrad ne fu divertito. "Forse. C'è il signor Valentine?" E le fece balenare davanti agli occhi una licenza di investigatore privato di New York. Sospettava che non fosse valida in California, ma d'altra parte non lo era neppure nello stato di New York, dal momento che lui non era un investigatore privato. La usava solo a scopo intimidatorio.

"Uhm, non credo", rispose la ragazza, sgranando gli occhi di fronte alla tessera, che su di lei doveva avere fatto l'effetto di un distintivo da poliziotto. "Dovrò chiamare il suo ufficio per controllare. Viene qui di rado." Sollevò il ricevitore e domandò se il suo capo fosse presente. Disse un po' di volte "Ah-hah", poi riagganciò. "No, il signor Valentine non c'è", disse, facendo il broncio. Poi si illuminò in viso e aggiunse: "C'è il signor Alfredo. Vuole parlare con lui?"

"Il signor Alfredo?"

"Rudy Alfredo. È il vicepresidente."

Prima che Belgrad potesse rispondere, suonò il telefono sulla scrivania.

"Mi scusi", disse la ragazza, e rispose. Dopo un'altra serie di "Ah-hah", riappese e disse a Belgrad. "Mi scusi, devo lasciarla per un secondo. Ma torno *subito*." Si alzò in piedi, rivelando una gonna nera cortissima, lunghe gambe bianche e tacchi. Sparì oltre la porta a vetri, lasciando Belgrad da solo alla reception.

Come di consueto, gli venne naturale di passare in esame gli oggetti sulla scrivania, in cerca di qualcosa di interessante. Una pila di biglietti attirò la sua attenzione. Ne prese uno: era l'invito a una festa in casa di Valentine, a Woodland Hills. Per quella sera stessa.

Belgrad se lo mise in tasca e attese che tornasse la receptionist. La vide ricomparire nemmeno dieci secondi dopo, con in braccio un cumulo di pacchetti. "Mi scusi, dovevo prepararli subito. C'è giù il ragazzo della FedEx che mi aspetta."

"Nessun problema", la rassicurò Belgrad.

"Vuole vedere il signor Alfredo?"

"No, non importa. Passerò un'altra volta. Ah, lei come si chiama?"

"Betty!" fece la segretaria, raggiante.

Belgrad annuì, fece un sorriso e uscì dall'ufficio.

"Buona giornata!" gli disse dolcemente la ragazza.

Darren Marshall, percorsa la Highway 158 a bordo della Mazda 626 che aveva noleggiato, entrò a Garden City. Gli venne da ridere: la città non era che un gruppetto di case sparpagliate per un chilometro e mezzo lungo l'autostrada, che di fatto ne costituiva la via principale, tagliandola da un'estremità all'altra. Sembrava lo scenario de *L'ultimo spettacolo*,[18] solo in miniatura. Garden City sorgeva su un pianoro accidentato in cui c'era ben poco che facesse pensare a un giardino.[19] La *mesquite* cresceva in abbondanza e il vento soffiava la polvere tra gli edifici fatiscenti come in una città fantasma del West. Non c'era nessuno in vista.

Marshall raggiunse una pompa di benzina e si fermò. Un vecchio ossuto e goffo in tuta da meccanico gli venne incontro sfoggiando un sorriso sdentato. "Che posso fare per lei, mister?"

"È questa Garden City?" chiese Marshall, abbassando il finestrino.

"Sissignore, questa è Garden City."

"Dove sono tutti?"

"Che vuol dire?" Il vecchio non capiva la domanda.

"Non c'è in giro nessuno", disse il giornalista.

"Certo che ci sono. Sono tutti al lavoro. Non è ancora l'ora di punta."

Marshall non riusciva a immaginare che ora di punta potesse esserci in una città di quelle dimensioni. "Capisco. Senta, c'è un posto in cui si possano leggere i pubblici registri? Una biblioteca o qualcosa del genere?"

Il vecchio annuì. "Sissignore. La biblioteca pubblica è vicino al liceo." Indicò un punto in fondo alla strada.

"Prenda a sinistra a quell'incrocio, dove c'è il *drugstore*. Dopo qualche isolato trova il liceo, sulla destra. La biblioteca è sulla sinistra, dall'altra parte della strada."

"Grazie", disse Marshall. Tirò su il finestrino e ripartì.

Garden City, più che una vera città, sembrava consistere di piccole chiazze di mondo civile distribuite intorno all'autostrada. Il giornalista localizzò la biblioteca, che aveva sede in un edificio quadrato delle dimensioni di un garage. Parcheggiò in uno dei due posti disponibili davanti all'ingresso.

L'interno era un'unica stanza con meno libri di quelli che possedeva Marshall. La bibliotecaria era una piccola signora anziana che avrebbe potuto essere la sorella del vecchio della pompa di benzina. "Posso aiutarla?" si offrì la donna.

"Uhm, sì. Avete dei vecchi elenchi telefonici della zona?"

La vecchia fece cenno di sì con la testa e camminò dondolando verso un armadietto. Aprì un cassetto e chiese: "Quanto vecchi?"

"Ehm, gli anni Sessanta. O anche gli anni Cinquanta."

Lei scosse la testa. "Mi spiace, i più vecchi che abbiamo sono del 1997."

Marshall voleva rimettersi a ridere. "Davvero?"

"Che cos'è che cercava?"

"Be', sto cercando di rintracciare una famiglia che stava qui allora. Le dice niente il nome Dana Barnett?"

Ci fu un bagliore di riconoscimento negli occhi della vecchia signora. "Era una delle nipoti di Edna Barnett?"

Il giornalista provò un brivido. "Può darsi. Ce n'era più di una, di nipote?"

"Sì, due ragazze. Gemelle."

Gemelle!

"C'è ancora qualcuno della famiglia, qui intorno?" chiese Marshall, aggrappandosi a un filo di speranza.

La vecchia rispose: "Tsk, tsk, tsk. Non direi. Roy Barnett è morto trent'anni fa. Edna... be', lei è ancora viva, ma non credo che potrà aiutarla. È in un ospizio dall'altra parte della città. Soffre di demenza senile, poverina."

"Si chiamavano Edna e Roy Barnett?"

"Proprio così."

"Che cosa sa delle gemelle?"

"In realtà niente", rispose la donna. "So solo che un paio di ragazze hanno vissuto da loro per un po'. Sa una cosa? La tenuta è ancora lì e credo che il vecchio Manuel continui a occuparsene. Edna ha lasciato la casa a lui e alla sua famiglia."

"Manuel?"

"Manuel Delgado. Lavorava al ranch di Roy Barnett. Allevavano bestiame. La tenuta è a nove-dieci chilometri verso nord. Se trova Manuel forse lui può aiutarla."

Marshall accennò un inchino. "Grazie, signora. Mi è stata di enorme aiuto."

La donna sorrise. Anche a lei mancavano parecchi denti.

34

"Sei sicuro che nessuno mi riconoscerà?" chiese Diane, mentre a bordo della Porsche abbassava lo specchietto dal lato del passeggero e guardava il proprio riflesso. Si era truccata pesantemente, con abbondanza di ombretto azzurro-argento e mascara scuro. Indossava una parrucca argentata con la frangia. I capelli le scendevano dritti ai lati del viso, fin sotto il mento. La parrucca era intonata al vestito procuratole da Gilliam, che teneva in casa una scorta di costumi per le nuove attrici dei suoi video. Si trattava di un completo bianco e argento costituito da reggiseno, mutandine, giarrettiera e calze, con una stola che scendeva fino alle ginocchia. Ai party di Valentine la regola era che meno ci si vestiva meglio era: la maggior parte delle donne erano in lingerie o altri indumenti altrettanto rivelatori, gli uomini indossavano pigiami, boxer e T-shirt o camicie hawaiane aperte sul petto.

"Stai benissimo... No, non credo che ti riconosceranno", disse Gilliam, che aveva addosso pantaloncini da ginnastica e una camicia hawaiana con danzatrici di hula in topless.

La festa aveva ufficialmente inizio alle nove, ma loro intendevano arrivare alle dieci. Se tutto andava come al solito, il party si sarebbe protratto fino all'alba. Gilliam percorse la Ventura Freeway, prese l'uscita di Woodland Hills e si inerpicò sulle colline. C'era già una fila di auto e limousine che serpeggiavano lungo la stretta strada verso Paradise. Ci volle più tempo del previsto, ma alla fine le guardie al cancello lasciarono passare la Porsche, che andò a fermarsi nel grande prato che fungeva da parcheggio.

Il giardino era già un brulichio di star: chiunque fosse qualcuno nel mondo del porno doveva esserci, ma anche vere celebrità di Hollywood erano presenti. Diane riconobbe personaggi di grido: attori, attrici, musicisti e sportivi. Per la maggior parte, gli ospiti erano giovani e vigorosi, ma c'era anche un contingente di astri del passato. Come aveva detto Gilliam, le donne indossavano costumi audaci che lasciavano poco spazio alla fantasia. E le cameriere che giravano con i vassoi di antipasti indossavano solo *body paint.*

Un dj suonava musica *dance* a tutto volume e già una larga fetta di pubblico ballava sulla pista allestita sotto un tendone. Anche la piscina rappresentava una grande attrazione e quasi tutti gli uomini e le donne che vi nuotavano non avevano addosso nulla.

"Wow", fu tutto quello che riuscì a dire Diane.

"Stupefacente, vero?" replicò Gilliam. "E non è niente. Immagino che entro mezzanotte la folla sarà raddoppiata."

"Non credo che ci sia così tanta bella gente in tutto l'Illinois", disse lei.

"Allora, qual è il nostro piano?"

"Non lo so. Dobbiamo trovare il modo di entrare in casa", rispose Diane.

"Non dovrebbe essere un problema. Ma dubito che riusciremo ad andare di sopra. I piani superiori sono inaccessibili durante le feste."

"Approfitta del fatto che sei un divo, Eric", suggerì lei.

"Farò del mio meglio. Vieni, prendiamo da bere."

Quando Nick Belgrad presentò il suo invito, la guardia al cancello lo guardò attraverso il finestrino della Lexus.

"Come si chiama?"

"Nick Belgrad", rispose lui. Non riteneva che ci fosse motivo di nascondere la sua identità. Nessuno lo conosceva, da quelle parti.

La guardia scorse la lista degli invitati. "Qui lei non c'è. Come si scrive?"

"B-E-L-G-R-A-D. Forse non sono sulla lista. Mi hanno invitato all'ultimo momento. L'invito mi è arrivato stamattina via FedEx."

"Chi l'ha spedito?"

"Betty, dall'ufficio sulla Highland."

La guardia assentì. "Lei è di qualche compagnia?"

"Sono un agente", rispose Belgrad. "Mi occupo di riviste per uomini."

La guardia alzò lo sguardo e vide le auto in coda dietro la Lexus. "Va bene, passi pure", si decise a dire.

Belgrad si rallegrò ed entrò nella proprietà. Il personale lo indirizzò verso il prato perché parcheggiasse.

Chiuse a chiave la macchina e si diresse verso la folla in giardino. Si rese conto di essere troppo vestito: indossava un paio di pantaloni khaki, un dolcevita con le maniche corte e una giacca di tweed. *Oh, be'*, pensò, *sono sempre stato un po' fuori moda*. Sperava solo di non dover usare la Browning 9mm ben nascosta sotto l'ascella sinistra della giacca.

"Eric! Che piacere vederti!"

"Come stai, Aaron?" chiese Gilliam.

Aaron Valentine teneva corte come un padrino della mafia, seduto su una sedia di vimini dallo schienale arrotondato. Con lui c'erano quattro splendide attricette: due gli accarezzavano i capelli bianchi e gli massaggiavano il collo, mentre le altre due gli sedevano ai piedi, con le braccia appoggiate sulle sue gambe. Il magnate del porno indossava una bianca e lunga tunica araba sul corpo massiccio. Le catene d'oro che portava al collo luccicavano sotto le luci colorate sistemate in punti strategici sotto il tendone. Aveva un'aria così regale che d'istinto Diane gli avrebbe fatto un inchino.

Valentine non si alzò per stringere la mano a Gilliam. Occhieggiò invece Diane e chiese: "Chi è la tua bella amica?"

"Lei è Carol", rispose Gilliam: era il nome che lui e Diane avevano concordato.

"È bello vederti con qualcuno più vicino alla tua età", lo punzecchiò Valentine, ridendo.

"Andiamo, Aaron, senti chi parla!"

Valentine si rivolse a Diane: "Benvenuta, mia cara. Vivi a Los Angeles?"

"San Diego. Sono qui per il weekend."

"Come hai conosciuto Eric?"

Fu Gilliam a rispondere: "Ci crederesti che ci siamo incontrati in un bar? Ero andato a girare e ci siamo ritrovati in questo bel locale in centro. Carol era la nostra cameriera."

"Piacere di conoscerla. È una splendida festa."

"Grazie. Andate a divertirvi", disse Valentine, congedandoli con un cenno della mano.

Mentre si allontanavano, Diane notò un uomo alto vestito di nero, con lunghi capelli biondi e una benda sull'occhio, che li stava osservando attentamente.

"Eric, c'è un tipo inquietante che ci sta osservando", sussurrò lei al suo accompagnatore.

Gilliam diede un'occhiata all'uomo e rispose: "Quello è Emo Tuff, il tipo di cui ti ho parlato. Io dovrei andarlo a salutare, ma è meglio se tu gli stai alla larga. Perché non vai al bar a prendere qualcosa da bere?"

"D'accordo."

"Per me una vodka con ghiaccio."

Lei fece cenno di sì e se ne andò.

Gilliam si avvicinò a Tuff e gli strinse la mano. Diane li osservò con la coda dell'occhio, mentre si metteva in coda al bar. I due evidentemente si conoscevano. Chiacchieravano come vecchi amici. A un certo punto Tuff la indicò e Gilliam si voltò verso di lei. Parlarono ancora un po' e l'uomo con la benda sull'occhio annuì, soddisfatto della spiegazione.

Diane fece un passo avanti, seguendo la coda, e si voltò verso la fila parallela alla sua. Batté due volte le palpebre e tornò a guardare davanti a sé.

Era l'uomo con i capelli lunghi e la barba che aveva visto nella gioielleria di Rabinowitz a Chicago. Adesso era nell'altra fila e la stava fissando.

Mio Dio, chi è? Che cosa ci fa qui? Mi avrà seguito dall'Illinois?

Diane cercò di mantenere la calma mentre prendeva la vodka per Gilliam e un bicchiere di vino per sé. Poi si affrettò a raggiungere il suo accompagnatore, che ora stava parlando con una brunetta quasi nuda.

"Ah, eccola", disse Gilliam, prendendo il bicchiere. "Carol, lei è Tawni Pebbles, una delle più grandi star di film per adulti del pianeta." A Diane sembrò una descrizione calzante, viste le proporzioni del seno della donna. "Tawni, lei è la mia amica Carol."

L'attrice strinse la mano a Diane e disse: "Piacere." Poi rivolse immediatamente la sua attenzione a Gilliam. "Allora, quando lo facciamo quel film insieme, Eric?"

Lui rise. "Andiamo, Tawni, lo sai che sono troppo vecchio per i lungometraggi. Preferiscono vederti con uno dei nuovi bellimbusti."

"Tesoro, vorremmo tutti essere come te alla tua età", fece Tawni, battendo le palpebre. "Credo che se ne parli con Felix avrai una sorpresa."

Gilliam si rivolse a Diane. "Felix è il suo produttore. Uno dei rivali di Aaron", spiegò. Poi tornò a parlare con Tawni. "È qui?"

"Da qualche parte. L'ho visto prima. Mi ha fatto piacere parlare con voi due. Chiama Felix, okay Eric?"

"Ci penserò."

"Ciao. Divertitevi." L'attrice corse via, lasciando soli Gilliam e Diane.

"Be', ti diverti?" le chiese lui.

"Eric, c'è quel tipo al bar che ci tiene d'occhio, vedi? Quello con la giacca, i capelli lunghi e la barba. Lo vedi?"

Gilliam lo guardò di nascosto e disse: "Sì."

"L'ho visto a Chicago il giorno prima di partire. Era... be', è una storia lunga, ma l'ho visto in una gioielleria in cui di solito vendevo un paio di diamanti ogni tanto. Il proprietario era stato ucciso e lui era con la polizia. Adesso è qui. Che cosa pensi che voglia dire?"

"Non lo so", rispose Gilliam. "È un poliziotto?"

"A vederlo non si direbbe."

"E da come è vestito si vede che è nuovo a queste feste. Ora che me lo fai notare, non passa inosservato."

"Hai visto? Continua a guardarci."

"Sì. Be', cerca di rilassarti. Adesso saremo noi a tenere d'occhio lui."

"Merda, viene da questa parte!"

Difatti Belgrad aveva deciso di abbandonare ogni precauzione: si diresse verso la coppia e disse a entrambi: "Non vi allarmate. Sono dalla vostra parte." Poi si rivolse a lei: "Salve, Diane. Ero fuori dalla gioielleria a Chicago. Ricordi?"

"Chi diavolo è?"chiese lei.

Lui tese la mano, che i due strinsero, esitanti. "Il mio nome è Nick Belgrad. Lavoro per la famiglia Rabinowitz... Be', in realtà lavoro per Moses e Hiram, il resto della famiglia non mi conosce."

"Ma i Rabinowitz sono morti", disse Diane.

Belgrad assentì. "Moses mi ha chiamato a New York il giorno del funerale di suo fratello. Gli ho promesso che avrei scoperto chi ha ucciso Hiram. Dopo che anche Moses è stato ucciso, mi sono sentito in dovere di portare a termine l'incarico."

"È una specie di poliziotto?" volle sapere Gilliam.

"Non proprio. Si può dire che sono un investigatore privato, ma non ho una licenza. Potete considerarmi un mercenario. Sono uno che risolve problemi, metto a posto le cose. Faccio lavori sporchi per gente che vuole avere le mani pulite."

"Mi scusi, ma sembra piuttosto un rabbino", disse Gilliam.

Belgrad sorrise. "Lo prendo come un complimento. Lavoro soprattutto per clienti della comunità ebraica.

Quando ero molto più giovane operavo in Israele con i servizi di informazione. Ora più che altro la mia attività è a New York."

"Come ha conosciuto i Rabinowitz?" domandò Diane.

"Ah, questa è una bella storia. Erano amici di mio padre a Berlino, fin da bambini, all'epoca del nazismo. Salvarono la vita a mio padre in campo di concentramento. Dopodiché sono rimasti legati per tutta la vita. Mio padre mi ha sempre detto che se uno di loro mi avesse chiesto un favore, avrei dovuto farglielo senza domande. Faceva molti affari con i fratelli Rabinowitz, soprattutto vendendo pietre preziose sul mercato nero in Israele. È morto qualche anno fa."

"Mi spiace", disse Diane.

Belgrad si strinse nelle spalle. "Grazie. Ma ha avuto una vita intensa." Si guardò intorno per controllare che nessuno li stesse osservando. "Ora che sapete chi sono, voglio dirvi che sono qui per aiutarvi. Il mio principale obiettivo è scoprire l'assassino di Moses e Hiram e sono sicuro che questa storia ha a che fare con Diane. Ho seguito il tuo caso a Chicago e sono convinto che tu non abbia ucciso il tuo ex marito."

"Non sono stata io."

"Ti ho detto che ti credo. E per quanto mi riguarda non m'interessa se hai girato o no i pornofilm. Piuttosto, dov'è tuo figlio?"

"Credo che sia qui, da qualche parte", rispose Diane. "È stato rapito. Valentine crede che io sia Dana Barnett e ha preso David per portarmi qui. Finora nessuno sa che sono arrivata. Sto ancora cercando di capire che cosa fare. Vorrei riuscire a trovare David prima di presentarmi a Valentine."

"Perché ti vuole qui?"

Diane sospirò e guardò Gilliam. Lui annuì e lei rispose: "Ho dei diamanti che una volta gli appartenevano. I Rabinowitz mi facevano da ricettatori."

Belgrad disse: "Immaginavo qualcosa del genere. Un uomo come Valentine probabilmente ha la memoria lunga."

"A proposito di Valentine", disse Gilliam, "ci sta guardando."

Gli altri due guardarono senza farsi notare verso il trono del magnate e lo videro che questi li stava osservando mentre parlava con Emo Tuff.

"Meglio se ci dividiamo", consigliò Belgrad.

"Vogliamo cercare di entrare in casa e andare di sopra", disse Gilliam.

"Bene. Vedete che cosa potete scoprire. Ci troviamo qui tra un'ora." Belgrad strinse nuovamente la mano a entrambi, fingendosi un fan di Eric Gilliam, poi se ne andò.

"Forza", disse l'attore, prendendo Diane e guidandola verso la casa.

Prima che la festa avesse inizio, Emo Tuff era entrato nella stanza del prigioniero e aveva tolto tutte le lampadine. "Scusa, David, ma non posso permettere che tu faccia segnali agli ospiti dalla finestra. Ti lascio una candela sul tavolo e puoi sempre vedere la tv, ma niente luci."

Da quando lo avevano lasciato solo, David sapeva che c'era qualcuno di guardia fuori dalla porta: se avesse aperto la finestra e cercato di chiamare qualcuno, lo avrebbero sentito. Ma sarebbe stato inutile: fino a quel momento nessuno era comparso su quel lato della casa. La festa si svolgeva sul retro, davanti e sul lato opposto – dove erano installati i Port-O-Johns.

David aprì lo stesso la finestra e mise fuori un braccio. C'era una lieve brezza, ma sarebbe stata sufficiente a trasportare i suoi messaggi? Di certo valeva la pena di tentare.

Raccolse i foglietti con i suoi SOS e ne gettò una manciata all'esterno. Si sparpagliarono al vento e fluttuarono nel buio come coriandoli. David attese un momento e poi ne lanciò altri. Dieci minuti dopo buttò fuori la terza e ultima manciata.

Diane seguì Gilliam nel salotto sul retro della casa, dove era stato allestito un altro bar. La maggior parte degli ospiti erano all'esterno, ma alcuni preferivano starsene dentro casa. Di là dal salotto c'erano una sala giochi, una sala da pranzo, un piccolo cinema, la cucina e quello che veniva definito il Salone, dove gli ospiti si trovavano dopo essere entrati dalla porta principale. Da lì due scale curve di pietra salivano al piano di sopra. Il Salone era vuoto, a parte due uomini della sicurezza ai piedi di ciascuna scala.

Gilliam si avvicinò a uno di loro. "Salve."

"Buonasera, signore", disse la guardia.

"Vorrei mostrare alla mia ragazza la collezione di dipinti erotici di Aaron, al piano di sopra. Posso salire?"

"Mi spiace, signor Rod. Non posso lasciarla salire se non l'accompagna il signor Valentine in persona."

Gilliam si strinse nelle spalle. "Okay." Si voltò verso Diane. "Vieni, cara. Dovremo andare a lamentarci da Aaron." La prese per un braccio e la condusse fuori.

"E adesso?"

"Fammi pensare", disse Gilliam. Tornarono in salotto, si fermarono a prendere da bere e uscirono. "Facciamo il giro della casa e diamo un'occhiata alle finestre. Se è di sopra, potremmo riuscire a vederlo."

"Okay."

Sottobraccio, oltrepassarono coppie in atteggiamento intimo nell'ombra. In altri angoli bui alcuni ospiti facevano uso di cucchiaini da coca o fumavano erba. Una tenda ospitava uno spazio riservato a un'orgia, già in corso. Quando Diane sollevò un lembo e si affacciò, una donna li invitò a unirsi al gruppo.

"No, grazie", disse lei, affrettandosi a richiudere la tenda.

La festa stava diventando sempre più decadente. "Entro le due del mattino sarà come nell'antica Roma", dichiarò Gilliam.

Raggiunsero il lato della casa dove sorgevano i Port-O-Johns e guardarono in alto. Le finestre erano buie.

"Andiamo dall'altra parte", suggerì Gilliam.

Mentre giravano intorno alla costruzione, incrociarono due ragazze che tenevano in mano un foglietto di carta.

"Chi diavolo è David Boston?" stava chiedendo una di loro.

Diane si sentì rincuorata e disse: "Scusate, posso vederlo?"

Una delle due le passò il foglietto. "L'abbiamo trovato per terra. Ce ne sono un po'."

Diane sentì il cuore accelerare, riconoscendo la grafia di suo figlio:

David Boston è prigioniero qui al secondo piano. Aiuto!

"Eric", disse lei, sentendosi mancare il fiato, "dobbiamo assolutamente trovare il modo di distrarre quelle guardie e andare di sopra!"

35

David ebbe un'idea. Se fosse riuscito ad aumentare il ritmo delle pulsazioni – purché non tanto da stare male sul serio – forse avrebbe potuto simulare un attacco di cuore. Avrebbero dovuto portarlo da un medico. Non lo avrebbero lasciato morire, vero? Per Aaron Valentine non sarebbe stata una bella pubblicità se un ragazzo fosse morto a una delle sue feste. E quando lo avessero fatto uscire dalla stanza, avrebbe tentato la fuga.

Poteva anche funzionare.

Si allontanò dalla finestra e si mise in piedi accanto al letto e al comodino, dove si trovava il campanello per chiamare il personale. Così, se gli fosse successo davvero qualcosa, sarebbe stato in grado di premere il pulsante.

David cominciò a correre sul posto, dapprima lentamente, poi accelerando fino a sentire il cuore martellargli nel petto.

Diane e Gilliam ritrovarono Belgrad al punto di incontro prestabilito e gli mostrarono il messaggio di David.

"Ne ho trovato uno anch'io", disse Belgrad.

"Dev'essere riuscito a gettarli dalla finestra", ipotizzò Diane. "Ma non siamo riusciti a capire da quale. Dev'essere sull'altro lato della casa. In ogni caso dobbiamo andare di sopra."

"Ci sono due guardie davanti alle scale", aggiunse Gilliam.

"Quindi bisogna fare in modo che abbandonino le loro posizioni", concluse Belgrad. "Che cosa c'è in casa?"

"C'è un bar nel salotto, entrando dal giardino", rispose Diane. "E poi, Eric? Il cinema? La sala da pranzo?"

"Sì, diverse sale in cui Aaron intrattiene gli ospiti. E la cucina. Non mi pare che ci siano camere da letto, di sotto."

Belgrad si accarezzò la barba. "Ci sono molti ospiti dentro casa?"

"No", rispose Gilliam. "Solo qualcuno."

"D'accordo. Allora provocherò un diversivo al bar del salotto. Scommetto che le due guardie verranno a vedere che cosa succede. E a quel punto voi farete la vostra mossa. Dovrete tenervi pronti, perché non avrete molto tempo a disposizione."

"Che cosa pensa di fare?" chiese Diane.

"Creare un po' di confusione. Cerco di farmi sbattere fuori, poi prendo la macchina, parcheggio fuori dal cancello e vi aspetto. Se non vi vedo comparire entro un'ora, me ne vado." Disse il nome del suo albergo. "Nel caso, resto in attesa di vostre notizie. Se non vi sentirò entro domattina dovrò presumere che qualcosa sia andato storto. In quel caso, chiamerò la cavalleria."

"Sembra un piano sensato", commentò Gilliam. Tese la mano a Belgrad.

"Grazie per il suo aiuto", disse Diane.

"Il piacere è mio. Voglio solo il bastardo che ha ucciso i Rabinowitz."

"Se dovessi scommettere", disse Gilliam, "punterei su Emo Tuff, il tipo con la benda sull'occhio."

"Già, ho fatto un controllo su di lui" convenne Belgrad. "Le mie fonti dicono che è 'sotto osservazione' da parte della polizia, ma finora nessuno è riuscito ad accollargli niente. È sospettato di reati di ogni genere, omicidio incluso."

"Io so per certo che è un assassino", ribatté Gilliam. "Non ne ho le prove, ma lo so. Credetemi."

"Ci credo. Sentite, io vado a fare la mia parte, voi andate

di sopra. Buona fortuna."

"Attento", raccomandò Diane. "Mi raccomando."

Belgrad le strinse un occhio. "Non preoccuparti per me."

Se ne andò ed entrò in casa.

"Forza, entriamo in azione", disse Gilliam. Seguirono Belgrad in salotto, ma proseguirono oltre il cinema e la sala da pranzo, fermandosi prima di arrivare nel Salone. Si appoggiarono alla parete, dietro una tenda tirata e legata sotto un arco. Gilliam sbirciò fuori e vide i due uomini in piedi, di sentinella.

Nel frattempo Belgrad andava al banco del bar e ordinava un rum e Coca-Cola. Quando il barista lo servì, lui chiese ad alta voce: "Perché lo hai fatto?"

"Prego?" fece il cameriere, perplesso.

"Ti ho visto!" gridò Belgrad. Indicò il barista, rivolgendosi agli altri ospiti nel salotto. "Questo bastardo mi ha sputato nel bicchiere prima di darmelo! L'ho visto!"

"Senta, per favore, abbassi la voce", disse il barista. "Non ho sputato nel suo bicchiere."

"Che cazzo, sì che ci hai sputato!"

Un uomo della sicurezza, in piedi fuori dal salotto, entrò e si avvicinò a Belgrad. "Signore, deve calmarsi. Sono sicuro che non ha sputato nel suo bicchiere. Non è che si è fatto qualche drink di troppo?"

"Oh, sta' zitto!" fece Belgrad, belligerante. Poi, senza preavviso, gettò il contenuto del bicchiere in faccia alla guardia. "Anche tu te ne sei fatto uno di troppo!" Scoppiò a ridere fastidiosamente, mentre altri ospiti si affacciavano al salotto per vedere che cosa stesse succedendo.

Belgrad depose il bicchiere vuoto sul banco e attese il momento che sapeva sarebbe arrivato: la guardia avrebbe finito di asciugarsi la faccia e lo avrebbe attaccato. Ma prima che le mani dell'uomo arrivassero a sfiorarlo, Belgrad fece partire un gancio destro che lo mandò al tappeto. Due donne gridarono e un uomo urlò: "Ehi!"

Belgrad si voltò verso il banco e con un colpo di braccio

spazzò via una fila di bicchieri vuoti e puliti, riducendoli in frantumi sul pavimento. "Ooops! Qualcuno ha fatto casino!", urlò, e scoppiò in una risata isterica. Nel frattempo l'uomo della sicurezza si era ripreso: parlò nel microfono della sua radiotrasmittente, poi si alzò in piedi e cercò di bloccare l'ospite irrispettoso con una presa frontale.

Diane e Gilliam videro le due guardie ai piedi delle scale che rispondevano alla richiesta di aiuto dal salotto. Uno dei due disse all'altro: "Vado io. Tu resta qui." E si diresse verso l'arco.

Gilliam e Diane si avvolsero nel tendaggio e lo lasciarono passare.

Diane compose sulle labbra le parole: "E adesso?"

C'era ancora un uomo a ostruire il passaggio.

Belgrad si lasciò afferrare dalla guardia per qualche secondo, poi fece la sua mossa: affondò il gomito destro nello stomaco dell'uomo, poi scalciò all'indietro, colpendolo alla rotula. La guardia si lasciò sfuggire un guaito di dolore e mollò la presa. Nel frattempo l'uomo di rincalzo era arrivato in salotto, pronto a gettarsi sull'ospite molesto.

Belgrad si piegò in avanti, quanto bastava a schivare le braccia dell'assalitore, e lo afferrò alla vita. Sfruttandone lo slancio, lo fece girare intorno a sé, gettandolo contro il banco.

Ora gli ospiti stavano scappando in giardino.

"Perché non vi guastate la festa da soli?" fece Belgrad biascicando le parole.

Il baccano della rissa si sentiva fino al Salone. La guardia rimasta davanti alle scale parlò al microfono: "Va tutto bene? Devo venire io?"

Gilliam guardò Diane e disse: "Shhh." La lasciò dov'era e corse nel Salone. "Ehi!" disse alla guardia. "Serve aiuto. C'è uno fuori di testa!"

La guardia seguì Gilliam oltre l'arco, lasciando

accessibile la scala. Diane emerse dal tendaggio e salì di corsa al piano di sopra.

Gilliam entrò nel salotto e guardò divertito le tre guardie che cercavano di soggiogare Belgrad. Ma il finto ubriaco sgusciava in mezzo a loro, mettendo a segno qualche pugno e fracassando l'arredamento.

Alla fine, la prima guardia disse: "Oh, all'inferno!" Sfoderò la pistola, una Heckler & Koch semiautomatica, e la puntò su Belgrad. "Stai fermo, stronzo! Dico sul serio!"

Belgrad si immobilizzò e, lentamente, alzò le mani. "Santo cielo, amico, non c'è bisogno di prendertela così."

In quel momento Emo Tuff entrò dal giardino, seguito da Aaron Valentine. "Che cazzo succede qui?" disse l'uomo con la benda sull'occhio.

La prima guardia continuava a tenere la pistola puntata su Belgrad. "Questo qui ha bevuto troppo."

"Perquisiscilo", ordinò Tuff.

Una delle altre guardie obbedì e trovò la Browning. "È armato!" esclamò. Mostrò l'arma a Tuff, che la prese e la esaminò.

"Chi sei?" domandò a Belgrad.

Questi alzò le spalle. "Il violinista sul tetto.[20] Non mi riconosci?"

"È uno sbirro", disse Valentine. "Sbattetelo fuori."

"Non sono uno sbirro", ribatté Belgrad. "Ma sbattetemi fuori lo stesso. Questo party fa schifo."

Le tre guardie lo afferrarono e lo trascinarono fuori dal salotto, verso il parcheggio. Tuff fece per seguirli, ma Valentine lo fermò. "Prima stava parlando con Eric e quella ragazza. Appena ti liberi di lui, valli a cercare", ordinò.

Tuff annuì. Uscito dalla porta principale, svuotò il caricatore della Browning, si mise in tasca i proiettili e diede l'arma a una delle guardie. "Non gliela ridare finché non è in macchina e fuori dal cancello." Poi si rivolse a Belgrad e lo ammonì: "Non voglio vederti mai più."

"Sì, ma possiamo restare amici?" chiese Belgrad, mellifluo. Le guardie lo strattonarono fino al parcheggio.

Di sopra, David aveva corso più che poteva. Si sentiva girare la testa e dovette sedersi sul letto per riprendere fiato. Il cuore gli batteva furiosamente e pensò di avere esagerato. Non voleva avere *sul serio* un attacco di cuore!

D'un tratto il dolore gli lacerò il petto. Il ragazzo rantolò. Era come quella notte, quando era scappato da Emo Tuff. Non riusciva a respirare. Per quanto cercasse di prendere aria, i polmoni non lo aiutavano. Era incapace di assumere la quantità di ossigeno che occorreva al suo cuore per sostenere lo sforzo.

Non svenire! Calmati!

Ma alla periferia del suo campo visivo cominciavano a calare le tenebre. Per un attimo pensò di non avere gli occhiali sul naso, ma si toccò la faccia e sentì che erano al loro posto.

Doveva chiamare qualcuno, e presto. Allungò la mano verso il campanello, ma nel farlo scivolò dal letto e cadde sul pavimento, sopraffatto dal buio. Non sapeva nemmeno se aveva premuto il pulsante oppure no.

36

Diane percorse il corridoio del primo piano, fermandosi ad ascoltare a ogni porta e chiamando David sottovoce. Trovò una biblioteca piena di libri ma deserta; una galleria d'arte erotica in cui erano esposte fotografie, dipinti e opere di vario genere; e stanze utilizzate come uffici. Un secondo corridoio nascosto dietro una tenda conduceva a quello che era, presumibilmente, lo studio privato di Aaron Valentine e alla sua camera, ma le porte erano chiuse a chiave. C'erano altre due camere da letto, entrambe vuote. Constatato che suo figlio non era a quel piano, Diane tornò alla scala e salì l'ultima rampa.

Notò subito la guardia seduta fuori da una porta nel lungo corridoio, che sembrava quello di un albergo, con molte porte allineate.

Camere per gli ospiti.

Che fosse quella la stanza in cui era tenuto David? Quella con la guardia davanti? Aveva senso. Ma come allontanarla da lì? Diane si nascose dietro un angolo, per non essere vista, e valutò le proprie possibilità. Poteva andare dritta da lui e convincerlo in qualche modo a scendere di sotto. Poteva far rumore sulle scale, rompere qualcosa, perché lui venisse a vedere, ma se lo sarebbe ugualmente ritrovato davanti al momento di andarsene.

Al diavolo.

Ci avrebbe pensato dopo avere trovato David.

D'un tratto sentì suonare un campanello. Sembrava un

telefono. La guardia sollevò la testa e si girò verso la porta. Si alzò in piedi, bussò e disse qualcosa.

Ha detto "David"?

Diane spiò da dietro l'angolo.

La guardia prese di tasca una chiave, aprì la porta ed entrò.

Diane trattenne il fiato. Era la chance che aspettava?

L'uomo si precipitò fuori dalla stanza, verso le scale, con il panico nello sguardo. Parlava rapido nel microfono collegato all'auricolare. Aveva lasciato la porta aperta. Diane si appiattì contro la parete mentre l'uomo scendeva a due gradini per volta.

Ora o mai più.

Diane corse lungo il corridoio e guardò nella stanza.

"David!" gridò, vedendo il corpo esanime del ragazzo disteso sulla moquette, ai piedi del letto. Chiuse la porta e andò a inginocchiarsi sopra di lui, prendendogli il braccio. Sentì il polso e mormorò: "Grazie a Dio." Lo scosse, lo prese a buffetti sul viso. "Svegliati, David. È la mamma! David!"

Il ragazzo era pallido, ma respirava ancora, benché debolmente.

"Ti prego, David, svegliati!" Lo scosse di nuovo e il ragazzo sembrò muoversi. "David, mi senti?"

"Mamma...?" sussurrò. Respirò a fondo e batté lievemente le palpebre.

"Oh, David, grazie a Dio!" gemette Diane, stringendo al petto il corpo quasi inerte del figlio. Poi si ricordò che dovevano allontanarsi di lì. In fretta. "David, ce la fai ad alzarti? Dobbiamo andarcene. Ci riesci?"

"*Mamma?*" Il ragazzo stava cercando di metterla a fuoco.

Diane si accorse che gli occhiali gli erano caduti sulla moquette. Li raccolse e glieli mise delicatamente sul naso.

Ora David ci vedeva. "Mamma?"

La parrucca.

Diane rise e se la strappò dalla testa. "Scusa, era un travestimento. Sì, sono io."

"Come sei arrivata qui?" La voce del ragazzo era debole e incerta.

"Lunga storia. Ascolta, David: *dobbiamo* andarcene. Arriveranno da un istante all'altro. Riesci a stare in piedi?"

"Ci provo." Il ragazzo le appoggiò una mano su una spalla per sostenersi, mentre lei lo aiutava a rialzarsi. Si appoggiò alla madre e tirò un altro respiro profondo.

"Santo cielo, David, mi ero dimenticata di quanto fossi alto", disse lei. "Cos'è successo, hai avuto un attacco?"

Lui annuì. "Andiamo."

"Sei sicuro?"

"Dobbiamo, no?"

Diane lo condusse alla porta, la aprì e sbirciò in corridoio. *Fin qui tutto bene.* "Presto", disse.

David riusciva a stento a tenere il passo. Lei lo reggeva alla vita, come in una corsa a tre gambe. Proprio quando furono quasi in cima alle scale, sentirono voci in avvicinamento dal basso.

"Dannazione", mormorò Diane. "Svelto, David, da questa parte!"

Lo riportò indietro lungo il corridoio. Sentiva gli uomini che salivano l'ultima rampa di scale.

Provò ad aprire la prima porta sul lato opposto del corridoio e con sollievo scoprì che non era chiusa a chiave. Scomparvero nella stanza un attimo prima che Emo Tuff, la guardia che prima era alla porta e un altro uomo arrivassero in cima alle scale.

Era anche questa una camera da letto, probabilmente destinata agli ospiti. Non c'era nessuno al momento, ma qualcuno la stava occupando, perché c'erano una valigia aperta sul pavimento, vestiti sparsi e il letto sfatto. Per fortuna l'ospite doveva essere alla festa.

Diane sentì gli uomini che passavano davanti alla porta, diretti alla camera di David. "Siediti qui", disse al figlio, aiutandolo ad accomodarsi sul bordo del letto. "Aspetta solo un minuto." Poi andò alla porta e l'aprì di pochissimo.

I tre uomini stavano entrando nella camera di David. Tre secondi più tardi, qualcuno imprecò ad alta voce. Emo Tuff e gli altri due corsero fuori dalla stanza. "Ti ha preso per il culo, imbecille!" diceva Tuff. "Trovatelo! Setacciate ogni piano!"

Diane chiuse la porta e tornò dal figlio. "Presto, David. Nascondiamoci sotto il letto. Svelto!"

Era un letto a due piazze e c'era spazio in abbondanza per entrambi. Una volta sotto, Diane tirò verso il basso un lenzuolo che penzolava di lato, in modo da coprirli. Sentirono porte aprirsi e chiudersi lungo il corridoio.

Poi fu la volta di quella della loro stanza.

Diane trattenne il fiato, mentre sentiva il rumore dei passi sul pavimento, in giro per la camera, quindi nel bagno, infine di nuovo verso la porta.

Attese qualche secondo, poi sussurrò: "Okay."

Strisciarono fuori dal loro nascondiglio.

"Stai bene?" chiese lei.

David annuì.

Diane tornò alla porta e di nuovo l'aprì appena. Vide che gli uomini avevano finito di guardare nelle camere a quel piano e stavano scendendo.

Richiuse la porta e si voltò verso il ragazzo. "Adesso dobbiamo trovare il modo di scendere senza essere visti. Hai qualche idea?"

David indicò la finestra. Ora erano sul lato opposto della casa, rispetto a prima. "Prova di lì."

Diane andò alla finestra e tirò le tende. Sotto di sé vide i Port-O-Johns e la gente in attesa del proprio turno. Girò la maniglia e aprì i vetri.

"C'è un traliccio attaccato al muro", notò. Era una griglia metallica che sosteneva i rampicanti. Tese la mano e cercò di scuoterla: era robusta e solida. "David, forse possiamo scendere di qui. Ce la fai a reggerti?"

Lui annuì, anche se non ne era sicuro. Si sentiva ancora stordito e provava una lieve nausea. L'eccitazione della fuga, tuttavia, aveva innescato l'adrenalina, di cui cominciava a sentire gli effetti.

"Allora proviamoci. Vuoi andare per primo?"

"Come vuoi."

"Vai tu."

David andò alla finestra e scavalcò il davanzale. Trovò dove appoggiare un piede sul traliccio e tirò a sé anche l'altra gamba. La brezza della notte era piacevolmente fresca e lo fece sentire più in forze.

"Ce la fai?" chiese Diane.

"Sì. Vieni", rispose lui, mentre scendeva come se fosse su una scala a pioli.

La madre attese un momento, poi disse: "Butto giù le scarpe, attento alla testa!" Se le tolse e le gettò fuori dalla finestra, senza preoccuparsi che finissero in testa a qualcuno. L'importante era non colpire il figlio. Poi anche lei scavalcò il davanzale e cominciò la discesa. Era molto più facile di quanto si aspettasse.

"Guardate lassù", gridò qualcuno.

Perfetto, pensò lei, *ci hanno visti. Be', non ci potevo fare niente.* Si augurò che non ci fosse intorno nessuno della sicurezza.

"Ehi, signora, serve aiuto?" gridò qualcun altro.

No, ma faceva dannatamente freddo. Dopotutto, lei non era molto vestita.

Quando David mise piede a terra, si era raccolto un gruppetto di uomini e donne che assistevano alla scena. Alla vista del ragazzo alto e magro e della donna vestita unicamente di lingerie, fecero due più due e ottennero cinque.

Un uomo batté la mano sulla spalla di David. "Bel lavoro, ragazzo. Anche a me piacciono quelle più grandi."

"Che è successo, ragazzo? Il marito vi ha interrotti?" chiese un altro.

Una donna disse al suo accompagnatore: "Sai, una volta è successo anche a me. Sono dovuta uscire dalla finestra di un albergo e a momenti mi rompo l'osso del collo."

Diane scese a terra e abbracciò il figlio. "Ce l'abbiamo fatta, tesoro!" esclamò. La piccola folla intorno a loro applaudì.

Ora dovevano trovare Eric Gilliam e andarsene senza farsi prendere.

37

Eric Gilliam aveva osservato gli uomini che portavano Nick Belgrad al parcheggio, confidando che il loro nuovo amico uscisse illeso dalla proprietà. Tornò al Salone e constatò che nessuno aveva rimpiazzato le guardie alle scale. Si chiese se Diane fosse ancora di sopra. Ce l'aveva fatta? Aveva trovato suo figlio?

Gilliam si guardò intorno, verificò che nessuno potesse vederlo e decise di salire le scale. Arrivato al primo piano, sentì voci rabbiose sopra la sua testa. Riconobbe quella di Emo Tuff. Fece rapidamente dietro-front, scendendo a due gradini per volta, ma era troppo tardi.

"Tu!"

Gilliam si fermò di colpo in fondo alle scale e si voltò. Emo Tuff e un altro erano sopra di lui.

"Salve, Emo. Che succede?" cercò di chiedere con aria innocente.

"Non ti muovere", disse Tuff. I due raggiunsero rapidamente Gilliam. A un segnale del biondo, la guardia puntò la sua Heckler & Koch sull'attore.

"Ehi, Emo, che cosa ti salta in mente?" chiese Gilliam.

"Mani in alto", ordinò Tuff.

Gilliam obbedì e lasciò che il biondo lo perquisisse. "Fai così con tutti gli ospiti?" gli domandò.

"Sta' zitto. Dov'è la ragazza con cui sei venuto?"

"Non lo so. La stavo giusto cercando. Forse è andata in bagno."

"È Dana Barnett, vero?"

Gilliam fece del suo meglio per sembrare stupefatto. "Cosa? Dana Barn... Ma sei matto? Dana è morta e lo sai."

"Davvero, signor Gilliam?"

"Senti, dov'è Aaron? Come puoi trattarmi in questo modo? Lo sai chi sono. Ti ha dato di volta il cervello?"

Emo sorrise, fece per voltarsi, ma un attimo dopo colpì Gilliam con un fulmineo gancio destro che lo mandò lungo disteso sul pavimento.

In quell'istante Aaron Valentine spuntò da un corridoio, seguito da un'altra guardia. "Hai trovato la donna e il ragazzo?" chiese, ignorando l'ospite steso a terra.

"Non ancora", rispose Tuff. "Ma questo furbone che crede di essere una star vuole un trattamento privilegiato."

"Vai a cercarli. E intanto mandami rinforzi", disse Valentine. "Mi occupo io di lui."

Tuff si allontanò con una delle guardie.

Valentine ordinò all'uomo che lo accompagnava di mettersi sotto l'arco e di impedire a chiunque di accedere al Salone. Infine si rivolse a Gilliam: "Eric, mi hai deluso. Pensavo che fossimo amici. Adesso vedo che sei in combutta con *quella donna*."

Gilliam si mise a sedere, massaggiandosi il viso. "Non so che cazzo stai dicendo, Aaron. Quanto al tuo amico Emo, domattina parlo con il mio avvocato. Gesù, non c'era ragione di aggredirmi."

"Temo che domattina non parlerai con *nessuno*, Eric. Ti sei messo contro di me e questo non mi piace."

Gilliam cercò di rialzarsi, ma una guardia lo colpì brutalmente al collo con il calcio della pistola. Lo schiocco agghiacciante di un osso che si spezzava riecheggiò nel Salone. L'attore urlò di dolore, ricadde sul pavimento e si contorse in preda all'agonia.

"Ti è sfuggito che prendo questa cosa molto sul serio, Eric", disse Valentine.

Gilliam risucchiò aria e strinse i denti, finché non fu in grado di parlare, con rabbia, a frasi spezzate. "Chi credi di essere, Aaron?... Un cazzo di padrino del porno?... Ti hanno arruolato nella tua famiglia mafiosa?... Non te la caverai!"

Valentine si chinò sulla sua vittima e gli parlò sottovoce. "Ormai dovresti sapere che quando ho un problema spiacevole reagisco in modo altrettanto spiacevole. Adesso devo fare quello che non ho fatto molti anni fa, quando non hai rinnovato il tuo contratto con me."

"Mi vuoi uccidere, Aaron?... È così?... Ma io non sono una ragazzetta sconosciuta scappata di casa che ha girato qualche *loop*... Ti faranno un culo così grosso che non potrai più nemmeno sederti."

"Oh, non preoccuparti, Eric. Lo faremo sembrare un suicidio o qualcosa del genere. Nessuno avrà modo di sospettare di me o dei miei uomini."

"Fottiti, Aaron", gemette Gilliam.

"E pensare che sono stato io a lanciarti in questo mondo. Che ingratitudine."

Arrivarono altre due guardie.

Valentine si rimise in piedi. "Portatelo al magazzino e aspettate che arriviamo io ed Emo."

Le due guardie afferrarono Gilliam per le spalle e lo trascinarono via, strappandogli altri gemiti. La spalla sembrava esserglisi deformata.

Una volta in piedi, sostenuto dai due gorilla, Gilliam riuscì a riprendersi quanto bastava a chiedere: "Aaron, c'è un'altra cosa che devo sapere."

"E quale sarebbe, Eric?"

"L'hai uccisa tu Angela?"

"Angela?"

"*Mia sorella*. L'hai fatta ammazzare?"

Valentine scosse la testa. "Certo che no. Chiedi alla tua amica Dana. Angela e lei sono scomparse insieme." Fece un cenno alle guardie, che condussero Gilliam alla porta.

"Assassino di merda!" gridò Gilliam. "Ci vediamo all'inferno, bastardo!"

Quando furono usciti e il silenzio fu tornato nel Salone, Valentine si asciugò le mani sulla tunica e sospirò. Poi si voltò, tornò alla sua festa e finse di divertirsi come se nulla fosse accaduto.

38

Diane e David girarono intorno alla casa e guardarono il giardino. Il numero degli ospiti era raddoppiato e la festa era al culmine. La musica era ancora più alta, tutti facevano baldoria e nessuno aveva più inibizioni. Diane non riusciva a vedere Gilliam, ma con tutta quella gente era come cercare un ago in un pagliaio. Forse era in casa.

"Dove andiamo, mamma?" chiese David.

"Sto cercando una persona", rispose Diane, ma sapeva di non poter perdere tempo. Dovevano attenersi al piano e raggiungere il cancello il più presto possibile. Gilliam poteva cavarsela da solo. "Vieni, andiamo da questa parte", decise lei.

Tornarono sui loro passi e oltrepassarono i Port-O-Johns e gli ospiti in coda, proseguendo verso la parte anteriore della casa. Diane si fermò e guardò oltre l'angolo.

Emo Tuff e due altri uomini erano a tre metri da loro. Una guardia stava indicando il parcheggio e il biondo sembrava furente. Diane non riusciva a vedere il portone, ma aveva una visuale perfetta del vialetto circolare davanti alla casa, su cui in quel momento stava arrivando una limousine nera. Quando questa si fermò, Tuff lasciò indietro le guardie e andò ad aprire la portiera posteriore, poi si voltò verso la casa.

Diane trasalì nel vedere i tre uomini che trascinavano Gilliam e lo caricavano in macchina. L'attore sembrava gravemente ferito e, quando lo spinsero sul sedile, gridò di dolore. Tuff sbatté la portiera e la limousine ripartì alla volta del cancello.

Dove lo stanno portando?

Dopodiché Tuff si incamminò nella loro direzione. Diane lo sentì rivolgersi alle due guardie: "Facciamo il giro della proprietà. Cominciamo da questo lato."

Maledizione! Arrivano!

"Andiamo, David", sussurrò Diane. Lo prese per mano e insieme corsero nuovamente verso il giardino. Si ritrovarono nel bel mezzo della festa, ai margini della pista da ballo. Uomini e donne occupavano ogni centimetro quadrato, volteggiando al ritmo battente che esplodeva dai giganteschi altoparlanti vicino alla postazione del dj.

Diane si guardò indietro e vide Tuff e le due guardie che spuntavano dal lato della casa. Gli occhi del biondo incrociarono quelli di lei. Lui disse qualcosa e li indicò.

"David!" incalzò lei, tirandolo verso la pista da ballo. Il ragazzo la seguì mentre scivolavano nel groviglio di corpi. A un certo punto un uomo prese Diane e cercò di coinvolgerla nella danza, ma lei lo spinse via. Alla fine, madre e figlio riuscirono a raggiungere il lato opposto della pista e sgusciare dalla folla.

"Ce la fai a correre, David?" chiese lei, parlandogli all'orecchio. La musica era così forte che quello era l'unico modo di farsi sentire.

Il ragazzo annuì.

Si diressero verso il tendone più grande. Era la direzione opposta a quella in cui dovevano andare, ma Diane non aveva alternative. Due coppie che portavano piatti e bicchieri pieni non li videro arrivare e David li investì.

I piatti caddero a terra e qualcuno gridò: "Ehi!"

"Scusate!" rispose David, senza che lui e sua madre smettessero di correre.

Entrarono nel tendone in cui gli ospiti stavano mangiando in piedi ai tavolini. Di nuovo dovettero fare lo slalom in mezzo alla gente. Ma due guardie li aspettavano all'altra uscita. Tuff doveva averli chiamati via radio. Uno dei due parlò nel microfono e li indicò. L'intera forza di sicurezza di Valentine stava dando la caccia a Diane e a suo figlio.

"Mamma!" David puntò il dito verso l'apertura da cui erano appena passati: Tuff e le due guardie che lo scortavano stavano entrando a loro volta.

Erano in trappola.

Il buffet era stato allestito su una serie di tavoli alla loro destra. Dietro di esso c'era un lato del tendone non sorvegliato. Diane spinse David a terra e tutti e due strisciarono sotto i tavoli. Emersero dall'altra parte, sotto lo sguardo confuso dei camerieri.

"Scusate", disse Diane, ansante. E uscirono dalla tenda.

Tuff parlò al suo microfono. Poi uscì, corse intorno al tendone e tese la mano a una delle guardie. "Dammi la pistola."

L'uomo obbedì.

Il biondo puntò l'arma su madre e figlio in fuga. Sparò un colpo, sollevando in aria un ciuffo d'erba vicino ai loro piedi.

Qualche donna tra gli ospiti si mise a gridare. Alcune coppie si ritrassero e si gettarono a terra, chiedendosi che cosa stesse accadendo. Tuff non prestò loro attenzione e partì all'inseguimento.

Diane indicò una tenda più piccola, che non aveva aperture visibili. Ma dalle silhouette proiettate dalla luce all'interno si vedeva che dentro c'era qualcuno. Guidò David in quella direzione, ma il ragazzo inciampò e cadde a terra.

"David!" La madre si fermò per aiutarlo a rialzarsi. Il ragazzo era in iperventilazione. "Stai bene?"

Lui fece cenno di sì con la testa, ma Diane sapeva che non era vero. Non poteva correre a lungo.

"Forza, tesoro. Ce la puoi fare. Dobbiamo andarcene!"

Lui si mise in ginocchio e si rialzò, il volto contorto dal dolore. "Okay", riuscì a dire, con fatica.

Lei gli strinse una mano e lo trascinò verso la tenda,

procedendo a tentoni fino a quando ne trovò i lembi e l'aprì.

David non aveva mai visto un'orgia prima di allora. L'apparizione di due dozzine di uomini e donne nudi che si contorcevano e dimenavano sui cuscini lo lasciò di sasso.

Diane rabbrividì dall'imbarazzo. "Non guardare, David."

Lui non l'ascoltò. Aveva gli occhi sgranati mentre lei lo conduceva lungo il perimetro della tenda. I partecipanti erano troppo occupati per accorgersi della loro presenza.

Uscirono dall'altra parte e videro che avevano via libera fino alla piscina. Ora erano più vicini alla casa e quindi anche al parcheggio.

"Corri, David!" disse lei.

Ripresero la fuga, schivando gli ospiti e una cameriera in *body paint*. Ma Diane sentiva che il figlio stava rantolando e faticava a respirare.

Ce la caveremo, David, devi solo resistere!

Il ragazzo cadde di nuovo a terra, con le mani al petto e le lacrime che gli scorrevano sul viso. Doveva soffrire le pene dell'inferno. "Forza, tesoro, manca poco! Ce la puoi fare!" lo supplicò la madre. Guardò indietro e vide Tuff e i due gorilla che stavano guadagnando terreno.

Diane fece appello a tutte le sue forze e sollevò da terra il corpo quasi inerte del ragazzo. Tenendolo in braccio, percorse i venti metri che li separavano dalla piscina, dove dozzine di ospiti nuotavano o se ne stavano distesi sulle sdraio. Ne trovò una libera vicino al bordo della piscina, accanto a un tavolino da cui spuntava un ombrellone chiuso. David gemeva e respirava a stento, mentre lei si voltava per affrontare i loro inseguitori.

Erano a cinque metri da lei. Tuff sogghignò e piegò l'indice, invitandola ad andare da lui. All'improvviso un ospite corpulento si tuffò dal trampolino, investendo di spruzzi tutti quelli che stavano intorno. L'ondata travolse madre e figlio, così come i tre uomini. Usando la sorpresa a proprio vantaggio, Diane si voltò verso l'ombrellone, alla sua sinistra. Lo sfilò, lo tenne per il palo e se ne servì per colpire i tre uomini con tutte le sue forze. L'ombrellone li sbilanciò, facendoli finire tutti quanti in piscina.

"David! Ora!" gridò Diane, sollevandolo dalla sdraio. Il ragazzo faticava a tenere il passo mentre zoppicavano verso la casa. Tuff lanciò un urlo dall'acqua, mentre gli ospiti guardavano lo spettacolo spaventati e incantati al tempo stesso.

Diane e David corsero lungo il lato della casa sul quale si affacciava la stanza dove il ragazzo era stato rinchiuso. Riuscirono a raggiungere la parte anteriore senza problemi. Le luci sfolgoravano sul vialetto in cui automobili di lusso e taxi scaricavano o caricavano ospiti. Madre e figlio passarono tra due limousine e proseguirono verso il cancello.

"Ci siamo quasi, David!" ansimò Diane.

Il ragazzo era disperatamente a corto di fiato e a malapena riusciva a tenerle dietro.

Il cancello si stava aprendo per lasciar passare una lunga limousine bianca. Tempismo perfetto.

Diane afferrò la mano di David e uscì dalla proprietà. Lungo la strada si allineava una fila di auto che attendevano di passare dal cancello.

Dov'è Nick?

Diane si guardò intorno, frenetica. Doveva forse fare cenno a un taxi?

"Diane!" La voce veniva dall'altro lato della strada, più avanti, nel buio. Si intravedeva solo una mano che faceva un cenno da un finestrino. I fari lampeggiarono due volte.

Lei rispose con un cenno della mano, mentre l'auto usciva dal nascondiglio. La Lexus argentata inchiodò accanto a loro.

"Salite", disse Belgrad, aprendo la portiera dal lato del passeggero.

Diane girò intorno alla macchina e aiutò il figlio a salire sul sedile posteriore. Appena lei ebbe preso posto e chiuso la portiera, Belgrad premette l'acceleratore e l'auto si allontanò.

39

La Lexus scendeva rapida la collina, ma Belgrad aveva difficoltà a controllarla su quella strada stretta e affollata di auto in salita. Belgrad non poteva andare veloce quanto avrebbe voluto senza rischiare uno scontro frontale con un altro veicolo.

"Non c'è un'altra strada per scendere?" chiese Diane.

"No", rispose lui. "Come sta David?"

Diane si voltò verso il sedile posteriore. "Come ti senti?" Il ragazzo era così alto che per stare disteso doveva tenere piegate le gambe. Respirava debolmente e aveva gli occhi chiusi. La madre tese una mano e gli toccò la testa: sentì la pelle fredda e umida.

"David?"

Le palpebre del ragazzo vibrarono sopra gli occhi vacui.

"Dimmi qualcosa, David." Diane stava cedendo al panico. Non lo aveva mai visto in quelle condizioni. Lo scosse con forza. "David, ti prego, dimmi qualcosa!"

Il ragazzo sussurrò: "Non... respiro... bene..." La fuga dalla festa di Valentine gli stava costando cara.

"Nick, dobbiamo portarlo in ospedale", disse la madre. "Ha il mal di cuore."

"Farò del mio meglio", disse Belgrad. "Ma ora abbiamo compagnia."

Diane guardò attraverso il lunotto posteriore e vide la luce di due fari che si avvicinavano. Non riusciva a distinguere quali o quante persone fossero a bordo dell'auto.

Il veicolo inseguitore li tallonò per qualche minuto, poi investì il paraurti posteriore della Lexus. David cadde sul pavimento, Diane lanciò un grido mentre veniva proiettata contro il cruscotto.

"Diane, maledizione, allaccia la cintura!" ordinò Belgrad.

Ma prima lei doveva aiutare David a risalire sul sedile posteriore. "Tesoro, riesci a metterti la cintura?"

Il ragazzo ci provò, ma non ne aveva le forze e lei dovette protendersi sopra il suo schienale per allacciargliela.

"Se tampono qualcuno, peggio per lui. Io ci do dentro", decise Belgrad, affondando il piede sull'acceleratore.

Diane si allacciò la cintura mentre l'auto argentata affrontava una curva ad alta velocità, raschiando la lunga fiancata di una limousine. L'autista suonò il clacson.

"Scusa, amico", disse Belgrad. "Non ho tempo per la constatazione amichevole."

Si udì uno sparo e il lunotto posteriore esplose verso l'interno.

"Merda!" gridò Diane.

"Stai giù!" ordinò Belgrad. "E tieni David al riparo!"

Diane si rannicchiò sul sedile e guardò indietro. Suo figlio sembrava in stato di incoscienza. Ma almeno aveva la cintura di sicurezza intorno alla vita. Lei spazzò via le schegge di vetro che il ragazzo aveva addosso e tornò a guardare davanti a sé.

Con uno stridore di pneumatici, la Lexus imboccò un'altra curva e finalmente si ritrovò ai piedi della collina. Belgrad recuperò terreno, bruciando un semaforo per battere sul tempo il traffico in arrivo. Guardò nello specchietto retrovisore e vide che gli inseguitori erano stati costretti a fermarsi al rosso.

"Così mettiamo un po' di distanza tra noi e loro." Belgrad puntò verso l'accesso alla Freeway, zigzagando tra gli altri veicoli fino a quando raggiunse la rampa. Ignorando il controllo elettronico della velocità, Belgrad entrò a tutto gas sulla 101, in direzione est.

"Dov'è l'ospedale più vicino?" chiese Diane.

"A dire il vero non lo so. Tu ne conosci?"

"L'unico che conosco è il Cedars-Sinai."

"E dov'è?"

"Uh, West Hollywood, vicino a Beverly Hills."

"Puoi essere più precisa?"

"Credo che sia sul Beverly Boulevard, all'angolo con... accidenti, non mi ricordo. San Vicente?"

"Okay."

Sorpassò un camion troppo lento e virò a destra sulla Hollywood Freeway, verso Universal City.

Diane sentì una detonazione alle loro spalle. La Mercedes stava riguadagnando terreno.

"Nick..."

"Li vedo." Belgrad strinse il volante e accelerò a centotrenta all'ora.

Una delle guardie si sporse dal finestrino della Mercedes, puntando la pistola sulla Lexus. Belgrad se ne accorse e gridò a Diane di abbassarsi, un attimo prima che un proiettile centrasse lo specchietto laterale, facendoli sobbalzare entrambi sul sedile.

"Questo era troppo vicino", fece lui. Cambiò corsia, zigzagando nel traffico.

La Mercedes cercò di tenergli dietro, ma l'autista non poteva prevedere quando la Lexus avrebbe cambiato corsia. Belgrad riuscì a mantenere un intervallo di quattro macchine tra sé e gli inseguitori. Ma per lui non era abbastanza.

"Devo uscire dalla Freeway. È l'unico modo per seminare quegli stronzi."

La prima uscita era quella di Highland Avenue. Belgrad la imboccò.

"In ogni caso, questa ci porta vicino all'ospedale", osservò.

C'era una lunga coda sulla rampa. Per superarla, la Lexus salì con due ruote sul marciapiede e proseguì a tutta velocità, accompagnata da clacson rabbiosi e proteste da parte degli automobilisti.

"Speriamo solo di non incrociare la stradale", disse Belgrad, passando con il rosso.

Vide che un taxi stava attraversando l'incrocio. Belgrad affondò il piede sul freno. Con uno stridore assordante la Lexus slittò sull'asfalto e fece un testacoda, evitando di un soffio lo scontro.

"Whoa", mormorò Diane. Stringeva così forte il bracciolo del sedile che le nocche le erano sbiancate.

"Tutti bene?" chiese Belgrad.

Lei si voltò verso David, ancora incosciente. "Sì. Non fermarti."

La Lexus ripartì sulla Highland, in direzione sud. Tagliò l'Hollywood Boulevard e raggiunse un semaforo rosso sul Sunset. Belgrad guardò nello specchietto: la Mercedes non era in vista.

Si fermò al semaforo.

"Secondo te li abbiamo seminati?" chiese Diane.

"Non so." Belgrad tamburellò con le dita sul volante, in attesa che tornasse il verde. "Avanti..." disse, rivolto al semaforo.

La Mercedes riapparve nello specchietto retrovisore mentre nella direzione perpendicolare arrivava il giallo.

La Lexus non aspettò il verde. Tagliò il Sunset Boulevard schivando di stretta misura i veicoli che tardavano a liberare l'incrocio. Purtroppo, in prossimità del Santa Monica Boulevard, il traffico sulla Highland Avenue rallentava. Si ritrovarono incastrati, con veicoli davanti e dietro che impedivano loro qualsiasi manovra. Se non altro la Mercedes aveva lo stesso problema, mezzo isolato più indietro.

Appena il semaforo diventò verde, i veicoli ripartirono lentamente. Belgrad batté la mano sul volante. "Sbrigatevi!" Una volta all'incrocio, svoltò di scatto a destra e accelerò sul Santa Monica Boulevard in direzione ovest. La strada era più larga, ma altrettanto congestionata. Lo spartitraffico che separava i due sensi di marcia rendeva difficili i sorpassi.

"Non è stata un'idea brillante", si rimproverò Belgrad. Nello specchietto vide che la Mercedes li aveva imitati. Portò la mano sotto la giacca e sfoderò la Browning. La passò a Diane. "Cerca di sparargli alle gomme. O al guidatore. Dove vuoi."

Diane tenne la pistola tra le mani e deglutì. Stava pensando la stessa cosa ed era stata tentata di prendere la Colt nella borsetta. Preferì usare la Browning. Abbassò il finestrino e si sporse all'esterno.

Il passeggero della Mercedes era già in posizione e stava puntando la pistola su di loro. Esplose un colpo. Diane sentì il calore del proiettile così vicino che si rifugiò immediatamente sul sedile. Si appoggiò una mano sul viso, temendo di essere stata colpita.

"Diane, stai bene?"

Lei si guardò la mano. Non c'era sangue. Abbassò il parasole e si guardò nello specchietto: aveva solo una striscia arrossata su una guancia. "Accidenti, credevo che mi avesse colpito. È solo una bruciatura."

"Forse è meglio se lasci perdere."

"No, ci voglio provare."

Tornò a sporgersi dal finestrino, prese la mira e sparò contro la Mercedes.

Uno dei fari si spense.

Diane sparò di nuovo e vide una ragnatela disegnarsi sul parabrezza. Per un attimo la Mercedes sbandò, poi si rimise in carreggiata.

Diane tornò a sedersi e si riallacciò la cintura. "Ho colpito qualcosa."

"Brava ragazza", disse Belgrad. "Io mi tolgo da questa strada."

All'incrocio successivo, svoltò a sinistra dalla corsia destra, confondendo gli altri automobilisti e scatenandone le ire. Ora la Lexus era sulla Fairfax.

La Mercedes tentò di imitarne l'audace manovra, ma fu investita da una Corvette che superava di una cinquantina di chilometri orari il limite di velocità. L'auto degli inseguitori girò su se stessa e si sollevò da un lato. Per un attimo sembrò sul punto di capovolgersi, poi ripiombò a terra sulle quattro ruote. La portiera dal lato del guidatore era rientrata, ma il motore funzionava ancora. La Mercedes schivò gli altri veicoli e riprese la caccia sulla Fairfax.

Belgrad batté di nuovo la mano sul volante. "Maledizione, pensavo di essermeli levati dalle palle." Fermamente intenzionato a seminarli, schiacciò l'acceleratore a tavoletta. La Lexus parve quasi decollare.

"Guarda: la prossima è Beverly Boulevard!" indicò Diane.

"Ho visto." Belgrad svoltò bruscamente a destra.

La Mercedes continuava a tallonarli.

Diane si slacciò la cintura e tornò a sporgersi dal finestrino, impugnando la semiautomatica. La puntò sulla Mercedes e premette ripetutamente il grilletto. Strinse gli occhi. Non riusciva a capire se i proiettili avessero causato danni al veicolo, ma lo vide sbandare in modo spaventoso. Poi la Mercedes puntò verso il marciapiede e si schiantò contro un pickup Ford parcheggiato.

"Sì!" proruppe Diane. Tornò a sedersi.

"Hai colpito il guidatore?"

"Non lo so."

Belgrad guardò nello specchietto. La Mercedes aveva fatto marcia indietro e stava riprendendo l'inseguimento, anche se ormai sembrava un animale morente.

"Non l'hai colpito", annunciò lui.

"Nick, l'ospedale!"

Era proprio dove ricordava Diane: davanti a loro, sulla destra oltre San Vicente, si ergeva la mole del Cedars-Sinai.

"Forse è l'occasione di seminare quei bastardi", disse Belgrad, imboccando la corsia verso il pronto soccorso. Oltre la curva sarebbero stati invisibili dalla strada.

La Lexus si fermò all'ingresso. Belgrad trattenne il fiato. Passarono due minuti e la Mercedes non comparve.

"Nick, ce l'hai fatta!" gridò Diane. Gli gettò le braccia al collo e gli diede un bacio su una guancia.

Belgrad rise, a disagio. Scese dall'auto, aprì la portiera posteriore e sganciò la cintura di sicurezza di David. Lo tirò fuori dalla macchina e, portandolo in braccio, entrò di corsa in ospedale con Diane al suo fianco.

Erano quasi due ore che Diane se ne stava seduta nella sala d'attesa del pronto soccorso, senza sapere nulla delle condizioni di David. Nel frattempo Belgrad aveva lasciato la Lexus nel parcheggio dell'ospedale e aveva fatto qualche telefonata. Quando tornò da Diane, la trovò che stringeva tra le mani una rivista come se fosse un asciugamano bagnato.

"L'hai distrutta, quella povera rivista", commentò lui.

Diane si accorse che l'aveva praticamente stracciata. Abbozzò un sorriso. "Credo di essere un po' ansiosa." Ma non era solo quello. In assenza di Belgrad era caduta ancora una volta in uno stato di trance. Cominciava a pensare che tutto quello stress l'avrebbe uccisa. Quell'ospedale le riportava alla mente le due volte che c'era stata Sweetie: prima per l'overdose... e poi per la ferita di arma da fuoco alla testa...

"Siamo gemelle, Sweetie! Ce la devi fare!"

Sweetie non diceva una parola. Sweetie non si muoveva.

Diane si aspettava di vedere macchie di sangue sul suo vestito, come quella notte, ma stavolta non ce n'era. Aveva ancora indosso il vistoso completino reggiseno-culottes-reggicalze e attirava su di sé gli sguardi delle altre persone nella sala d'attesa.

"Ti ho portato una cosa." Belgrad le porse un sacchetto del negozio dell'ospedale. Conteneva una T-shirt lunga fino al ginocchio, con decorazioni raffiguranti bastoncini di zucchero candito. Era praticamente un pigiama.

"Oh, grazie. Da come mi guardano tutti sembra quasi che sia nuda." Diane indossò la T-shirt, sentendosi subito molto meno vulnerabile.

"Saputo qualcosa?"

"Ancora no."

Belgrad guardò l'orologio, ma non disse che era tardi. Vedeva che la donna era sconvolta. Non era molto diversa da lui: anche Diane era oppressa da un passato che le costava molto, spiritualmente ed emotivamente. Gli bastava guardarla negli occhi per vedere la sua sofferenza e provare empatia nei suoi confronti. Belgrad si era sottoposto ad anni di analisi ed era giunto a malapena a comprendere come le proprie vicende personali alimentassero ciò che faceva ora per vivere. Lavorava sempre sul filo del rasoio, a un passo dal pericolo e dalla morte, perché era l'unico modo per affrontare i suoi dèmoni e le sue paure.

Si domandò se anche Diane se ne rendesse conto. Ma aveva la sensazione che ne fosse del tutto all'oscuro. Quel che era peggio, lui la trovava dannatamente attraente. Non era così?

Un uomo in camice bianco emerse da una porta a vetri, si guardò intorno e li vide. Li raggiunse. "I signori Boston?"

"Io sono la signora Boston", rispose Diane.

"Sono il dottor Crane." Il medico doveva avere poco meno di quarant'anni ed era di bell'aspetto, in forma. Si sedette accanto a loro. "David sta bene", disse.

"Oh, grazie a Dio!" mormorò Diane. Si portò una mano alla bocca, mentre le lacrime le sgorgavano dagli occhi.

Il dottore alzò una mano e ammonì: "Ma non è ancora del tutto fuori pericolo. Il suo cuore è stato sottoposto a un grande sforzo. Il rigurgito aortico è peggiorato. Lo teniamo sotto ossigeno e sedativi. Gli occorre riposo. Vorrei trattenerlo sotto osservazione per almeno ventiquattro o quarantott'ore. Non credo che ci saranno problemi, è solo per sicurezza. L'arresto cardiaco è uno dei rischi della sindrome di Marfan, ma immagino che lo sappia già."

Diane annuì. Prese un fazzolettino dalla borsetta per asciugarsi il viso.

"Se ho ben capito, non siete residenti in California", disse il dottore.

"Infatti."

"Allora vi consiglio di portarlo da un dottore, quando

tornate a casa. Credo che sia venuto il momento di sistemare quella valvola aortica. Dopodiché David vivrà molto meglio."

"Grazie, dottore. Posso vederlo?"

"Certo. Cerchi di non procurargli troppe emozioni. L'ho già avvisato che dovrà restare qui stanotte e forse anche domani notte."

"Tu vai", le disse Belgrad. "Io aspetto qui."

Diane si alzò e seguì il dottor Crane oltre la porta a vetri. David era disteso sul letto con una fleboclisi e una maschera a ossigeno. I suoi occhi si illuminarono quando la vide.

Lei gli appoggiò una mano sulla fronte. "Tesoro, come ti senti?"

"Meglio", disse lui, attraverso la maschera.

"Dovrai restare qui per un po', okay?"

Lui annuì.

"Devi essere esausto. Dormi un po'. Io andrò in un albergo e tornerò domani, va bene?"

David annuì di nuovo.

"Non preoccuparti di quella gentaglia. Non sanno che sei qui. E il nostro nuovo amico, Nick, si prenderà cura di noi."

Il ragazzo assentì ancora.

Lei si chinò a dargli un bacio sulla fronte. "Sono contenta che stai meglio. Supereremo anche questa storia. E vorrei dirti che... be', mi spiace di quanto è successo. Non volevo che restassi coinvolto."

Gli occhi di David si riempirono di lacrime.

"E mi dispiace per tuo papà. Lo sai che non sono stata io, vero?"

Lui assentì. Una lacrima gli rigò una guancia.

Lei gli diede un altro bacio. "Ti voglio bene. Rimettiti in sesto. Ci vediamo domani."

Quando Diane tornò in sala d'attesa, Belgrad l'abbracciò.

"Grazie", disse lei. "Di tutto."

"Ce l'hai un posto dove stare?"

Lei scosse il capo. "Stavo da Eric. Dove pensi che lo

abbiano portato?"

"Non lo so. Dovremmo trovarlo."

Diane ebbe un'idea. "Il magazzino. È probabile che lo abbiano portato lì."

"Quello a Santa Monica?"

"Sì, se esiste ancora."

"Esiste eccome", disse Belgrad. "È il magazzino della società. Ho indagato su Valentine prima di venire qui. Andiamo a dare un'occhiata."

Diario di David

Sono in ospedale a Los Angeles. Ho chiesto all'infermiera un foglio per scrivere, perché il mio diario è rimasto nella macchina di Nick, l'uomo che ci ha aiutati. Sembra una brava persona.

Sono molto stanco e fra poco mi metto a dormire, ma volevo scrivere alcuni pensieri prima di dimenticarmene.

La mamma è venuta a salvarmi in casa di Aaron Valentine. Io sono stato male e il mio cuore è peggiorato. Forse presto mi dovranno operare. Nonostante questo, è stato il giorno più emozionante della mia vita. La mamma è stata incredibile. Una specie di supereroina. È incredibile come si è calata da quella finestra. E poi ha buttato Emo e le altre guardie in piscina colpendoli con l'ombrellone. Io ero quasi incosciente, ma quando eravamo inseguiti da quella macchina sembrava di essere in un film. Mi ricordo qualcosa. Credo che la mamma abbia anche sparato con una pistola. È molto coraggiosa e sono orgogliosissimo di lei. Non m'importa se faceva l'attrice porno. È la mamma migliore del mondo.

40

Si fermarono a casa di Gilliam a Van Nuys, per controllare che non fosse sfuggito ai suoi sequestratori e non vi fosse tornato. Diane lo sperò quando vide la Porsche sul vialetto, accanto alla sua Malibu. Entrò con la chiave che le aveva dato Eric ma, come temeva, in casa non c'era nessuno. Come c'era arrivata la sua auto? Mentre rifletteva su quell'enigma, Diane colse l'occasione per cambiarsi. Indossò una paio di jeans e una camicetta e raggiunse Belgrad sulla Lexus.

"Immagino che non ci fosse", disse lui, mentre avviava il motore.

"No. Ma come fa a esserci la sua Porsche?"

"Ce l'hanno portata loro. Così, qualsiasi cosa gli accada, diranno che il signor Gilliam aveva già lasciato la festa."

Qualche isolato più in là, Belgrad si fermò a una stazione di servizio.

"Siamo senza benzina?" chiese Diane.

"No, devo fare una cosa." Aprì il bagagliaio, scese dalla macchina e si soffermò a guardare le ammaccature e i graffi rimasti sulla carrozzeria durante la fuga. Si strinse nelle spalle e raggiunse il retro dell'auto.

Diane scese e lo raggiunse. Lo vide prendere una tanica per la benzina. Notò che nel bagagliaio c'erano anche una cassa di bottigliette vuote di Coca-Cola e un mucchio di stracci.

"A che servono?"

"Per le emergenze", disse lui, strizzando un occhio. Passò la carta di credito sul lettore della pompa di benzina e si mise a riempire la tanica.

Diane, perplessa, prese una bottiglietta vuota. "Non capisco."

"Capirai dopo."

Quando la tanica fu colma, Belgrad la sigillò e la rimise nel bagagliaio. "Pronta a partire?"

Risalirono in macchina e si diressero verso Santa Monica.

Darren Marshall aveva dovuto ripercorrere le trentacinque miglia che lo separavano da Midland per trovare un albergo. Garden City era un posto così desolato che non ce n'era neanche uno in vista.

Il giornalista aveva trascorso il resto della giornata a Glasscock County, cercando di rintracciare Manuel Delgado, l'uomo di cui le aveva parlato la bibliotecaria. Non figurava sull'elenco telefonico di Garden City e Darren aveva chiesto indicazioni approssimative per raggiungere il ranch dei Barnett: una recinzione con filo spinato correva parallela alla Highway 33 North e doveva esserci un'apertura sulla sinistra "a sette od otto miglia" dal centro della città. Qui una griglia metallica su un fossato, fatta in modo da impedire il passaggio del bestiame ma non quello dei veicoli, dava accesso a una strada sterrata. A dieci miglia dalla città, Darren non l'aveva ancora trovata e, dal momento che il sole stava tramontando e ci si vedeva sempre meno, aveva stabilito che il giorno seguente avrebbe avuto più fortuna.

Ma cominciava a temere di avere imboccato una pista falsa.

"Pensi che David starà bene?" chiese Diane.

"Certamente. È in buone mani", rispose Belgrad. "È già stato in ospedale?"

"Sì. Non è che gli piaccia."

"A chi piace? Ma sa cosa aspettarsi. Si rimetterà."

"Lo spero. Sono preoccupata."

La Lexus entrò a Santa Monica e si diresse a ovest, avvicinandosi all'oceano.

"Hai pensato che cosa farai quando tornerai nell'Illinois?" chiese Belgrad, dopo qualche minuto di silenzio.

"In che senso?"

"Prima o poi dovrai tornarci e affrontare la situazione. Sei ricercata per omicidio, no?"

"Sì, lo so. È assurdo. Ormai avrebbero dovuto capire che non sono stata io a uccidere Greg. Era il mio ex marito."

"Già. E il tuo lavoro alla scuola?"

Lei chinò il capo da un lato e lo guardò. "Ne sai di cose su di me, vero?"

Lui si strinse nelle spalle. "È il mio mestiere, Diane. Quando sei diventata un elemento chiave nel caso dei Rabinowitz, ho fatto qualche ricerca. Ma ci sono anche parecchie cose che non so. Per esempio, la storia della tua gemella. Nessuno sembra essere sicuro che tu avessi una sorella."

"Sì, l'avevo. Si chiamava Dana."

"Ed era lei la pornostar, giusto?"

"Giusto."

"Ed è morta."

"Per quanto ne so."

Belgrad si accarezzò la barba.

"Be', non mi credi?"

"Non è questo. È solo che mi sembra strano che tu non voglia fornire prova della sua esistenza."

"Cominci a parlare come il mio avvocato."

"Dove siete cresciute, tu e tua sorella?"

Diane incrociò le braccia e si voltò dall'altra parte. Guardò fuori dal finestrino e sospirò.

"Non te lo posso chiedere?"

"Non ne voglio parlare. È una parte dolorosa della mia vita."

Lui fece cenno di sì con la testa e continuò a guidare.

"Senti, io voglio solo chiudere questa storia", disse Diane, voltandosi di nuovo verso di lui, "disfarmi di quei diamanti guadagnandoci qualche soldo e avere la certezza che Aaron Valentine e la sua organizzazione lascino in pace me e mio figlio per il resto delle nostre vite. Poi tornerò nell'Illinois e farò il necessario per mettere le cose in chiaro. Un problema per volta. In questo momento non posso fare di più."

"Capisco. Anch'io non chiedo di meglio che sistemare Valentine e il suo amico Emo Tuff. Dubito fortemente che saranno mai processati per l'assassinio dei Rabinowitz. Hanno fatto del delitto una forma d'arte. Guarda da quanto tempo sono in attività: l'hanno sempre fatta franca. E dunque, a mali estremi, estremi rimedi."

"Che cosa intendi dire?"

Lui la guardò. "Secondo te?"

Diane non replicò. Sapevano entrambi che cosa sarebbe successo se avessero trovato Gilliam al magazzino di Valentine.

Poi lei disse: "Ho una pistola."

"Lo immaginavo."

"Voglio aiutarti."

"Immaginavo anche questo."

Non erano lontani dalla spiaggia. Belgrad parcheggiò la Lexus tra le ombre e indicò il lato opposto della via. "Eccolo là."

Diane riconobbe il magazzino e fu travolta da un'ondata di ricordi e di emozioni. Sentì un'angoscia familiare che le opprimeva il petto, insieme a un improvviso senso di nausea. Davanti agli occhi le lampeggiavano immagini di sangue e di morte. Dovette tirare un respiro profondo per riuscire a calmarsi.

"Ti senti bene?" chiese Belgrad.

"Sì", rispose lei.

La costruzione aveva le dimensioni di un piccolo hangar. Era isolato dagli altri edifici di quella strada e avrebbe potuto essere un magazzino di materiale da costruzione. Un'insegna sulla facciata proclamava:

AV ENTERPRISES

L'unica luce, tenue, era sul retro, dove si trovava l'area di carico.

"Quella macchina..." disse Diane, indicando una limousine nera che si intravedeva parcheggiata dietro il magazzino.

"Sì?"

"È la stessa su cui hanno caricato Eric. Sono qui, Nick."

"Hai detto che con lui c'erano tre uomini?"

"Ah-hah."

Nello specchietto retrovisore apparvero due fari.

"Stai giù!" ordinò Belgrad, chinandosi sul volante.

Anche Diane si abbassò, mentre una lunga limousine bianca li superava, per andarsi a fermare dietro il magazzino.

"A quanto pare siamo arrivati al momento giusto", disse Belgrad.

Dalla macchina videro scendere Aaron Valentine, scortato da Emo Tuff, vestito di nero come alla festa. Il re del porno invece si era cambiato, indossando abiti meno appariscenti. I due si guardarono intorno, ma non notarono la Lexus nascosta nel buio. Entrarono nel magazzino.

Belgrad aprì il bagagliaio, scese dall'auto e chiuse silenziosamente la portiera. Diane lo imitò e lo osservò mentre prendeva due vuoti di Coca-Cola dal bagagliaio e le riempiva di benzina. Poi ficcò brandelli di stracci nel collo delle bottiglie.

"Pronta?"

"Certo."

"Oh, a proposito, conosco qualcuno che può rilevare i tuoi diamanti a un ottimo prezzo."

"Sul serio?"

"Sicuro. Forza, andiamo."

41

Camminarono rasenti al muro. Belgrad sbirciò dietro l'angolo e verificò che non ci fossero altri veicoli oltre alle due limousine. Il portello dell'area di carico – una sorta di ponte levatoio in acciaio – era aperto. Una possibile via d'accesso, a patto di tenersi bassi per non farsi vedere. Poco più in là c'era una normale porta, in cima a una breve rampa di gradini.

"Conosco un'altra entrata", disse Diane.

"Sì?"

"Sull'altro lato. È da lì che ero passata l'ultima volta."

"Fammi vedere."

Tornarono sui loro passi e girarono intorno al magazzino. Sull'altro lato c'era una serie di finestre.

Diane si accigliò. "Quella volta qui fuori c'era un mucchio di scatoloni. Mi ci ero arrampicata ed ero entrata da quella finestra. Dà su una stanza separata dal resto del magazzino."

"Ti ci posso far arrivare", propose Belgrad. "Guarda se la finestra è aperta."

Diane appoggiò un piede sulle mani intrecciate dell'uomo, che la sollevò più in alto che poté. Dopo qualche spinta, la finestra si aprì.

"Riesci ad arrampicarti?" sussurrò lui.

"Credo di sì. E tu?"

"Entro da qualche altra parte. Aspetta che sia io a entrare in azione, d'accordo?"

"Okay."

L'interno era esattamente come se lo ricordava: era il polveroso sgabuzzino degli attrezzi e delle scope, con un lavandino in un angolo. Era buio, ma dalla finestra filtrava luce sufficiente. Diane saltò. Grazie al suo corso di autodifesa, era allenata ad atterrare senza farsi male.

In quel momento si rese conto che aveva dimenticato la Colt in macchina, nella borsetta. *Maledizione!* Si era vantata con Belgrad di potersela cavare da sola e invece si ritrovava nel magazzino senza un'arma. Purtroppo non c'era modo di tornare a prenderla. Doveva fare senza.

Si avvicinò cautamente alla porta e l'aprì quanto bastava a sbirciare fuori. Il magazzino non era molto cambiato dall'ultima volta e rivederlo dall'interno riportò brutalmente a galla quella terribile notte: l'odore dell'inceneritore, l'eco della sua voce...

"Sweetie, ci sei?"

Era pieno di scatoloni dei prodotti della Erotica Selecta: videocassette, dvd, riviste e libri per adulti. Dal magazzino il materiale veniva distribuito ai punti vendita in tutto il mondo. L'inceneritore, sul lato opposto, ruggiva come una creatura viva. Gli sportelli erano aperti, mostrando le fiamme che scaturivano dal basso. Era lì che finiva tutto ciò di cui Valentine si voleva liberare.

Cadaveri compresi.

Gli uomini erano a una decina di metri da lei, sotto una lampada che pendeva da un filo elettrico. Due guardie tenevano Eric Gilliam per le braccia. L'attore aveva le mani legate dietro la schiena. E il volto coperto di sangue e lividi. Davanti a lui c'erano Valentine e Tuff. La terza guardia era vicino all'inceneritore e stava bevendo un frullato con una cannuccia.

Tuff indossava un paio di guanti neri che, se Diane ricordava correttamente, erano rinforzati in metallo: con quelli, un pugno aveva l'effetto di un colpo di mazza. Sweetie gliene aveva parlato.

"Fai attenzione a quel tipo..."

Valentine si avvicinò a Gilliam. "Stammi a sentire, Eric, possiamo rendere questa situazione molto più spiacevole, oppure farla finita subito. Basta che mi dici dove possiamo trovare Dana e il ragazzo."

Gilliam mormorò qualcosa che Diane non riuscì a sentire, ma doveva trattarsi di un insulto.

Valentine fece una smorfia e gli assestò un manrovescio. Poi si pulì il sangue dalla mano sulla camicia del prigioniero. Fece un cenno a Tuff e si fece da parte. Il sicario colpì Gilliam al viso e allo stomaco.

Diane chiuse gli occhi, soffocando l'impulso di mettersi a gridare. Avrebbe voluto fermarli, ma che cosa poteva fare per aiutare il suo amico?

Tuff interruppe la gragnola di pugni per stringere in una morsa le guance di Gilliam, che lanciò un grido di dolore.

"Hai la mascella rotta, Eric?" chiese Valentine. "Diventa difficile parlare, vero? Farai bene a dirmi quello che voglio sapere, altrimenti fra poco non ci sarai più utile e non mi resterà che gettarti nell'inceneritore. Prima o poi la troverò, quella stupida, con o senza il tuo aiuto. Speravo che tu potessi farmi risparmiare un po' di tempo."

Diane riuscì a malapena a capire ciò che Gilliam gli rispose. Sembrava che avesse la bocca piena di cotone. "Mi hanno visto... alla tua festa... se scompaio... sarai sospettato..."

"Assurdo", tagliò corto Valentine. "Dimentichi la mia influenza sui miei amici. Un sacco di gente testimonierà che ti ha visto ubriaco fradicio alla festa e che te ne sei andato di tua spontanea volontà. La tua macchina non è più a Paradise: la troveranno parcheggiata davanti a casa tua, a Van Nuys, credo che ce l'abbiano già portata. No, Eric, dimostrerò senza ombra di dubbio che sei andato via e te ne sei tornato a casa. Cosa ti sia successo dopo, chi lo sa? Forse hai lasciato la città. Nessuno troverà il tuo corpo. Lo so che molto tempo fa abbiamo commesso qualche errore, ma ormai ho imparato a liberarmi delle persone scomode facendone sparire ogni traccia."

In quello stesso istante, la guardia gettò il contenitore vuoto del frullato nell'inceneritore, che lo inghiottì affamato in una vampata.

"Voglio dirti una cosa, Eric, ed è la verità", riprese Valentine. "Tu credi che io abbia avuto a che fare con la scomparsa di tua sorella, vero? Pensi che io l'abbia uccisa e che il nostro Emo l'abbia gettata nell'inceneritore. Ne sei convinto, è così? Rispondi!"

Gilliam fece cenno di sì con la testa.

"Ti dico io quello che credo sia successo a tua sorella. Se la intendeva con Eduardo... te lo ricordi il mio fratellino? A lui non andava giù che Angela vivesse con Dana Barnett e avesse una relazione lesbica con lei. Litigavano spesso per questo. Ecco, secondo me la sera in cui Eduardo fu ammazzato da quella gang nigeriana, se l'era portata qui per cercare di farla ragionare. Probabilmente la situazione gli è sfuggita di mano e lei è finita... be, lo sai." Indicò l'inceneritore. "E credo che anche Dana fosse qui, quella notte. Ha aspettato che finisse la sparatoria tra i miei e i nigeriani. Dopo che si sono ammazzati a vicenda, Dana è uscita dal suo nascondiglio e ha fregato i miei diamanti. È per questo che voglio trovarla. Mi ha derubato, illudendosi di farla franca. Può anche darsi che sia colpa sua se Eduardo è morto, questo non lo so. So solo che Dana Barnett era qui quando mio fratello è morto e che la ritengo responsabile. Potrei sbagliarmi, ma vedi, quando c'era lei di mezzo, si incasinava sempre tutto. Quella ragazza era una schizofrenica. Ci hai lavorato, l'hai vista durante le riprese. Certi giorni si drogava al punto di non ricordare più nemmeno chi era. Una volta che aveva il ruolo da protagonista si è presentata sul set così strafatta che diceva di non essere Dana Barnett e che suo zio l'avrebbe uccisa se avesse saputo che cosa stava facendo. Vuoi sapere che cosa penso, Eric? Che Dana era gelosa di Angela per la sua relazione con Eduardo. Che è stata lei a ucciderla."

"Non è... vero..." cercò di dire Gilliam, sputando sangue e tessuti sul pavimento.

"Sei sicuro di non volermi dire quello che sai?" fece Valentine, minaccioso. "Ultima possibilità."

Gilliam fece del suo meglio per avere l'ultima parola. "Vafff... annn... cu... lo..."

Valentine si voltò verso Tuff e alzò le mani, come per dire: *Io mi arrendo.* Poi andò a chiudersi in ufficio, per non guardare il sicario e le tre guardie che trascinavano Gilliam verso l'inceneritore.

42

Dopo avere aiutato Diane ad arrampicarsi fino alla finestra, Nick Belgrad tornò sul retro, si accovacciò e si diresse verso l'area di carico. Sbirciando all'altezza del pavimento del magazzino assistette all'interrogatorio, durante il quale Eric Gilliam fu percosso brutalmente da Emo Tuff.

Quando nessuno stava guardando da quella parte, Belgrad salì sulla piattaforma, entrò e corse a nascondersi dietro un cumulo di scatoloni. Guardò verso la stanza in cui doveva trovarsi Diane, ma gli era nascosta dalle casse impilate in attesa di distribuzione. Tornò a seguire l'interrogatorio: Valentine stava dando a Gilliam un'ultima possibilità di parlare. L'attore era ormai allo stremo. Era giunto il momento di agire.

Gli uomini trascinarono il prigioniero verso l'inceneritore, mentre Valentine si allontanava. Belgrad prese di tasca le sue bottigliette Molotov. Ne appoggiò una sul cemento davanti a sé. Con un accendino diede fuoco alla miccia dell'altra, poi si alzò in piedi e si apprestò a lanciarla.

Ma quando Gilliam fu a un metro e mezzo dall'inceneritore, a sorpresa Emo Tuff sfoderò uno stiletto e lo colpì alla gola, come un pittore che dà tre rapide pennellate a una tela. Ma il dipinto si fece di sangue, sgorgando dal collo della vittima come acqua da un rubinetto.

"Nooooo!"

Era Diane. L'urlo fuoriuscì dal cumulo di casse dietro cui era nascosta. Ora si trovava allo scoperto.

Tuff gridò un ordine e le tre guardie lasciarono cadere a terra Gilliam, estrassero le pistole e si voltarono verso di lei.

Belgrad lanciò una molotov, che esplose sul pavimento tra gli uomini e Diane. La benzina si sparse sul cemento, creando una barriera di fuoco.

"Diane!" gridò lui. "Scappa! Esci da dove sei entrata!"

Lei alzò lo sguardo e cercò di localizzarlo tra la densa coltre di fumo che riempiva il magazzino con rapidità impressionante.

Belgrad le fece cenni con le braccia, gridò ancora, ma era troppo tardi. Vide alle spalle di Diane la sagoma massiccia di Valentine, che l'afferrò e le puntò alla testa la Heckler & Koch di una delle guardie.

Gli altri, consci della presenza dell'intruso, puntarono le loro armi su Belgrad, che si riparò dietro gli scatoloni mentre i proiettili fischiavano sopra la sua testa con letale precisione.

Raccolse la seconda Molotov, diede fuoco allo straccio e sbucò dall'altra parte del mucchio di casse di cartone. Guardò verso destra, avvistando Valentine che trascinava Diane verso lo sgabuzzino. Prese la mira e gettò la bottiglia con tale veemenza che colpì gli scatoloni proprio davanti a loro. Il cartone prese subito fuoco, insieme alle cassette e ai dvd, tagliando la strada al re del porno e al suo ostaggio.

Belgrad estrasse la Browning e si gettò a terra. Sbirciando oltre le casse, vide due delle guardie che si avvicinavano, visibilmente accecati e rallentati dal fumo. Gli fu facile colpirli: premette due volte il grilletto e i due uomini volarono all'indietro, come colpiti da una forza invisibile.

Ma ora anche Belgrad cominciava a vedere con difficoltà attraverso la coltre nera di fumo. Le fiamme si diffondevano più rapidamente del previsto. In un paio di minuti, il fuoco li avrebbe sopraffatti.

Dove sono Emo Tuff e la terza guardia?

Belgrad si rannicchiò sul pavimento, ma non riuscì a cogliere nessun movimento.

E va bene. Concentrati su come far uscire Diane.

Si spostò dall'altra parte e vide che Valentine teneva l'ostaggio davanti a sé, a mo' di scudo umano.

"Vado fuori!" gridò il re del porno. "Non fate scherzi o l'ammazzo!"

Un proiettile colpì di striscio il naso di Belgrad, andando a rimbalzare contro il pavimento alle sue spalle. Una scheggia di cemento gli finì nell'occhio destro. Il dolore, insostenibile, si propagò a tutte le terminazioni nervose. Cadde a terra di schiena, al riparo delle casse, portandosi le mani alla faccia. Era un'agonia infernale. Doveva essere stato Tuff, oppure la terza guardia. Belgrad doveva occuparsi di loro prima di fare i conti con Valentine. Sempre che ci fosse riuscito.

Rotolando sul pavimento, tornò dall'altro lato della barriera di cartone e scandagliò la stanza con l'occhio sinistro. La terza guardia era a tre metri da lui e si stava avvicinando. Belgrad puntò la Browning sull'uomo nello stesso istante in cui questi lo avvistava.

Le due pistole fecero fuoco contemporaneamente.

La pallottola della guardia perforò uno scatolone vicino alla testa di Belgrad. Quella della Browning centrò l'avversario al petto, facendolo girare su se stesso prima di stramazzare sul pavimento incendiato.

Belgrad tornò al riparo. L'occhio destro era ancora chiuso, ma con il sinistro vide che Valentine teneva ancora Diane in ostaggio, a cinque metri dall'uscita.

"Alzati e getta la pistola!" intimò il re del porno. "Altrimenti l'ammazzo!"

Belgrad si alzò in piedi lentamente e alzò le mani, senza staccare il dito dal ponticello della Browning.

"Gettala, ho detto."

Diane incrociò lo sguardo di Belgrad. Poi, all'improvviso,

afferrò il braccio destro di Valentine e lo usò come leva. Lo sollevò sopra la spalla, facendolo atterrare su un mucchio di casse, quindi lo colpì al volto con un calcio.

Belgrad urlò: "Lascialo! Vieni via!"

Ma lei non voleva. Gli balzò addosso, con i piedi avanti, servendosi delle tecniche che per anni aveva insegnato alle ragazze della Lincoln High School.

Il corpo di Valentine sussultò, quando il doppio calcio gli spezzò le costole. Il re del porno stramazzò sugli scatoloni sparpagliati sul pavimento, come una balena spiaggiata.

Diane esitò qualche secondo, per assicurarsi che fosse fuori combattimento, poi, soddisfatta, corse verso Belgrad. Le fiamme, che ormai avevano avviluppato più di metà del magazzino, avvampavano dietro di lei.

Belgrad l'afferrò. Si abbracciarono. Lui le diede un bacio sulla bocca, poi gridò: "Vieni!" La prese per mano e la condusse verso l'area di carico e l'aria fresca.

"Ti sei fatto male all'occhio!" esclamò lei.

"Fa male solo se lo apro."

Udirono una sirena in lontananza. Non persero tempo, non volevano farsi scoprire dalle autorità. Balzarono giù dall'area di carico e corsero verso la Lexus, dall'altra parte della strada. Salirono in macchina nello stesso istante in cui un'autopompa svoltava l'angolo e li superava.

Belgrad attese che i pompieri fossero troppo indaffarati per notarli, quindi avviò il motore e si allontanò dalla zona del disastro.

43

Era quasi l'alba quando entrarono nella stanza d'albergo a Hollywood. Belgrad era esausto, ma Diane era stranamente euforica.

"È stata una notte incredibile!", disse per la quarta volta. "È finita! Adesso è proprio finita! Non dovrò preoccuparmi mai più di loro."

Lui accese le luci. Fu lieto di constatare che la cameriera aveva rifatto il letto e pulito la camera. "Mettiti comoda", disse. "Io cerco di medicarmi l'occhio." Andò in bagno e aprì l'acqua. La lasciò scorrere finché non divenne calda.

"Ti posso aiutare?"

"Credo proprio di sì. Forse tu vedi meglio di me che cosa c'è dentro."

Lei lo raggiunse, si lavò le mani e gli girò la faccia verso la luce. "Cerca di aprire l'occhio."

Belgrad ci provò varie volte, ma le palpebre si richiudevano subito, per un riflesso automatico.

Diane gliele dischiuse con la punta delle dita: l'occhio era iniettato di sangue e lacrimava. "Lo vedo. C'è un frammento di qualcosa... Aspetta." Prese un asciugamano, lo inumidì nell'acqua calda, poi abbassò delicatamente la palpebra inferiore, più che poté. Passò un angolo dell'asciugamano sull'occhio, fino a rimuovere la minuscola scheggia di cemento. "Fatto!"

"Oh, grazie." Belgrad provò un sollievo immediato. Si

voltò verso lo specchio e guardò l'occhio, batté ripetutamente le palpebre, poi sorrise. "Come nuovo. Quasi."

Uscirono dal bagno.

"Vuoi qualcosa da bere?" chiese Belgrad.

"Che cosa c'è?"

"Be', vediamo." Andò al minibar e lo aprì con la piccola chiave che gli avevano dato insieme a quella della stanza. "Le solite cose: birra, vino, mignon di liquori, bibite, acqua."

"Vino, per favore. Rosso o bianco, non fa differenza." Diane si sedette su una poltrona vicino alla scrivania. "Non riesco a credere che sia finita", ribadì.

Belgrad le aprì una bottiglietta di vino e mise per sé vodka e ghiaccio in un bicchiere. "Non è finita, Diane. Devi ancora fare i conti con le autorità nell'Illinois, ricordi?"

"Sembra uno scherzo, in confronto a stanotte, Nick. Aaron Valentine è *morto*! Non tornerà più a perseguitarmi. Non mi sono mai sentita così sollevata. È come se mi avessero tolto un grosso peso dalle spalle."

Belgrad si sedette sul letto e levò il bicchiere in un brindisi. "Salute."

"Salute", rispose lei, bevendo un sorso di vino. Se lo gustò: per una volta non beveva per combattere l'angoscia.

"Diane..."

"Che cosa?"

"Sei *tu* Dana Barnett?"

Lei batté le palpebre. "No. Pensavo che ormai fossi convinto."

"Allora chi sei?"

"Sono Diane Boston. Prima del matrimonio mi chiamavo Diane Barnett."

"No, non è vero. Ti chiamavi Diane *Wilson* prima di sposarti."

"Quello è solo un nome che ho adottato. Non volevo che Valentine e i suoi mi rintracciassero."

"Perché avrebbero dovuto, se non sei Dana?"

"Perché sono uguale a lei. Era la mia gemella."

Belgrad contemplò la donna seduta davanti a lui. Era un groviglio di contraddizioni e paradossi. A volte lui credeva a ogni sua parola, altre volte dubitava che gli stesse dicendo la verità. La conosceva da neanche mezza giornata, ma era certo che Diane facesse molta attenzione a non rivelare nulla di sé. Indossava una maschera e la proteggeva strenuamente.

In circostanze normali, Belgrad avrebbe fatto ricorso a una dozzina di espedienti per indagare dietro la facciata. Ma il problema era che provava una forte attrazione per lei. Le donne gentili gli erano sempre piaciute, anche se in cuor suo sapeva che non ne avrebbe mai sposata una.

"Sei ebreo, vero?" gli chiese Diane, come se avesse letto i suoi pensieri.

"Sì."

"Praticante, se posso chiederlo?"

"No. Sono cresciuto in una famiglia ortodossa, *kosher* e tutto il resto. E sono stato ortodosso anche da adulto, fino a quando lavoravo in Israele. Mangiavo kosher, osservavo il Shabbat, obbedivo a tutte le leggi. Ma a un certo punto non ho potuto più. Quello che ho visto in Medio Oriente mi ha messo contro la religione, in un certo senso. Non significa che non creda in Dio, perché ci credo. Sono ancora religioso e provo orgoglio per le mie tradizioni, ma non sono più ortodosso. Si capisce che cosa intendo dire?"

"Certo", rispose lei. "Io sono cresciuta in una famiglia battista, ma adesso non sono più niente."

"Ho fatto parecchio lavoro sotto copertura, in Israele: infiltrazione in cellule terroristiche, cose del genere. Quando sei sotto falsa identità non puoi sempre fermarti a pregare, o smettere di usare l'elettricità dopo il tramonto il venerdì sera. Un po' per volta, ho perso la necessità di fare certe cose. E, francamente, ho perso interesse nel mio lato spirituale. C'è davvero... troppa malvagità, troppa morte. Troppo odio."

Rimasero in silenzio per qualche minuto, immersi nella quiete della stanza. Diane svuotò il bicchiere e vi versò il resto della bottiglietta. "Che cosa farai adesso?"

Lui alzò le spalle. "Tornerò a New York."

"Quando?"

"Non lo so. Quando sarò pronto."

Lei assentì. La gioia di poco prima era sfumata nella malinconia. "Povero Eric. È orribile quello che gli è capitato."

Belgrad aggrottò la fronte. "Già. Ma sai, Diane, si muoveva in un ambiente molto pericoloso. Conosceva i rischi."

"Era una brava persona", commentò lei. "Come sua sorella."

Lui socchiuse gli occhi. "La conoscevi?"

Diane distolse lo sguardo e bevve un sorso di vino. "Uh, no. Era Dana che la conosceva. Me ne ha parlato parecchio."

"E tu non sai che cosa le è successo?"

"Mi stai interrogando?"

"Voglio solo sapere."

"No. È morta in quell'inceneritore, insieme a mia sorella."

Lui intuì che Diane stava mentendo, ma che al tempo stesso credeva in quello che diceva. Quanto le era accaduto allora aveva condizionato in modo irreversibile la sua percezione di quegli eventi. Belgrad suppose che non avrebbe mai saputo la verità.

Diane cambiò argomento e parve rasserenarsi. "Allora, pensi davvero di poter trovare qualcuno che mi comperi i diamanti?" Sorrise e sollevò le sopracciglia, come Groucho Marx.

Belgrad rise. "Domani faccio un paio di telefonate... anzi, oggi. Prima vorrei dormire un po'. Penso proprio che farai un affare. Io, uhm, conosco parecchi dei clienti di Moses e Hiram."

"Non accetto meno di un milione", disse lei, tra il serio e il faceto.

"Non devi. E adesso vado a farmi una doccia." Belgrad si alzò in piedi. "Se vuoi puoi, uhm, dormire sull'altro letto. Se dopo vuoi farti una doccia anche tu..." Si sentì in imbarazzo, come se avesse la lingua annodata.

"Vai, fai quello che devi fare. Io me ne resto qui."

Belgrad si chiuse in bagno.

Diane sentì il rumore della fibbia della cintura, i pantaloni che cadevano sul pavimento, poi l'acqua che scorreva e infine la porta della cabina della doccia che si chiudeva.

Si alzò in piedi e andò verso il bagno. Aprì lentamente la porta e guardò all'interno. Attraverso il vapore che già riempiva l'aria e si condensava sul vetro, intravide la figura di un uomo villoso. Diane provò una sensazione quasi dimenticata. Non aveva avuto alcun amante, dopo il divorzio, e d'un tratto ne sentiva il bisogno.

Il caldo e il vapore le riportarono alla mente il ricordo di due donne bionde, in piedi sotto la doccia, che facevano l'amore davanti a una macchina da presa. Non stavano recitando. Diane non sapeva da dove provenisse quell'immagine. Forse l'aveva vista in un film di Dana.

Perché me lo ricordo?

Si spogliò piano piano e aprì la porta della cabina. Belgrad la guardò. Non sembrava sorpreso di vederla. Diane entrò senza dire una parola e richiuse la porta. Lui l'abbracciò e la tirò a sé. I loro corpi umidi, caldi e scivolosi, si strinsero l'uno all'altro. Le loro bocche si unirono, poi le loro lingue. Le mani cominciarono a vagare sulla pelle, toccando, accarezzando...

44

Darren Marshall fece colazione in un Denny's a Midland prima di ripartire alla volta di Garden City, per tornare a cercare il ranch dei Barnett. Si fermò alla pompa di benzina del vecchio sdentato per chiedere se sapesse dov'era la tenuta.

Il vecchio lo riconobbe. "Le piace la nostra bella città?" domandò.

"È proprio il giardino del Texas."

Il vecchio non colse il sarcasmo e spalancò la bocca in un ampio sorriso. "È quello che pensiamo anche noi. In che cosa posso esserle utile?"

Darren gli spiegò quello che stava cercando.

"Certo", rispose il benzinaio. "Conosco il posto. Me lo ricordo, Roy. Che tipo. Se ne stava sempre al suo ranch, in città non ci veniva quasi mai. Adesso è morto."

"Mi sa dire come trovare il ranch?"

Il vecchio gli diede le stesse indicazioni che gli aveva fornito la bibliotecaria il giorno prima.

"Ci ho provato ieri sera", spiegò il giornalista, "ma non l'ho trovato. Spero di avere più fortuna con la luce."

"Può dirlo forte. Oggi ce n'è abbastanza, di luce." Il vecchio rise. Il sole del West Texas era abbagliante e la temperatura era prossima ai quaranta gradi.

Darren ringraziò il benzinaio e si rimise in viaggio.

Seguì le indicazioni alla lettera e questa volta trovò l'apertura nella recinzione, esattamente dodici chilometri più a nord, lungo la Route 33. Il fossato sormontato dalla griglia separava la strada da una pista sterrata ai cui lati crescevano *mesquite* e artemisia.

Darren svoltò a sinistra e seguì la pista per circa tre chilometri, fino ad avvistare qualcosa all'orizzonte. Man mano che si avvicinava, distinse una grande casa di due piani, un granaio sormontato da una banderuola, un capanno per gli attrezzi, una casetta e una costruzione in legno dove probabilmente veniva macellato il bestiame. Tuttavia non c'erano animali in vista, a parte le galline in un pollaio su un lato della casa. Sul lato opposto un vestito da donna bianco, steso ad asciugare, ondeggiava nell'aria.

Il giornalista si fermò davanti alla casa, scese dall'auto e andò alla porta. Non sentiva alcun rumore, a parte il vento che faceva scricchiolare il legno. Bussò e attese, ma non accadde nulla. Bussò di nuovo. "Ehi, c'è nessuno in casa?"

Nessun segno di vita.

Darren girò intorno alla costruzione e avvistò una donna, una cinquantina di metri più in là. Stava in mezzo a un orto in cui non si vedevano verdure. Sembrava più che altro una pozza di fango.

"Salve", la salutò.

La donna alzò lo sguardo. Era un'ispanica, piuttosto anziana. Da quella distanza era difficile stabilire che età avesse. Lei gli fece un cenno di saluto e si incamminò verso di lui. Quando fu a pochi metri da lui, Darren le attribuì una sessantina d'anni o giù di lì.

"Buongiorno", le disse. "Eh, parla inglese? *Habla anglais?*"[21]

La donna sorrise e, con un forte accento, rispose: "Sì, parlo inglese." Aveva una faccia simpatica.

"Sto cercando Manuel Delgado. Vive qui?"

Il sorriso della donna rimase immutabile sul suo volto scolpito dal tempo, quando rispose: "È morto tre anni fa. Io sono sua moglie. Posso aiutarla?"

Darren si sentì in imbarazzo. "Mi dispiace. Spero di

non disturbarla."

Lei scosse la testa. "Non mi viene mai a trovare nessuno. Se non vuole vendermi qualcosa, è il benvenuto."

"Non vendo niente, signora. Io, uh, ecco... sono un giornalista. Vengo dalla California. Mi chiamo Darren Marshall. Sto facendo delle ricerche su... be', è questo il ranch dei Barnett?"

"Una volta. Adesso è mio."

"Il fatto è che sto cercando delle informazioni sulle nipoti dei Barnett, che vivevano qui, credo, negli anni Sessanta. Le ha conosciute? Diane, o forse Dana?"

"Sì, le conoscevo. Mio marito e io lavoravamo qui al ranch, a quei tempi. Manuel è stato il braccio destro del signor Barnett per molti anni e dava una mano in casa. Vuole entrare a bere un po' di tè freddo?"

"Sarebbe un piacere." Darren si stava entusiasmando. Che finalmente avesse fatto centro?

Seguì la donna fino al portico sul retro, dove lei si tolse gli stivali infangati e proseguì a piedi scalzi. Gli aprì la porticina e lo fece entrare.

La casa sapeva di vecchio. Non c'era aria condizionata. Le finestre aperte rinfrescavano come potevano ma all'interno si soffocava. Darren si aprì il colletto della camicia.

La donna lo condusse in un salotto. "Si accomodi, *señor* Marshall", disse, prima di scomparire oltre un arco. "Torno subito."

Darren immaginò che da quella parte ci fosse la cucina.

Il salotto era pulito e ordinato e il mobilio primo Novecento poteva ormai considerarsi di antiquariato. Le poltrone erano usurate, come anche il divano e la sedia a dondolo. Su un lato c'era un vecchio caminetto, sulla cui mensola erano allineate le cornici di vecchie foto sbiadite in bianco e nero. Niente televisore.

Mentre aspettava, Darren guardò le fotografie, che raffiguravano per la maggior parte una famiglia ispanica. In alcune riconobbe la donna. L'uomo che suppose essere

Manuel era un tipo grosso e robusto, con i capelli neri e i baffi. I Delgado avevano avuto una figlia, ritratta in vari stadi di crescita. Il giornalista prese in mano una foto che gli parve particolarmente interessante: un'istantanea di Manuel insieme a un uomo alto, con un cappello da cowboy. Aveva una faccia severa, dai lineamenti marcati, e guardava verso l'obiettivo come se non gradisse essere fotografato.

"Quello è il signor Roy, insieme a mio marito Manuel", disse la donna, rientrando nella stanza con due bicchieri. Ne appoggiò uno su un tavolino e si accomodò sulla sedia a dondolo.

"Signora Delgado... Com'è il suo nome di battesimo?" chiese Darren, rimettendo a posto la fotografia sul caminetto.

"Marisol."

Lui si sedette sul divano e bevve una sorsata di tè freddo.

"Lo sa, mi domandavo se qualcuno sarebbe mai venuto a chiedermi delle due ragazze", disse la signora Delgado.

"Erano davvero gemelle?"

"Sì, due bambine bellissime... con la pelle molto chiara e i capelli d'oro!"

Darren prese di tasca il taccuino. "Partiamo dall'inizio, se non le spiace. Sa, come è arrivata qui, eccetera."

"Manuel e io siamo qui dal 1958. Il signor Roy ha assunto Manuel perché ci sapeva fare con il bestiame, aveva fatto esperienza giù in Messico. E costava poco. Al signor Roy non piaceva spendere troppi soldi. A quei tempi non riuscivamo a trovare nient'altro. Io non avevo un salario. Vivevamo nella casetta vicino al granaio. Questo prima che nascesse mia figlia."

"Che tipi erano i Barnett?"

"La signora Edna era molto gentile con noi. Era una cara donna, una cristiana. Il signor Roy... be', è tutta un'altra storia. Era forse la più brutta persona che abbia mai conosciuto."

"Sul serio?"

"Non l'ho mai visto sorridere o ridere una volta. So che trattava male la signora Edna. La picchiava. Un paio di volte ha picchiato anche me. Manuel non poteva difendermi, altrimenti avrebbe perso il lavoro. Non poteva permettersi di farsi licenziare. E allora teneva la bocca chiusa. Manuel era tanto bravo."

Darren sentiva che la donna aveva una gran voglia di parlare, come se avesse una storia da raccontare e aspettasse quel momento da decenni. "I Barnett allevavano bestiame, giusto?"

"Ah-hah. E veniva su bene."

"Che cosa mi dice delle gemelle?"

"Diane e Dana sono venute a vivere qui nel 1966. Erano ancora piccole, non andavano neanche alle elementari. Me lo ricordo bene quel giorno, perché il signor Roy fece un sacco di storie. Si ubriacò prima del loro arrivo e ruppe uno dei piatti di porcellana della signora Edna. Non voleva avere qui quelle bambine. Venivano dall'Illinois, dove avevano perso la madre. Il padre era morto giovanissimo, per un attacco di cuore, poco dopo che erano nate, e la madre credo che sia morta di cancro. Il signor Roy era il fratello maggiore del padre ed era l'unico parente rimasto. Toccava a lui allevarle, anche se non gli andava. Non gli piaceva averle per casa."

"Come mai?"

"Odiava i bambini. Non voleva che ne avessi neanch'io. Mia figlia è nata solo dopo che lui è morto."

"Quando è successo?"

"1976. Pensavo di essere troppo vecchia per avere figli, ma mi è andata bene: Manuela è nata l'anno dopo... l'abbiamo chiamata così per via di Manuel. La signora Edna è stata molto carina con lei e con noi, dopo che morì il signor Roy. Tant'è che ci ha lasciato il ranch in eredità. È per questo che vivo ancora qui. Adesso la signora Edna è all'ospizio. Ha perso la memoria."

"E dov'è la sua bambina, adesso?"

"A Dallas... però non è più una bambina! Fa

l'infermiera. Purtroppo non la vedo tanto spesso." La donna fece un sorriso caloroso.

"Quanto tempo hanno passato qui le gemelle?"

Una nube parve oscurare il volto di Marisol Delgado. "È stato un periodo tristissimo. C'era molta infelicità in questa casa. Troppi segreti." Scosse la testa. "Ho paura che qui ci fosse il diavolo, in quegli anni."

"Perché dice questo?"

"Brutte cose sono successe."

Darren comprese che la donna non intendeva proseguire su quell'argomento e tornò a bomba. "Mi racconti delle ragazze."

"Come le dicevo, erano tanto carine. Sempre insieme. Non si riusciva a separarle. Sembravano due sorelle siamesi, tanto erano unite. Facevano tutto insieme. Dormivano anche nello stesso letto, una cosa che al signor Roy non piaceva per niente. Era molto severo. Non voleva farle andare a scuola, perciò la signora Edna gli faceva lezione qui al ranch. E il signor Roy le faceva lavorare: dovevano mungere le mucche, dar da mangiare ai polli, ammassare il fieno... lui gli faceva leggere la Bibbia tutti i giorni. Diceva di essere battista, ma non era per niente cristiano, neanche un po'." All'improvviso la donna tornò a sorridere. "Mi è venuta in mente una cosa. Le ragazze si chiamavano a vicenda 'Sweetie'. Era il loro gioco. Si dicevano sempre: 'Ehi, Sweetie, vuoi questo?' 'No, Sweetie, faccio quest'altro.' 'Dai, Sweetie, sennò ci vado da sola.' 'Aspetta che finisco, Sweetie, poi vengo anch'io.' Cose così. Il signor Roy ne usciva pazzo."

Darren bevve un sorso di tè, prima di chiedere: "Che 'brutte cose' sono successe?"

Era chiaro che Marisol Delgado si sentiva a disagio a parlarne, tuttavia disse: "Señor Marshall, sono tanti anni che voglio dirlo a qualcuno, ma non ho avuto il coraggio. Pensavo di far torto alla signora Edna."

"Ma se adesso è all'ospizio con la demenza senile, non lo saprà mai."

Forse era un'osservazione di cattivo gusto, ma la signora Delgado non la prese male. "Comincio a pensarlo anch'io", disse. "È da molto che mi tengo questo segreto e mi pesa troppo."

Darren la guardò, ansioso.

"Quando le gemelle arrivarono alla pubertà... avranno avuto nove o dieci anni... il signor Roy cambiò atteggiamento verso di loro. Capisce cosa voglio dire?"

Il giornalista sospettava di sì, ma preferì fingere di nulla. "Uh, non proprio."

"Prima proibì loro di dormire insieme la notte. Le mise in camere da letto separate. Questo dopo quell'orribile notte in cui le sorprese, ehm, ecco... le sorprese senza pigiama addosso. A letto."

Darren aggrottò la fronte e lo psicoanalista dentro di lui prese il sopravvento. "È normale che i ragazzi e le ragazze a quell'età sperimentino il sesso. Specie tra fratelli e sorelle. Fa parte dell'adolescenza."

La donna inarcò un sopracciglio. "Sarà."

"E il signor Roy si è adombrato per questo."

"Si è cosa?"

"Non gli è piaciuto."

"No, proprio no. Capì che quelle due belle bambine stavano crescendo e cominciavano ad avere bisogni sessuali. Allora, dopo averle messe a dormire separate, divenne molto affettuoso con loro. Spesso risparmiava loro certi lavori, gli comprava il gelato – non lo aveva mai fatto – e dei regalini. Il fatto è che... di notte entrava nelle loro camere, dopo che la signora Edna era andata a letto."

Il giornalista provò una stretta allo stomaco. Temeva qualcosa del genere. "Lui... abusava di loro?"

La donna annuì. "Diane non voleva. Si ribellava, lo scacciava. Credo che lui ce l'abbia fatta comunque, con la forza. E poi perse interesse in lei, per via di Dana... Be', Dana era una vittima più disponibile. Ho paura che soffrisse in modo terribile, ma che le piacessero le attenzioni del signor Roy. Naturalmente i rapporti tra le due ragazze cambiarono. Da un giorno all'altro diventarono rivali. Il signor Roy si concentrava su Dana e non faceva caso a Diane. Dopo un po' era solo Dana a ricevere regali e favori. Diane si ingelosì. Le ragazze litigarono."

Agli occhi di Darren era un caso tipico di abuso. Spesso chi subiva soprusi da parte del padre o di altri membri della famiglia accettava la situazione: per vergogna, per paura di essere scoperto o perché finalmente riceveva attenzione dal patriarca della casa. "La signora Barnett sapeva che cosa succedeva sotto il suo tetto?" domandò.

Marisol Delgado annuì. "Lo sapeva. Ma non diceva mai una parola. Il signor Roy l'avrebbe picchiata, se lo avesse fatto. Era una brutta situazione, bruttissima."

"Per quanto tempo è andata avanti?"

"Credo fino a quando le ragazze hanno compiuto dodici anni. Non ricordo."

Darren scosse il capo e prese un appunto. "È terribile."

"Mai come quello che è successo nell'estate del 1973." Gli occhi della donna si velarono di lacrime.

Lui la guardò e la invitò a continuare.

"Perché vuole scrivere di quelle due ragazze?" chiese d'un tratto la signora Delgado.

"Una delle due è diventata famosa. Non legge i giornali? Non vede la televisione?"

La donna scosse la testa.

"Diane è ricercata per l'omicidio di suo marito."

Marisol Delgado batté le palpebre. "Diane?"

"Sì."

La donna sembrava sul punto di scoppiare a piangere. "Allora Dana non si è più ripresa", mormorò.

Darren non era sicuro di avere capito bene. "Come ha detto, signora Delgado?"

"Venga con me, *señor* Marshall. Voglio farle vedere una cosa." La donna si alzò in piedi e si diresse verso la porta sul retro.

Darren la seguì fuori casa, oltre il granaio, lungo un

sentiero tra la vegetazione, fino a una radura in cui si levava una lapide solitaria circondata da fiori freschi. Il nome inciso sulla pietra era

MANUEL JESÚS DELGADO

accompagnato dalle date di nascita e di morte.

"È qui che riposa il mio Manuel." Marisol Delgado si fece il segno della croce e proseguì lungo il sentiero.

Dopo una quindicina di metri, giunsero a un'altra radura, in cui erbacce e piante selvatiche la facevano da padrone. Qui dal terreno spuntavano due lapidi erose. Su una si leggeva:

ROY WAYNE BARNETT
1908-1976

Sulla seconda, invece:

DIANE LOUISE BARNETT
1961-1973

Diario di David

Finalmente si torna a casa!
In questo momento siamo in macchina e stiamo
lasciando Los Angeles, diretti verso l'Illinois. La mamma
guida una Malibu che ha comprato mentre veniva qui (è
una macchina usata). Dovremmo essere a casa tra un
paio di giorni, forse tre.
Un sacco di cose sono successe da quando ho scritto sul
diario l'ultima volta. Per tutto il tempo che sono stato in
ospedale ho preso solo quegli appunti sul foglio e
nient'altro. Non so perché, ma non me la sentivo. Ho
appiccicato il foglio con lo scotch sul diario, alla pagina
giusta.
Tre giorni ci sono rimasto, in ospedale! Avevo ancora un
po' di aritmia (me lo ha detto l'infermiera che si chiama
così) e hanno voluto tenermi sotto osservazione. La
mamma è venuta a trovarmi tutti i giorni ed è rimasta fino a
quando i dottori l'hanno mandata via a forza.
Anche il signor Belgrad è venuto ogni giorno, ma non è
rimasto tutto il tempo, solo una o due ore, poi ha lasciato lì
la mamma. Credo che lei stesse da lui mentre ero
ricoverato. Si vede che si piacciono.
Io mi sento meglio e sono tornato più o meno alla
normalità. Stamattina, quando mi hanno dimesso, la
mamma aveva tutto in macchina, pronta a partire. Il
signor Belgrad non c'era. La mamma ha detto che era

andato via presto, doveva partire per New York e le aveva raccomandato di dirmi "Arrivederci e in bocca al lupo". Le ho chiesto se lo rivedremo e lei ha detto che non lo sa. Credo che voglia dire: "Può darsi."

Sembra che presto dovrò fare l'intervento al cuore. Dovranno mettere a posto la valvola che perde e un po' di altre cose. Il dottore di Los Angeles ha detto che pensa che sono abbastanza grande. La mamma dice che ci penserà quando ci siamo "sistemati". Non sapevo che cosa volesse dire e gliel'ho chiesto. Dice che le cose potrebbero essere diverse quando torniamo a Lincoln Grove. Può essere che dovremo lasciare la casa e andare a vivere da un'altra parte. Non ne è sicura. Prima deve risolvere tutti i suoi problemi legali.

Ma qualche notizia buona me l'ha data. Ha parlato con il suo avvocato nell'Illinois, il signor Lewis, così si chiama. Gli ha detto che stiamo tornando. Lui le ha comunicato che l'hanno scagionata, non è più accusata di omicidio! È successo che qualcuno più sveglio degli altri ha indagato sul caso e ha stabilito che il mio papà è stato ucciso prima che vedessero la mamma che se ne andava da casa sua. Tipo uno o due giorni prima! Hanno anche capito che il delitto era simile a uno commesso a Chicago e a un altro commesso a New York. La mamma mi ha detto che il signor Belgrad ha dato una mano: ha informato la polizia a New York e a Chicago dei dettagli dell'assassinio del mio papà. Il capo della polizia di Lincoln Grove era deciso a dare la colpa alla mamma, ma poi sono arrivati i Federali e hanno preso in mano le indagini. In un attimo hanno smentito i sospetti del capo della polizia e hanno capito che non era stata la mamma. Adesso sanno chi è il sospetto numero uno.

Pare che sia stato Emo a uccidere il papà.

Adesso lo odio. È stato gentile con me, mentre andavamo in California, anche se mi aveva rapito. Ma adesso so con sicurezza che è davvero un killer. O lo era. La mamma dice che non mi devo più preoccupare di lui. Molto

310

probabilmente è morto in un incendio insieme al suo capo, Aaron Valentine, il "re del porno". Era così che lo chiamavano i giornali. La sua morte ha fatto notizia, sulla stampa e alla tv. Lui ed Emo erano in una specie di magazzino che è andato a fuoco. La polizia dice che c'è stata anche una sparatoria e che l'incendio probabilmente era doloso, ma non sanno chi è stato ad appiccarlo. Forse uno degli uomini di Valentine. Chi lo sa? E chi se ne frega? Sono contento che non ci siano più.

A dire la verità, ho idea che ci siano di mezzo la mamma e il signor Belgrad, ma lei non ha detto niente.

Quando torniamo, la mamma dovrà fare una dichiarazione davanti al procuratore distrettuale. Dovrà dirgli tutto quello che sa dell'assassinio di mio padre. Ha detto al signor Lewis che è pronta a collaborare, appena arriva a Lincoln Grove. E poi la mamma deve vedersela anche con il consiglio di istituto a scuola, per via del suo lavoro. Non so come andrà a finire.

In ogni caso, sono contento di essere uscito da quello stupido ospedale. Mi sembra di essere invecchiato di anni da quando sono stato rapito.

Grazie a Dio non sono diventato più alto!

45

Il momento peggiore, quando Diane si presentò all'ufficio del procuratore distrettuale a Rolling Meadows, fu oltrepassare la muraglia di reporter che assediavano il palazzo. Sembrava che ogni giornale e ogni televisione del mondo avesse mandato un proprio inviato e che tutti volessero qualcosa da lei. Era la mamma pornostar che era stata scagionata da un'accusa di omicidio ed era tornata a casa dopo un misterioso viaggio in California. Tutti volevano un'intervista, *60 Minutes* voleva fare un servizio su di lei, Jerry Springer moriva dalla voglia di averla ospite nel suo programma e persino un famoso produttore di Hollywood era interessato ai diritti sulla sua biografia. E "Playboy" le aveva proposto di posare nuda.

Per mezzo di Scotty, Diane aveva respinto tutte le richieste, tranne quella di un giornalista venuto da Los Angeles: Darren Marshall era stato particolarmente insistente e, saputo che era amico di Eric Gilliam, lei aveva fatto un'eccezione. Aveva accettato di vedere Marshall nell'ufficio di Scotty, dopo l'udienza dal procuratore distrettuale.

In realtà era stato Nick Belgrad a consigliarle di essere estremamente selettiva nei rapporti con i media. Era meglio che non si mettesse più in vista del necessario. Dopotutto, in quel momento aveva in tasca tre milioni di dollari in contanti.

Belgrad si era occupato della vendita durante i tre giorni in cui David era ricoverato in ospedale. Mentre Diane era al capezzale del figlio, lui aveva preso i contatti necessari, procurandole due compratori per i diamanti. Erano vecchi clienti ebrei di Hiram Rabinowitz, due ossi duri che passavano le pietre a un'organizzazione filoisraeliana che poi le utilizzava come merce di scambio in un certo numero di transazioni clandestine. I diamanti servivano come valuta internazionale per l'acquisto di cibo, armi, medicinali e informazioni riservate, a sostegno dell'interminabile guerra di Israele contro il terrorismo e l'antisemitismo.

Il denaro era arrivato in due tranche: metà era stata consegnata a Diane in una grossa valigia marrone, l'altra metà sarebbe stata consegnata a Belgrad a New York. L'avrebbe custodita lui finché a Diane non fosse stato possibile venirla a ritirare.

Ma sapersi più ricca di quanto avesse mai sognato non cancellava automaticamente ogni preoccupazione dalla vita di Diane. Da quando aveva assistito all'incendio del magazzino, i suoi incubi si erano fatti più insistenti e le angosce che aveva combattuto per anni erano tornate definitivamente a galla. Ogni giorno, ogni ora, anelava a un bicchiere di vino o a qualsiasi cosa potesse placare i suoi nervi. Ma sapeva che, se avesse cominciato a bere, non sarebbe stata in grado di affrontare né il procuratore distrettuale né il consiglio d'istituto. La sera prima dell'udienza era stata più che mai un tormento. Era caduta in uno dei suoi stati di trance e, se David non l'avesse scossa alle tre del mattino, non sarebbe nemmeno andata a dormire.

Per questo Diane Boston non si sentiva in forma perfetta quando entrò nell'ufficio del procuratore della contea, James R. Tilton. In realtà, più che un'udienza, doveva essere un colloquio informale. Scotty Lewis aveva dovuto accettare la presenza di altre parti interessate, quali il capo della polizia di Lincoln Grove e la presidente del consiglio d'istituto Judy Wilcox. Il procuratore aveva assicurato all'avvocato che la sua cliente sarebbe stata ascoltata solo come persona informata dei fatti e che la sessione sarebbe stata "indolore".

Diane si sentiva debole quando mise piede nella sala riunioni. Non capiva perché si sentisse così nervosa, dal momento che la sua vita si stava rimettendo in carreggiata. Era ricca, era stata scagionata dall'accusa di omicidio e, benché le fossero occorsi un paio di giorni lontano da Belgrad per convincersi che era vero, era persino innamorata. Era un'emozione che non provava da anni e non sapeva come comportarsi. Forse anche quello contribuiva alle sue angosce.

"Vuole qualcosa, signora Boston?" le chiese il procuratore Tilton, dopo che si furono presentati.

"Un po' d'acqua, per favore." Diane era priva di forze e si sedette prima ancora di guardarsi intorno nella stanza. Poi vide che erano presenti il capo della polizia e la presidente del consiglio d'istituto.

Mentre porgeva a Diane il bicchiere d'acqua, Tilton disse: "Conosce il capo della polizia Grabowsky e la signora Wilcox, vero?"

Diane fece un cenno di saluto a entrambi e abbozzò un sorriso.

La signora Wilcox rispose con un sorriso forzato, mentre Grabowsky si limitò a un monosillabo indistinto.

Tilton prese posto al tavolo e chiese a Diane di quando aveva trovato il corpo di Greg Boston a casa di questi. Lei raccontò di come avesse incontrato Lewis nel suo ufficio, per poi scoprire che il figlio era stato sequestrato. Spiegò che il produttore dei film di sua sorella, Aaron Valentine, riteneva di avere un conto in sospeso con Dana. Scoperta la sua esistenza, il re del porno l'aveva scambiata per sua sorella, aveva fatto rapire il ragazzo, portandolo a Los Angeles perché facesse da esca. Diane aveva deciso di lasciare la città ed era passata a casa del marito per metterlo al corrente dei suoi piani. Era stato allora che aveva trovato il corpo.

La rivelazione del rapimento di David Boston era una novità per Tilton, che si appoggiò al tavolo e chiese: "Perché non ha avvisato la polizia? O l'FBI?"

"Perché era in gioco la vita di mio figlio. Non potevo."

"E che cosa è successo quando è arrivata a Los Angeles?" domandò il procuratore.

"Niente. David è riuscito a sfuggire ai suoi sequestratori durante una festa in casa di Valentine. Mi ha chiamato al cellulare e sono andata a prenderlo. Siamo stati molto, molto fortunati."

Tilton consultò i propri appunti. "Mi risulta che Aaron Valentine sia rimasto ucciso in un incendio qualche giorno fa. Lei ne sa qualcosa?"

Diane scosse la testa. "No, anche se ero in città quando è successo. È stato la stessa notte che David è scappato dalla casa di Valentine a Woodland Hills. Come le ho detto, mi ha chiamato e sono andata a prenderlo a West Hollywood. L'ho portato al Cedars-Sinai Hospital perché aveva urgente bisogno di cure. Era lì che mi trovavo quando c'è stato l'incendio. Se vuole controllare..."

"La polizia sospetta che l'assassino di suo marito sia un certo Emo Tuff. Lo conosce?"

"No."

"Perché quell'uomo avrebbe dovuto uccidere suo marito?"

Diane si strinse nelle spalle. "Lavorava per Valentine, che mi stava dando la caccia. Probabilmente il signor Tuff mi ha cercato a casa di mio marito e ha trovato lui al posto mio." Era la versione più attendibile che lei poteva fornire.

"Sono sicuro", proseguì Tilton, "che il signor Lewis le ha detto che un informatore ha detto alla polizia dei collegamenti tra la morte di suo marito e due delitti analoghi consumati a Chicago e a New York. Ne è al corrente?"

"Sì, l'ho sentito."

"Conosceva le vittime? Il signor Moses Rabinowitz e il

signor Hiram Rabinowitz?"

"No."

"Secondo lei, perché Tuff avrebbe ucciso suo marito e queste due persone nel giro di una settimana?"

"Non so immaginarlo. Le ho detto che non li conoscevo. Valentine e la sua gente erano dei criminali. È possibile che quello che il signor Tuff ha fatto a Chicago e a New York non avesse niente a che fare con il loro interesse nei miei confronti."

Tilton annuì e scrisse qualche appunto. "Be', questo non ci riguarda. Di quei casi si occupano le polizie di Chicago e New York. Ha idea di dove possa essere Emo Tuff in questo momento?"

Diane non poteva dirgli che anche Tuff era perito tra le fiamme. Come avrebbe fatto a saperlo? "No", rispose.

A Tilton quella risposta parve bastare. "Signora Boston, ora vorrei farle qualche altra domanda che non riguarda l'assassinio del suo ex marito. Si tratta piuttosto di soddisfare la mia curiosità personale, anche se le sue risposte potrebbero avere rilevanza per quanto riguarda il consiglio d'istituto, motivo della presenza della signora Wilcox."

Intervenne Lewis. "È necessario? Ci risultava che la mia cliente dovesse rispondere solo a domande inerenti il caso del signor Boston."

"Voglio sottolineare che la signora non è obbligata a rispondere a queste domande", precisò il procuratore. "In ogni caso, gliele vorrei rivolgere."

L'avvocato guardò Diane, che replicò: "Faccia pure."

Tilton assentì e lesse la prima domanda dai suoi appunti. "Signora Boston... il suo nome è davvero Diane Boston?"

"Sì, lo è."

"E il suo nome da nubile era Diane Barnett?"

"Sì, ma usavo un altro nome: Diane Wilson."

"Perché ha adottato un nome falso?"

"Perché mi vergognavo del mio cognome. Mi ricordava

cose troppo tristi. Ho passato anni a cancellare dalla memoria il cognome Barnett. Pensavo di esserci riuscita, fino a quando..." Lanciò un'occhiata a Judy Wilcox e riprese: "...non è riemersa quella faccenda del porno."

Tilton si schiarì la gola. "E continua ad affermare che era la sua sorella gemella Dana a interpretare i film per adulti prodotti da Aaron Valentine?"

"Precisamente."

"E che sua sorella è scomparsa ed è, presumibilmente, deceduta?"

"Sì."

"Mi sembra che sia andata bene", le disse Lewis, uscendo dall'ufficio del procuratore. "Anche se preferirei che tu chiarissi la questione di tua sorella."

A Diane era venuto il mal di testa. Si massaggiò la fronte, chiuse gli occhi e disse: "Voglio solo farla finita con questa storia. Sarà lunga l'intervista?"

"Lo deciderai tu, Diane."

Darren Marshall era già nell'ufficio dell'avvocato quando vi arrivarono. Dopo le presentazioni di rito, i tre si chiusero nella piccola sala riunioni di Scotty per l'intervista. Lewis offrì a tutti un bicchiere d'acqua e chiese innanzitutto al giornalista: "Signor Marshall, se ho ben capito, sta scrivendo un articolo sulla signora Boston per il suo giornale. È così?"

"Esatto."

"Come ha conosciuto Eric?"

"Ci siamo incontrati qualche anno fa e ci siamo sentiti occasionalmente", rispose Marshall. "L'ho rivisto la scorsa settimana, due volte. Era un uomo eccezionale, mi è dispiaciuto che sia morto."

Diane annuì. "D'accordo. Cominciamo."

Il giornalista cominciò da alcune innocue domande di base, praticamente di routine. Poi, all'improvviso, assestò un colpo a tradimento.

"Signora Boston, non è forse vero che il suo nome è

Dana e che sua sorella Diane è morta quando eravate adolescenti?"

Diane si sentì come se le avessero dato una martellata in testa. "Che cosa?" riuscì a dire.

"Non è forse vero che lei e la sua sorella gemella avete vissuto per qualche tempo con Roy ed Edna Barnett a Garden City, nel Texas, dopo la morte dei vostri genitori naturali?"

Lewis cambiò posizione sulla sedia. "Uh, io credo che dovremmo fermarci qui. Diane, tu non..."

"Sì, è vero", lo interruppe lei. Prese il bicchiere d'acqua, ma la mano le tremava così tanto che ne versò qualche goccia.

Lewis le appoggiò una mano su un braccio e disse sottovoce: "Diane, non sei tenuta a continuare, se non vuoi."

"Va tutto bene, Scotty", rispose lei in un sussurro. Sembrava avere perso la voce.

Marshall continuò: "E non è forse vero, signora Boston, che le circostanze della morte di sua sorella Diane non sono mai state completamente... Come dire? Chiarite? E che lei fu accusata di essere stata strumentale nella sua morte?"

Diane chiuse gli occhi e mormorò: "Sweetie..."

"Come ha detto?" fece Marshall.

"Non è vero. Non sono stata io..."

"Ma qualche tempo dopo la morte di Diane i suoi tutori, Roy ed Edna Barnett, non l'hanno forse mandata al Fulbright Center di Dallas, Texas, una clinica per le malattie mentali?"

Diane chinò il capo e si mise a piangere. "Sì."

"E che ci è rimasta per quattro anni?" le chiese Marshall, in tono cortese.

Le lacrime di Diane gocciolavano sul tavolo. "Sì", fu la sua risposta, appena udibile.

"E non è vero, signora Boston", chiese Marshall con tutta la compassione di cui era capace, "che fu lei ad andare a Los Angeles, una volta dimessa dal Fulbright Center? Che non fu la sua gemella, ma lei, Dana Barnett, a interpretare quei film per adulti?"

Diane singhiozzò e, dopo una breve esitazione, fece cenno di sì con la testa.

Marshall si appoggiò allo schienale della sedia. Il suo interrogatorio era compiuto.

I due uomini non si mossero. Attesero che la donna disperata davanti a loro si riprendesse. Lewis ruppe l'incantesimo porgendole un fazzolettino di carta. Diane lo prese, si soffiò il naso e si asciugò le lacrime.

"Fu... fu un incidente", disse con voce rotta. "Sweetie e io eravamo nel granaio. Lei era arrabbiata con me. Ricordo che... eravamo di sopra, nel fienile. Lo zio Roy mi aveva dato un regalo, una collana. Era una cosina da quattro soldi che doveva avere comprato in un negozietto in città, ma a me piaceva. Sweetie se la prese con me perché non eravamo più unite come una volta e ci mettemmo a litigare. Lei cercava di strapparmi di mano la collana e io glielo impedivo. Divenne una specie di tiro alla fune... Poi la lasciai andare. Lei cadde all'indietro e precipitò dal fienile... a testa in giù."

Si interruppe per bere un sorso d'acqua.

"Lo zio Roy pensava che lo avessi fatto apposta. Mi mandò a Dallas e dopo essere stata là dentro per un anno, anch'io cominciai a pensare di averlo fatto apposta. Io... io non ricordo molto di quel periodo, o dopo, quando sono andata a Los Angeles. Ricordo che mi sono data alla droga e... mi sono... persa."

"Forse posso fare un po' di luce", disse Marshall. "Sono stato a Garden City, signora Boston, e ho parlato con Marisol Delgado. Se la ricorda?"

Diane annuì.

"Mi ha raccontato di come suo zio Roy abusò di lei e di sua sorella."

Lei non lo smentì.

"Dopodiché sono andato a Dallas e ho parlato con il

dottor Springfield al Fulbright Center. Si ricorda di lui?"

Diane annuì ancora.

"Ora è in pensione", riprese il giornalista, "ma era disposto a parlare di lei. Sa che lei non era responsabile della morte di sua sorella. Ma suo zio ne era convinto e lei... be', cominciò ad alterare la realtà. Il senso di colpa combinato con il trauma degli abusi subìti portò la sua mente a chiudersi alla verità. Tuttavia, il dottor Springfield dice che nel corso di quei quattro anni lei mostrò qualche miglioramento e alla fine fu dimessa. Ma non è tornata nel Texas, vero?"

Diane fece cenno di no.

"Invece è andata a Los Angeles. Secondo il dottor Springfield, e sono d'accordo con lui, si è data al porno e alle droghe per punire se stessa. Non aveva superato il rimorso per avere 'ucciso' sua sorella."

Diane rivolse al giornalista uno sguardo vacuo.

"Poi incontrò Angela Gilliam."

"Sweetie", sussurrò Diane.

"Sì, l'altra Sweetie. La donna che prese il posto della Sweetie che lei amava e che visse con lei fino alla sua morte. Eravate entrambe bionde, belle, sexy... sotto tutti gli aspetti lei era la sua nuova gemella. E siete divenute amanti. Per un po', per lei fu come se la tragedia non fosse mai avvenuta: nella sua mente, sua sorella era ancora viva. Ho ragione?"

Le lacrime sgorgarono di nuovo. "Sì", mormorò Diane.

"E poi, dopo la sua scomparsa dalla scena del porno nel 1980, in qualche modo si è autoconvinta che poteva tenere in vita Diane diventando lei. E ha cominciato a usare il suo nome."

Diane era inerte.

"L'unica cosa che non so", concluse Marshall, "è cosa accadde quella notte al magazzino di Valentine, quando lei e Angela Gilliam siete scomparse. Lei, evidentemente, si è salvata. Ma che ne è stato di Angela?"

46

Angela tornò all'appartamento alle nove del mattino. Era stata fuori tutta la notte.

"Dove sei stata?" chiese Dana. Indossava un malconcio accappatoio di spugna e stava guardando la replica di un vecchio episodio di *Strega per amore*.[22] Si era attaccata alla bottiglia da quando si era resa conto che Angela era con Eduardo.

Angela non le diede retta e si sedette accanto a lei sul divano. "Sei ridotta uno straccio, Sweetie", le disse.

Dana le lanciò un'occhiataccia. "Vaffanculo pure tu, Sweetie. Ti ho fatto una domanda."

"Ero con Eduardo. Ho preso un po' di roba." Angela aprì la borsetta e tirò fuori una bustina di polvere bianca.

L'umore di Dana migliorò. Le andava sempre una pista la mattina. La tirava su e la snebbiava dai postumi del vino. Ma la preoccupava l'uso che Angela faceva delle droghe: poco tempo prima era finita al Cedars-Sinai per overdose di eroina e c'era rimasta una settimana.

"Non ti pare di fartene troppa di quella roba?" chiese Dana.

Angela era impegnata a preparare due piste sul tavolino. "Di che stai parlando?" Prese una cannuccia e inalò a fondo la cocaina. "È meglio di quello che mi facevo prima, non credi? Vuoi un po'?"

Dana non poteva resistere. "Sì. È solo che non voglio che mi arrivi un'altra chiamata nella notte perché sei finita di nuovo all'ospedale."

Quando furono entrambe su di giri, Angela disse: "Non ce l'hai con me, vero?"

A dispetto dell'euforia da coca, Dana mise il broncio. "Che posso dire? Ti scopi Eduardo."

"Non conta niente. È te che amo, Sweetie. Lo faccio per la roba, lo sai. E poi ha influenza su Aaron. Mi fa avere ruoli migliori."

"Tu ci credi?"

"Be', sì."

"E li hai avuti, i ruoli migliori?"

"Non ancora, ma Eduardo dice che succederà presto."

"Eduardo è uno stronzo, Sweetie. È lui che si occupa del lato sporco degli affari di Aaron."

Angela si accigliò. "In che senso?"

"Ma dai, Sweetie, lo sai. Droga, riciclaggio, armi... e chissà che altro. Guarda quelli con cui va in giro."

"Chi? Vuoi dire Vincent?"

"Sì. Lui e i suoi amici con i capelli impomatati. Sono tutti gangster, Sweetie. Mafia. Cosa Nostra. Chiamali come ti pare."

Angela tacque, mentre in televisione Barbara Eden dichiarava di voler compiacere il suo padrone.

Poi Dana disse: "Non dicevi che dovevamo smetterla, tu e io?"

"Parli della coca?"

"No, parlo del *business*. Andarcene da questo inferno. Fare qualcos'altro. Lasciare Los Angeles."

"Lo sai che cosa succederebbe se ci provassimo, vero?" disse Angela, a bassa voce.

Dana raddrizzò la schiena e bevve un sorso di vino. "Nel senso che finiremmo come Julie?"

Angela si voltò verso di lei. "Ascolta, Sweetie. Ieri sera ho scoperto una cosa che potrebbe essere l'occasione che aspettavamo."

L'improvviso entusiasmo dell'amica incuriosì Dana. "Cosa?"

"Ho sentito Eduardo che parlava al telefono. Stasera deve fare un grosso affare: un mucchio di coca in cambio di diamanti. Ci sono questi africani che hanno appuntamento con lui verso mezzanotte al magazzino. Sweetie, ha detto che quei diamanti potrebbero valere un paio di milioni di dollari, forse di più."

Dana ridacchiò. "E allora? A noi cosa frega?"

Angela si strinse nelle spalle. "Forse possiamo prenderne un po'. In qualche modo."

"Oh, certo. Eduardo fa un passo indietro e te ne lascia prendere una manciata? Figurati."

Angela scosse la testa. "Scusa, era solo un'idea." Raccolse dal tavolino i bicchieri e la bottiglia di vino ormai vuota.

Dana la prese per un braccio. "Sweetie", mormorò.

I loro occhi si incrociarono. Era stupefacente, pensò Dana, come ogni volta che guardava il bellissimo viso di Angela avesse la sensazione di guardarsi allo specchio.

Le accarezzò una guancia. "Andiamo a letto", propose.

Angela sorrise e annuì.

Quel pomeriggio Dana aveva un incontro preliminare con un regista. Quando si presentò negli uffici della Erotica Selecta non era al massimo della forma. Aveva dormito troppo poco. Doveva discutere il progetto di un nuovo film intitolato *L'invasione degli ultraporci*.[23] Non fece una buona impressione. Il regista le disse chiaro e tondo che Dana stava sfiorendo e lui stava considerando di dare la parte a una nuova attricetta emergente. Lei gli rispose di ficcarsi il copione su per il culo e se ne andò.

Quando tornò a casa, Angela non c'era.

Sarà con Eduardo.

Incredibile. Dopo la calda, inebriante mattinata che avevano trascorso insieme. Ma Dana non riusciva ad arrabbiarsi con la sua Sweetie. Dopotutto erano come sorelle, no? Andò a letto presto e si addormentò subito.

Il telefono squillò a mezzanotte e dodici.

Dana rispose mezza addormentata: "Pronto?"

"... Aiutami..."

"Sweetie? Cosa c'è? Mi sembri..."

"Ti prego..."

"Dove sei?"

"... Magazzino..."

"Mio Dio, che è successo? Sweetie?"

"... Sparato..."

"Cosa? Non ti sento! Hai detto...?"

Silenzio. Ad Angela era sfuggito di mano il ricevitore, oppure aveva riagganciato.

Dana provò a richiamare parecchie volte, ma non riuscì a riprendere la linea. Riagganciò e si sedette sul bordo del letto. Che cosa doveva fare?

L'unica era andare da lei. Dana si vestì, salì sulla sua morente Chevy Nova del 1973 e si diresse a Santa Monica. Era già stata al magazzino della Erotica Selecta. Ci aveva girato qualche scena di un film, anche se non ricordava quale: era troppo fatta quel giorno. Rammentava solo una varietà di scomodi amplessi su casse e scatoloni.

Il magazzino era buio e silenzioso, anche se sul retro, nell'area di carico, c'era qualche luce accesa. Dana riconobbe la limousine di Eduardo parcheggiata accanto a tre altre macchine e una motocicletta. La saracinesca era chiusa. La luce filtrava dalla finestrella sulla porta in cima alla rampa di gradini.

Dana scese dall'auto, corse alla porta e provò la maniglia. Chiusa a chiave anche quella, naturalmente.

Guardò attraverso la finestrella. Dentro c'erano un paio di luci accese, ma non si vedeva niente a parte le pile di scatoloni. Si chiese se dovesse bussare.

Lo fece. "Ehi, c'è nessuno?"

Non ebbe risposta. Sentì una morsa allo stomaco. Doveva essere successo qualcosa di brutto. Scese i gradini e cercò un'altra entrata. Sull'altro lato dell'edificio c'era una serie di finestre a due metri e mezzo da terra. Sotto una di esse c'era un cumulo di casse vuote. Forse poteva arrampicarcisi sopra...

Non fu difficile. La parte più faticosa fu aprire la finestra, che nessuno aveva oliato da quando era stato costruito l'edificio, chissà quanti anni prima. Ma alla fine, facendo ricorso a tutte le sue forze, ci riuscì.

Si infilò nella finestra e si lasciò cadere sul pavimento. Ovunque si trovasse, era buio pesto. Rimase ferma, per abituare gli occhi all'oscurità, e cominciò a distinguere l'interno di uno sgabuzzino. Era quasi caduta su un secchio da cui spuntava uno spazzolone.

Si alzò in piedi e andò alla porta. L'aprì e guardò nel magazzino.

Non vide altro che casse. Uscì dallo sgabuzzino e si avventurò tra i mucchi di scatoloni. E le sembrò che il cuore le si fermasse.

Cadaveri. E sangue.

Dana si guardò intorno, in cerca di sopravvissuti. Nessuno. Decise di guardare più da vicino.

Eduardo giaceva sul pavimento con il petto crivellato di proiettili. La sua Colt 45 era a terra accanto a lui. Tre dei suoi uomini erano distesi su tavoli e sedie, come bambole di pezza. Vicino a Eduardo c'era il cadavere di un nero sconosciuto, anche lui ferito a morte da numerosi colpi di arma da fuoco. Più in là si vedevano altri tre corpi di uomini di colore. Una scena sanguinosa e grottesca.

Su un tavolo, non lontano da Eduardo, c'era una valigetta aperta. Era piena di diamanti, i più belli e rilucenti che Dana avesse mai visto.

Angela non si vedeva da nessuna parte.

"Sweetie?" chiamò Dana.

Notò una scia di sangue che spariva tra le casse. La seguì fino all'ufficio, dove trovò Angela in una pozza di sangue. Era stata colpita alla testa, ma era riuscita a trascinarsi fino a lì per telefonarle, prima di perdere i sensi.

Dana si chinò su di lei e le appoggiò l'orecchio al petto. Il cuore batteva! Sweetie respirava ancora!

Dovevano andarsene di lì. Di sicuro Valentine e i suoi sarebbero arrivati da un momento all'altro. E forse anche la polizia. Dana trascinò il corpo di Angela fuori dall'ufficio, fino all'area di carico. Ma prima di portarla fuori le tolse la camicetta e la depose sul bordo dell'inceneritore, aperto e in funzione. Poi si tolse i jeans e li gettò sul pavimento, davanti alla fornace. Tolse dal portafogli la patente e i soldi, quindi lo lasciò cadere vicino ai pantaloni. Qualcuno avrebbe pensato che Angela e lei fossero finite lì dentro: correva voce che quello fosse stato il destino degli altri attori della Erotica Selecta spariti dalla circolazione.

Dana trascinò con fatica il corpo inerte di Angela fino alla saracinesca dell'area di carico. Non sapeva come funzionasse, ma esaminò il pannello, premette un pulsante e la saracinesca si aprì con un assordante cigolio. Il motore vibrava e sembrava che gli ingranaggi fossero sul punto di saltare. Per forza faceva tutto quel baccano.

Prese Angela per le braccia, la portò fuori dal magazzino e si fermò a riprendere fiato. "Ti salverò, Sweetie", disse alla ragazza con i capelli biondi e insanguinati distesa davanti a lei.

Sdraiò Angela sul sedile posteriore della Nova, poi tornò in magazzino, per controllare di non avere lasciato altre tracce della sua presenza, a parte i jeans davanti all'inceneritore. Poi guardò la valigetta dei diamanti. Ne prese uno e lo esaminò. Brillava come nessun'altra pietra che avesse visto in vita sua.

Questi sono di Sweetie.

Senza pensarci due volte, chiuse la valigetta, la prese e raccolse la Colt 45 di Eduardo dal pavimento.

Il destino volle che, proprio mentre usciva, il motore della saracinesca si staccasse dal soffitto e le cadesse sulla testa.

Non sapeva per quanto tempo fosse rimasta priva di sensi. Quando riaprì gli occhi, era sdraiata a terra nell'area di carico. Il cielo notturno era sopra di lei. Tutto era silenzio. Aveva un dolore infernale alla testa.

Si mise a sedere e il mondo sembrò girarle intorno. Provò un immediato senso di nausea. Strisciò fino al bordo della rampa e vomitò. Dopo qualche minuto riuscì a rimettersi in piedi.

Dove sono?

Oh, certo. Il magazzino. Sweetie era in macchina. Dana aveva fatto la cattiva ed era rimasta ferita. Toccava a lei, Diane, prendersi cura di sua sorella.

I diamanti. I diamanti di Sweetie.

La valigetta era sulla rampa, dove era caduta sfuggendole di mano. C'era anche la pistola di Eduardo.

Che cos'era successo? Qualcosa l'aveva colpita. Si portò una mano dietro la testa e sentì qualcosa di umido e appiccicoso. Si pulì le mani sulle gambe nude.

Dov'erano i suoi pantaloni?

Non ricordava che cosa ne aveva fatto.

La cosa importante era tagliare la corda. Prese la pistola e la valigetta e andò alla macchina. La ragazza ferita alla testa giaceva sul sedile posteriore.

"Dana?" disse Diane. "Sweetie?"

Si assicurò che la sua sorella gemella respirasse ancora, appoggiandole un dito davanti al naso.

Devo portarla in ospedale. Ma non a Los Angeles.

Si mise al volante e si allontanò dal luogo del massacro, il cui ricordo avrebbe alimentato i suoi incubi per gli anni a venire.

Questa volta devo salvare mia sorella. Dana non deve morire. Questa volta non mi daranno la colpa della sua morte. Nossignore.

Viaggiò verso il Nevada come avvolta nella nebbia. In qualche modo riuscì a passare il confine di stato e ad attraversare il deserto. Il sole apparve nel cielo come per magia e illuminò il paesaggio brullo. Per tutto il tempo, brevi lampi di ricordi le balenarono nella mente.

"Fammi vedere la collana, Sweetie..."
"Non puoi. È mia."
"Dammela!"
"No!"

Fu un caso se trovò la chiesetta. La costruzione bianca sormontata da una croce era sul lato opposto dell'autostrada. Mentre ci passava davanti, Diane notò le tre suore che scendevano da un'auto e vi entravano.

Alla prima uscita, la Nova lasciò la Highway, tornò indietro e raggiunse la chiesa. Le suore erano anche infermiere, o no? Nei film era sempre così.

Portò in chiesa il corpo di Dana e pregò le suore di aiutarle. Una di loro insistette perché Dana fosse portata in ospedale, ma Diane fu categorica: lei e la sorella dovevano restare nell'anonimato. Niente polizia. Niente autorità. C'erano uomini che le cercavano, uomini armati che le volevano uccidere. Sorprendentemente, le suore si mossero a compassione.

Una di loro ebbe un'idea. Una sua collega gestiva un centro medico in una cittadina non lontana da lì. Ci avrebbe pensato lei a curarle, senza fare domande.

Diane rimase con le suore per un mese, mentre Dana era in rianimazione. Ma alla fine le venne detto che non c'era niente che potesse fare per sua sorella. Dana era in coma: viva, ma isolata dal mondo. Diane prese accordi con le suore perché si prendessero cura di lei mentre decideva che cosa fare.

Lasciò il Nevada e si diresse a est. Si ritrovò a Chicago, non lontano da dove erano nate lei e Dana. Sentiva la mancanza dei suoi genitori. L'unico ricordo che aveva di suo padre era di un uomo magro e allampanato con gli occhiali spessi e il mal di cuore. Era morto quando lei e sua sorella avevano tre anni. O quattro. Non se lo ricordava. La madre era morta poco tempo dopo.

Diane poteva cominciare una nuova vita nell'Illinois?

Si organizzò per trasferire Dana in un'altra struttura gestita da suore, un posto tranquillo, quasi clandestino, nel centro dello stato. Era un luogo isolato, fuori mano, dove nessuno di quegli uomini cattivi avrebbe potuto trovarla.

Diane non l'avrebbe mai lasciata morire. Era la sua promessa a sua sorella. Lo aveva fatto, una volta, ma non si sarebbe ripetuto. Le avrebbe pagato le cure con i diamanti.

Il suo piano era di cominciare una nuova esistenza, cambiare cognome, studiare e trovarsi un lavoro. Forse si sarebbe anche sposata e avrebbe avuto un figlio. Si sarebbe lasciata il passato alle spalle.

E non avrebbe mai staccato la spina a Sweetie. Un giorno sarebbe guarita...

47

Qualcuno una volta aveva detto che la verità rende liberi. Di sicuro questa valeva per Diane. Il confronto con se stessa e il proprio passato fu l'inizio di un lungo percorso di recupero da una malattia mentale che nemmeno sapeva di avere. Il riemergere della storia di quella notte fatale al magazzino, tra lacrime e isteria, era stato una catarsi che aveva lasciato Diane sfinita e tremante. Scotty Lewis si offrì di accompagnarla in ospedale, ma lei rifiutò. Voleva solo tornare a casa e dormire tutto il giorno.

E così fece.

Quando si svegliò, gli uccellini cinguettavano fuori dalla sua finestra e il sole splendeva. Guardò l'orologio. Erano le sette e tre quarti. Del mattino?

Scese dal letto ed entrò in bagno. Poi andò in camera di David. Il ragazzo era a letto, addormentato. Avrebbe dovuto dargli una mano per la scuola, ma in quel momento Diane non aveva la forza di pensarci. Doveva prima preoccuparsi di se stessa. Aveva parecchio da fare.

Andò in cucina a preparare il caffè, ascoltando uno a uno i messaggi sulla segreteria telefonica. Il primo era di Scotty che, preoccupato per la sua salute, le chiedeva di chiamarlo appena possibile. Il secondo era di Darren Marshall, il reporter che l'aveva costretta a guardarsi nello specchio dell'anima: anche lui era preoccupato e sperava che le rivelazioni non l'avessero sconvolta troppo gravemente; aggiungeva che voleva essere il primo a offrirle una somma per acquistare i diritti della sua storia e scriverci un libro.

Ridicolo. Lei *odiava* Marshall per quello che aveva fatto. Al tempo stesso, tuttavia, doveva essergli grata. Era come se il giornalista avesse acceso la luce nel buio del cuore di Diane, facendole vedere chiaramente la profondità della sua follia. Perché di questo si trattava, doveva ammetterlo. Forse un giorno uno strizzacervelli sarebbe riuscito ad aiutarla a comprendere ogni cosa, ma lei ne sapeva abbastanza da capire di essere malata. Il trauma di sua sorella era la chiave dei suoi problemi con Greg, del fallimento del suo matrimonio, della sua vita autodistruttiva a Los Angeles quando lavorava nel porno, della sua incapacità di interagire correttamente con Angela Gilliam. Dopo quasi venticinque anni, Angela non aveva dato segni di miglioramento e Diane si era ostinata a mantenerla in vita per una promessa fatta a un fantasma. Pensò che forse era giunto il momento di dire addio a quella parte del suo passato.

C'erano altri messaggi da parte di reporter della stampa e della televisione, persino uno da *60 Minutes*, ma lei li cancellò tutti senza curarsi di trascrivere i numeri.

L'ultimo messaggio registrato era di Nick Belgrad. Era tornato a New York e chiedeva quando sarebbe venuta a prendere "le sue cose". Le augurava in bocca al lupo e diceva di sentire la sua mancanza.

Lei sorrise ripensando alla sua barba incolta, ai lunghi capelli alla Gesù Cristo, al suo corpo solido che odorava di muschio. In tre giorni quell'uomo le aveva dato più piacere fisico di quanto lei ne avesse provato in tutta la vita, eccezion fatta forse per Angela. Chissà, potevano esserci sviluppi, con Nick. Valeva la pena di tentare.

Diane portò il caffè in salotto e accese la televisione, sintonizzandola su un notiziario locale del mattino. Si sedette sul divano, mentre uno speaker di bell'aspetto parlava di un incendio nei dintorni e di una rapina in banca a Chicago. Poi qualcuno gli passò un foglio.

"Una notizia appena giunta in redazione. La Lincoln High School di Lincoln Grove si trova ad affrontare un nuovo problema di pubbliche relazioni, dopo lo scandalo della 'mamma pornostar' della scorsa settimana. Peter Davis, insegnante di scienze sociali, è stato sospeso a seguito dell'accusa di avere una relazione sessuale con una studentessa dell'ultimo anno. I genitori della ragazza hanno denunciato il professore dopo che la figlia ha detto loro che aspetta un bambino."

Diane rimase a bocca aperta e si protese in avanti. Sullo schermo, Peter Davis, visibilmente teso, saliva le scale del tribunale insieme a un avvocato, cercando di coprirsi il volto davanti alle telecamere.

Le venne da ridere, tanto che dovette appoggiare la tazza di caffè sul tavolino. Rise fino a star male. Sapeva anche chi era la studentessa in questione: la bella Heather. Questa era grossa. Bell'inizio di giornata.

Dopo un po', David comparve in salotto.

"Ciao, tesoro. Dormito bene?"

"Sì. Ieri eri sconvolta. Ti senti bene, adesso?"

Lei gli tese le braccia. Il ragazzo le si avvicinò e si fece abbracciare. "Sto bene, tesoro. E starò sempre meglio, vedrai."

"Che cosa faremo adesso, mamma?"

"Che ne diresti di andare a vivere a New York?"

Lui la guardò stupito. Non aveva mai pensato a niente di così esotico. "Va benissimo, ho idea. Me ne voglio andare di qui."

"Anch'io. Hai fame?"

"Da morire."

Dopo una robusta colazione a base di *pancakes* e uova, Diane chiamò il suo avvocato. "Scotty, mi spiace che tu abbia dovuto assistere al mio collasso nervoso, ieri. Non so come definirlo altrimenti."

"Non preoccuparti, Diane... ehm, Dana. Come diavolo ti

devo chiamare?"

"Continuerò a essere Diane. In onore di mia sorella. Lei era quella buona delle due. Credo di avere avuto una saggia idea, quando mi è caduto quel pezzo di metallo sulla testa. Diane è rinata nella mia mente e io sono diventata lei. Ora non posso più tornare indietro. Così sarà più facile."

Lewis non fece commenti. "Come ti senti?"

"Molto meglio, grazie."

"Spero che tu ascolti il mio consiglio e ti faccia vedere da uno specialista."

"Lo farò. Senti, ho bisogno di un favore."

"Quale?"

Lei fece un respiro profondo. "Chiama Judy Wilcox e dille che il consiglio d'istituto può lasciar perdere il mio caso. Non tornerò a scuola."

"Davvero? Sei sicura? Possiamo ancora averla vinta."

"Stai scherzando? Non credo proprio che mi voglia in mezzo agli studenti. Poi, con quello che ho sentito stamattina di Peter Davis..."

"Già, ho visto." Lewis rise. "C'è una certa giustizia, eh?"

"Scotty, David e io ce ne andremo dall'Illinois. Quindi di' al consiglio che possono andare a farsi fottere. Be', non proprio con queste parole."

Lui rise ancora. "Va bene. Quando avete intenzione di partire?"

"Il più presto possibile."

Diane e David salirono in macchina. Si lasciarono alle spalle la tentacolare area di Chicago e attraversarono le pianure dell'Illinois centrale. Le due ore e mezza di viaggio trascorsero rapidamente, cantando sulla musica che veniva dalla radio e scherzando sui cartelli stradali.

Come di consueto, non c'erano altre auto nel parcheggio della Saint Mary's Convalescent Home, tranquilla e invisibile come quando Diane vi aveva portato Angela nel 1980.

La suora della reception li accompagnò nell'ufficio di Sorella Jarrett, che trovarono indaffarata davanti al computer.

"Oh, salve", li accolse lei. "Entrate. Chi è questo giovanotto?"

"Mio figlio, David", rispose Diane. "L'ho portato a vedere... mia sorella." Aveva deciso di non confondere le suore rivelando loro chi Angela fosse veramente. Tutti i documenti legali che la riguardavano portavano il nome Dana Barnett. Gli unici a conoscere la vera storia erano Diane, Scotty e Darren Marshall. L'avvocato aveva preparato i documenti che le avrebbero consentito di porre fine alla vita di Angela. Quanto al giornalista, Diane era scesa a patti con lui, in cambio di una somma di denaro e della promessa che non avrebbe mai rivelato le vere identità sua e di Angela.

Dopo avere consegnato i documenti a Sorella Jarrett, Diane chiese: "Quando sarà fatto?"

"Se ne occuperà il dottor Patterson. Domani o dopo, immagino. Posso farle sapere..."

"Non voglio essere qui quando avverrà."

La suora parve sorpresa.

"Voglio dire, vorrei che ve ne occupaste voi ed essere informata quando posso mandare le pompe funebri a prendere la salma. È tutto pronto, come può vedere dalle carte."

Sorella Jarrett assentì. "Sì, sembra tutto in ordine." Alzò gli occhi verso Diane. "È sicura di volerlo fare?"

Diane sospirò. "Sì, sorella. È passato molto tempo. È ora che Dana riposi in pace, non crede?"

"Sono certa che Cristo l'accoglierà in cielo. La misericordia è soggettiva e può essere interpretata in molti modi, caso per caso. Non è compito mio giudicare l'operato dei familiari in una situazione come questa. Ma, se può farla sentire meglio, posso dirle in tutta sincerità che sta facendo la cosa giusta."

"Grazie, sorella. Posso vederla, ora?"

"Certamente."

La suora li condusse nella stanza privata in cui Angela giaceva sul letto come la Bella Addormentata. Quando furono soli, Diane disse: "Questa è tua zia, David. Mi spiace che tu non abbia mai potuto conoscerla. Ma è venuto il momento che io le dica addio. E penso che lo debba fare anche tu."

David guardò la donna in coma. Non sapeva che cosa dire. Fece cenno di sì con la testa e prese per mano la madre.

Diane si avvicinò ad Angela, le diede un bacio sulla fronte e uno, lievissimo, sulle labbra. "Addio, Sweetie. Abbi cura di te."

Si asciugò una lacrima, sfiorò per l'ultima volta la mano di Angela e poi se ne andò con suo figlio.

48

Era buio quando Diane e David fecero ritorno al loro piccolo appartamento a Lincoln Grove. Il viaggio di ritorno era stato molto diverso da quello di andata. Il ragazzo aveva notato che la madre era silenziosa e introspettiva e non aveva reagito ai suoi tentativi di fare conversazione o di scherzare. Vi aveva posto fine dicendo: "Non sono in vena, tesoro."

Per David tutta quell'esperienza era stata bizzarra: non aveva mai nemmeno saputo di avere una zia, tantomeno che fosse in coma da venticinque anni. Era difficile per lui provare qualcosa per quella donna.

"Che cosa vuoi per cena?" chiese la madre, mentre mettevano l'auto in garage.

"A questo punto, qualsiasi cosa. Ho tanta fame. E tu?"

Lei si strinse nelle spalle. "Credo di sì."

Scesero dalla macchina. David aprì la porta di comunicazione con la cucina, mentre lei premeva il pulsante per chiudere il garage.

Il ragazzo accese la luce in cucina, poi attraversò il salotto per andare in camera sua.

Diane appoggiò la borsetta sul mobile della cucina e aprì il frigorifero per vedere che cosa improvvisare per cena.

"Ehi, mamma", fece David dal corridoio.

"Sì?"

"Vieni."

"Sto cercando di decidere che cosa fare per cena, tesoro. Cosa c'è?"

"Meglio se vieni." David aveva una voce strana.

Diane chiuse il frigorifero e raggiunse il figlio in corridoio.

"Guarda." Il ragazzo indicava la porta d'ingresso. Era leggermente socchiusa.

"Non l'ho chiusa a chiave?" si chiese Diane, preoccupata. Guardò da vicino e notò che la serratura era stata forzata. Qualcuno era entrato nel loro appartamento. "David", mormorò, "torna in cucina."

Il ragazzo sgranò gli occhi. "Mamma?"

"Fai come ti dico."

David obbedì, mentre lei guardava verso il corridoio buio che portava alle due camere. Accese la luce. Non mancava niente. Avanzò cautamente fino alla camera del figlio. Premette l'interruttore: tutto sembrava a posto.

La porta della stanza da letto era chiusa, ma lei la lasciava sempre così. Si avvicinò alla porta e vi accostò l'orecchio, pronta a cogliere il minimo rumore all'interno. Silenzio.

Spalancò la porta, si affacciò e accese la luce.

Non c'era nessuno. Il letto era rifatto e i vestiti che aveva appoggiato sulla spalliera della sedia erano dove li aveva lasciati. Non era stato toccato niente.

Diane entrò, guardò in tutti gli angoli e tirò un sospiro di sollievo. Era preoccupante che qualcuno avesse scassinato la porta, ma a quanto pareva chi lo aveva fatto si era spaventato e se n'era andato senza portare via niente.

"Tutto okay, David. Non c'è nessuno."

Sentiva il cuore battere veloce. Aveva bisogno di un po' d'acqua. Entrò in bagno, accese la luce e allungò una mano verso il bicchiere di plastica sul lavabo.

Intravide l'imponente figura in nero con la coda dell'occhio e lanciò un urlo. Una mano scattò verso di lei. Diane sentì il contatto di una lama e un dolore pungente all'avambraccio.

Il suo allenamento nelle arti marziali le salvò la vita. D'istinto alzò il braccio sinistro e parò un secondo assalto. Nello stesso tempo ruotò il corpo, per assestare un calcio al ventre dell'aggressore, ma mancò il bersaglio e lo colpì alla coscia. La sua reazione aveva colto di sorpresa l'avversario, dandole il tempo di balzare all'indietro, fuori dal bagno. Ma perse l'equilibrio e, anziché atterrare in piedi, cadde di schiena e batté la testa contro la sponda del letto.

"Mamma?" Sentendola gridare, David si era precipitato verso la camera. Dalla soglia vide l'intruso che usciva dal bagno.

Era una specie di mostro. Vestiva interamente di pelle nera, ma gli abiti erano lacerati in diversi punti. Anche il volto era nero, coperto da ripugnanti macchie rossastre. Aveva capelli lunghi e sporchi, tra i quali era visibile qualche chiazza di cute annerita.

D'un tratto David capì che l'uomo era ustionato. La pelle sul viso e sulle mani era orribilmente ulcerata. Le ferite aperte erano coperte da croste nere e marroni.

Era Emo Tuff.

Aveva perso la benda e l'orbita vuota sembrava un pozzo senza fondo.

David urlò.

Tuff si voltò verso di lui. Il suo unico occhio lampeggiava di odio e di furia. Un ringhio gli uscì dalla bocca deformata.

"Corri, David!" gridò Diane. Cercò di rialzarsi aggrappandosi alla sponda del letto, ma Tuff si voltò nuovamente verso di lei. L'afferrò per una gamba e la tirò a sé, pronto a colpirla alla coscia con il suo stiletto. Lei gli diede un calcio allo stomaco con la gamba libera, non tanto forte da fermarlo, ma abbastanza da fargli sbagliare mira. La lama si infisse nel materasso.

Tuff dovette lasciarla andare per estrarre il coltello. Diane doveva approfittarne per fuggire.

Suo figlio era paralizzato, incapace di muoversi,

"David! Corri! Chiama il 911!" gridò lei, ruotando sul letto per scendere dall'altra parte.

Il ragazzo si risvegliò e corse per il corridoio.

Tuff si spostò, tagliando la strada a Diane. Teneva lo stiletto davanti a sé, pronto a colpire dal basso verso l'alto appena la sua preda si fosse avvicinata.

David arrivò in cucina, prese il telefono e compose 9-1-1. Non accadde nulla. Provò ancora, ma si accorse che non c'era la linea. Tuff doveva avere tagliato i fili.

Imprecò tra sé e si chiese che cosa fare. Poteva correre fuori di casa in cerca di aiuto, oppure tentare di difendere la madre. Si guardò intorno in cerca di un'arma di qualche genere e aprì un cassetto. Afferrò il coltello più grosso che riuscì a trovare, quello che la mamma usava per il tacchino il Giorno del Ringraziamento. Senza pensare al pericolo, si precipitò in corridoio, giusto in tempo per vedere Tuff, di spalle, di fronte a sua madre dall'altra parte del letto.

David si lanciò sull'uomo e gli piantò il coltello nella schiena. La lama colpì qualcosa di duro, probabilmente una costola, e rimbalzò senza penetrare a fondo. Ma sufficiente a fare del male a Tuff, che ruggì come una belva e girò su se stesso di scatto. Il ragazzo fu proiettato contro la cassettiera e cadde a terra.

"David!" gridò Diane.

Un primordiale istinto di protezione la indisse a saltare sul letto e a gettarsi addosso a Tuff con tutto il suo peso. Lui cercò di sostenere l'impatto, ma cadde all'indietro, verso il corridoio, finendo sul pavimento. Diane, sopra di lui, lo prese ripetutamente a pugni, ma la forza dell'uomo era superiore. Ruotò su se stesso, rovesciandola sotto di sé. Ora era lui a trovarsi nella posizione dominante.

Tuff alzò il braccio con lo stiletto, pronto a calarlo sulla vittima, ma David afferrò la lampada di ceramica sul comodino della madre e la fracassò sul cranio dell'uomo.

Tuff si irrigidì e crollò sul corpo di Diane, che sgusciò da sotto di lui.

"Oddio, David!", singhiozzò, abbracciando il figlio. Si allontanarono di qualche passo dal killer, rendendosi conto di quanto fosse vicino.

"È morto?" chiese David.

"Spero di sì" disse lei. "Tu stai bene?"

"Ho battuto la testa, ma non fa male. E tu?"

"Credo di stare bene." Diane si alzò in piedi. Aveva un brutto taglio sull'avambraccio e qualche livido, ma tutto sommato poteva andare peggio. "Hai chiamato la polizia?"

"Non c'è la linea."

"Allora andiamocene di qui." Lo prese per mano e insieme corsero in salotto. "Prima devo prendere una cosa." Si chinò ad aprire il cassetto in cui di solito teneva lenzuola e tovaglie, in cui aveva nascosto la valigia con il denaro.

David la guardò. "Che cos'è?"

"Il nostro futuro."

Si rialzò con la pesante valigia in mano, pronta a portarla in garage passando dalla cucina. Ma in quel momento Emo Tuff apparve dal corridoio e afferrò David per le spalle.

Il ragazzo urlò e cercò di divincolarsi, ma il braccio di Tuff era come una morsa. Il killer appoggiò lo stiletto al collo di David e fissò Diane con l'occhio iniettato di sangue e di follia. Mormorò qualcosa di inintelligibile.

"Ti prego, non fargli del male!" lo supplicò Diane. "Che cosa vuoi?"

L'uomo le fece cenno di gettare a terra la valigia. Lei obbedì senza esitazioni. Poi Tuff le fece cenno di allontanarsi. Diane fece qualche passo indietro, mentre lui avanzava, senza lasciare l'ostaggio. Ora doveva scegliere con quale mano prendere la valigia: quella che immobilizzava David o quella con lo stiletto.

Diane indietreggiò fino a trovarsi con le spalle al mobile della cucina. A tentoni trovò la borsetta, la prese e se la tenne davanti, come uno scudo. "Lascialo andare, ti prego.

Prendi me."

Tuff ringhiò e disse qualcosa che gli uscì come un grottesco gorgoglio.

Diane aprì la borsetta con una mano, mentre parlava. "È solo un ragazzo. È me che vuoi. Lascialo andare."

Tuff continuava a stringere a sé l'ostaggio, ma Diane gli leggeva l'incertezza nell'occhio. Si guardarono per un mezzo minuto carico di tensione, poi, con un grugnito, il killer lasciò andare David.

Mentre il figlio correva verso la cucina, Diane estrasse la Colt 45 dalla borsetta, la puntò su Tuff e premette il grilletto.

La detonazione, assordante, riecheggiò nel salotto, mentre l'impatto del proiettile spingeva il killer all'indietro. Tuff cadde sulla televisione, si contorse e stramazzò sul pavimento, a faccia in giù.

Diane e David non si mossero, erano troppo scossi. Avevano paura che il killer si rialzasse e tornasse all'attacco.

Quando una pozza di sangue cominciò ad allargarsi sotto il corpo dell'uomo, impregnando la moquette, Diane abbassò la pistola.

"È finita?" chiese David.

Diane cadde in ginocchio e abbandonò la Colt. Madre e figlio si abbracciarono di nuovo. "Sì, David. Stavolta è proprio finita."

Diario di David

Sto scrivendo in macchina. Abbiamo appena passato il confine di stato tra l'Illinois e l'Indiana.

La mamma è finita di nuovo sui giornali. La chiamano ancora "la mamma pornostar" anche se adesso è ufficiale che l'attrice porno era sua sorella Dana. Ho idea che dovrà tenersi quel soprannome per tutta la vita. In ogni caso, dopo l'altra sera nell'appartamento, per la stampa è un'eroina: "La mamma pornostar salva suo figlio" e "L'eroica mamma pornostar", per citare solo un paio di titoli. Era in tv, era dappertutto.

È stata proprio una serata incredibile. Quando siamo stati sicuri che Emo era morto, la mamma avrebbe voluto chiamare la polizia, ma i fili del telefono erano tagliati. E il cellulare nella borsetta era scarico. Allora siamo andati in un negozio vicino per usare un telefono pubblico. La mamma ha chiamato la polizia e ha raccontato una storia convincente, spiegando che aveva lottato con Emo per togliergli la Colt e alla fine gli aveva sparato. Così non ha dovuto spiegare come faceva ad avere una pistola senza porto d'armi. I poliziotti le hanno creduto.

Dopo che un dottore ha medicato il braccio della mamma, siamo dovuti andare alla centrale per rilasciare le dichiarazioni. Ci hanno interrogati separatamente, ma abbiamo raccontato la stessa storia. Tutto è andato bene e il giorno dopo il caso dell'assassinio di papà era chiuso.

La mamma ha deciso che ci dobbiamo trasferire a New York. Nick ci aiuterà a trovare una casa. Ha anche procurato un dottore per la mamma ("uno strizzacervelli", lo chiama lei) per tornare a posto dopo tutto quello che ha passato. Probabilmente ci andrò anch'io. Soffro di incubi da quando sono stato rapito e la mamma dice che il dottore me li farà passare.

Nick ci ha detto anche che a New York conosce un cardiologo che mi può visitare. Quando ci saremo stabiliti in città, si metteranno d'accordo per il mio intervento. Una volta mi faceva paura l'idea dell'operazione, ma dopo tutto quello che mi è capitato nelle ultime due settimane, non sarà niente!

L'ultima cosa che abbiamo fatto prima di lasciare la città è stata andare al funerale della zia Dana, alle pompe funebri vicino a casa nostra. C'eravamo solo la mamma, il signor Lewis e io. La mamma ha fatto cremare sua sorella e le hanno dato questa urna di metallo con dentro le sue ceneri. Che impressione. Ci ho guardato dentro e sembra come un portacenere, solo che sono più bianche e fini. La mamma dice che porterà l'urna con noi a New York e cercherà un bel posto in cui spargerle. Central Park, o qualcosa del genere.

Il viaggio in macchina fino a New York sarà divertente. Faremo i nostri giochi e canteremo con la radio, come ai vecchi tempi. Ho già notato dei cambiamenti nella mamma. Non ha più umori strani e sembra più allegra. Sono molto contento. Lasciare Lincoln Grove è la cosa migliore che potessimo fare. E vivere a New York City sarà fantastico, non vedo l'ora!

La mamma ha appena acceso la radio. C'era una canzone che le piaceva: una vecchia (almeno per me) di Paul Simon che si chiama Mother and Child Reunion. La mamma si è messa a canticchiarla. Io sapevo il ritornello e mi sono messo a cantare anch'io: "Non ti do false speranze in questo giorno strano e triste. Ma alla riunione di madre e figlio manca solo un momento."

Andava proprio bene per noi.

Note

1 Il "National Enquirer" è un popolare giornale in formato tabloid venduto nei supermercati statunitensi, conosciuto per la sua propensione a raccontare di crimini truculenti, pettegolezzi sulle celebrità e fatti insoliti legati all'ufologia e all'occultismo.

2 "Sesso di gruppo", un sottogenere del porno in cui una donna ha rapporti con più partner contemporaneamente.

3 Supporto su cui si appoggia la pallina.

4 La mazza che consente di raggiungere la massima distanza nel *drive*, ovvero il colpo di apertura con la pallina appoggiata sul *tee*.

5 Numero dei tiri stabilito per raggiungere una buca: si va da *par 3* (tre tiri) a *par 5* (cinque tiri, per le buche più "lunghe").

6 La mazza utilizzata nel *putt*, il colpo finale destinato a mandare la pallina in buca.

7 La battuta originale, famosissima, è *It's clobberin' time*.

8 Come spesso capita nel cinema porno, gli pseudonimi degli interpreti contengono doppi sensi. Qui, letteralmente: Lucy Amore, Pupa Angelo, Pete Verga, Jerry Minchia e Paul Da Monta.

9 "Vicolo dei diamanti".

10 Jerry Springer è il titolare del talk-show televisivo di grande successo intitolato "The Jerry Springer Show", in onda dal 1991. È apparso nel ruolo di se stesso in alcuni film, tra cui *Austin Powers-La spia che ci provava* e *Domino*.

[11] "Allegro Jules".

[12] Sigla di *Lots of laugh* (letteralmente "Un sacco di risate"), usata spesso nei messaggi e-mail e su Internet per commentare qualcosa di buffo.

[13] Personaggio di un programma per bambini a pupazzi animati in onda sulla rete televisiva NBC tra il 1947 e il 1960. Howdy Doody aveva i capelli rossi e le lentiggini.

[14] Termine yiddish che indica il caratteristico copricapo noto in ebraico come *kippah*.

[15] Nell'originale *Sgt. Pecker's Lonely Hearts Club Band*, gioco di parole tra *Sgt. Pepper's Lonely Hearts Club Band*, titolo di un celeberrimo album dei Beatles, e *pecker*, ovvero "pisello". I titoli in inglese degli altri film immaginari citati in questo capitolo sono *Coed Dormitory*, *Doggy Day Afternoon* e *Blondes Have a Helluva Lot More Fun*.

[16] Film immaginario che ricalca i titoli dei film sui *bikers* e quelli di classici film di fantascienza.

[17] Personaggio femminile dei cartoni animati, creato nel 1930 dall'animatore Grim Natwick. Concepito in origine come un barboncino femmina (anche se il fisico era ispirato alla cantante Helen Kane), fu ridisegnato nel 1932 fino ad acquisire tratti più decisamente umani, diventando un vero e proprio sex symbol dei cartoon americani. La fama di Betty Boop si è protratta nel tempo, tanto che si è meritata un'apparizione (rigorosamente in bianco e nero) nel film *Chi ha incastrato Roger Rabbit?* diretto nel 1988 da Robert Zemeckis.

[18] *The Last Picture Show*, film di Peter Bogdanovich del 1971, tratto dal romanzo omonimo di Larry McMurtry, che racconta di un gruppo di giovani in una cittadina del Texas nel 1951. Tra gli interpreti, Timothy Bottoms, Jeff Bridges e Cybill Shepherd.

[19] La "città giardino" (*garden city*) è una tipologia urbanistica nata in Inghilterra a metà del XIX secolo ed esportata nel

mondo. Numerose città ne hanno adottato il nome e il progetto, non sempre con ottimi risultati.

20 *Il violinista sul tetto* è il titolo di un film di Norman Jewison del 1971, tratto dal musical di Joseph Stein basato a sua volta sui racconti di Sholom Aleichem. La vicenda è imperniata su una famiglia ebrea nella Russia ai tempi dei *pogrom*.

21 Marshall fa un po' di confusione tra le lingue: la frase corretta in spagnolo è "*¿Habla inglés?*"

22 Celebre serie televisiva americana in onda tra il 1965 e il 1970, interpretata da Barbara Eden e Larry Hagman. Il telefilm, il cui titolo originale era *I Dream of Jeannie*, fu creato per la rete NBC dallo scrittore e sceneggiatore Sidney Sheldon per fare concorrenza alla serie *Bewitched* (in italiano *Vita da strega*) in onda sulla ABC. Durante il collaudo di un razzo un astronauta americano atterra fortunosamente su un'isola remota e trova una bottiglia contenente un grazioso genio femmina, che libera dopo duemila anni diventandone il padrone. Gli episodi, che oscillano tra il romantico e la commedia, sono imperniati sul tentativo del genio di adattarsi alla vita tra i mortali nel Ventesimo secolo.

23 Nell'originale *Invasion of the Body Snatches*, gioco di parole tra *snatches* ("fiche") e *Invasion of the Body Snatchers* (letteralmente "L'invasione dei ladri di corpi"), titolo del celebre film di Don Siegel tratto dal romanzo *Gli invasati* di Jack Finney e noto in Italia come *L'invasione degli ultracorpi*: si tratta di un classico della fantascienza del 1956 che ha ispirato vari altri film, tra cui *Terrore dallo spazio profondo* (di Philip Kaufman, 1978), *Ultracorpi-L'invasione continua* (di Abel Ferrara, 1993) e *Invasion* (di Oliver Hirschbliegel, 2007).

Da Alacrán Edizioni:

I Misteri:

Morte di un dissidente
serie Lew Fonesca:
Cattive intenzioni
Parole al vento
Midnight Pass
Stuart M. Kaminsky

A serramanico
Giudice e parte
Andreu Martín

serie Lic Salinas:
Il primo potere
L'intermediario
Il banchiere
Il premier
Pedro Casals

Morte accidentale di una lady
serie Diabolik:
La lunga notte
Alba di sangue
serie Nightshade:
Missione Cuba
Progetto Lovelace*
Andrea Carlo Cappi

serie Parker:
Terra bruciata
Dietro le sbarre
Nessuno corre per sempre
Richard Stark

Prima del buio
Le ore del male
Sweetie
serie James Bond 007:
Conto alla rovescia
Obiettivo Decada
Tempo di uccidere
Doppio gioco
Raymond Benson

Sette colli in nero
a cura di Gian Franco Orsi

Guardo e aspetto
Justo Vasco

Sherlock Holmes
La vendetta del mastino dei Baskerville
Michael Hardwick

Whiskey Sour
J. A. Konrath

Le Storie:

Il sorriso di Anthony Perkins
La donna senza testa
Claudia Salvatori

Il piede nel letto
Luca Ricci

Niente da festeggiare
L'ussaro nel freezer
Eldorado
Sandro Ossola

Alma
Mariella Dal Farra

Café Nopal
Alfredo Colitto

Roma fantastica - Orrori e misteri di ieri, oggi e domani
a cura di Gianfranco de Turris

Lingue morte
Davide Garbero

Nodo al pettine - Confessioni di un "parrucchiere anarchico".
Gianluca Mercadante

Il Re dei Topi e altre favole oscure
Cristiana Astori

Yodo
Juan Hernández Luna

La settima nota
Andrea Carlo Cappi

Pentar
Luca Tarenzi

mondoserpente
Paolo Grugni

Tra di noi
Storie vecchie e nuove di soprannaturale urbano
Carlo Oliva

Corpus delicti
Andreu Martín

Cronache di Madrid in nero
Juan Madrid

Don Giovanni
Paolo Brera

L'innocente
Mario Lacruz

The Ax-*Cacciatore di teste**
Donald Westlake

I Saggi:

serie C'era una volta il giallo:
I - *L'età d'oro del mystery*
II - *L'età del piombo*
III - *L'età del sangue*
G. F. Orsi - L. Volpatti

Hardboiled Blues-*Raymond Chandler & Philip Marlowe*
Gian Franco Orsi

Il segreto di Agatha
Lia Volpatti

Elementi di tenebra-*Manuale di scrittura thriller*
Andrea Carlo Cappi

Stelle rosse-*Astrologia neo-illuminista a uso della sinistra*
Giorgio Galli

Thrilling Cities - *Le città dell'avventura*
Ian Fleming

Mondo Bond 2007
a cura di A. C. Cappi e E. C. Dell'Orto

Dragons Forever - *Il cinema di azione e arti marziali*
Stefano Di Marino

Dario Argento - *Confessioni di un maestro dell'horror*
Fabio Maiello

Gli Scorpioni:

Diabolik-*La lunga notte*
Martin Mystère, detective dell'impossibile
Andrea Carlo Cappi

Let it be
Paolo Grugni

*di prossima pubblicazione

Rivista del Mistero

trimestrale di noir, thriller e mistero

Abbonati per ricevere le prossime uscite in anteprima, usufruendo di uno sconto speciale!

Tariffe Abbonamento 6 numeri a euro 32

Pagamento (barrare solo la voce interessata):

Δ Bollettino postale: pago con il bollettino che mi invierete
Δ Bonifico bancario

Dati personali

Nome e cognome_____

Via/Piazza _____

Città-Cap-Provincia _____

Telefono _____

E-mail _____

Firma _____

Due modi per abbonarsi

Δ via posta, inviando questa pagina a: Alacrán Edizioni S.r.l.
    via Fra' Luca Pacioli 9, 20144 Milano
Δ via fax, inviando questa pagina al numero 02.45485400

Informativa D.l.gs 196/2003
I suoi dati saranno trattati all'editore, titolare del trattamento, per dare corso alla richiesta di abbonamento. A tale scopo è indispensabile il conferimento dei dati anagrafici. Lei può in ogni momento e gratuitamente esercitare i diritti previsti dall'art. 7 D.l.gs 196/2003 e cioè conoscere quali dei suoi dati vengono trattati, farli integrare, modificare o cancellare per violazione di legge, od opporsi al loro trattamento scrivendo al responsabile del trattamento: Alacrán Edizioni S.r.l. via Fra' Luca Pacioli 9, 20144 Milano

Firma_____